D0553287

Sleutel naar geluk

SARAH DESSEN

Sleutel naar geluk

Vertaald door Jasper Mutsaers

moon

Lees ook van Sarah Dessen:
Ik moet je iets vertellen

© 2008 Sarah Dessen
Oorspronkelijke titel *Lock and key*
All rights reserved including the right of reproduction in whole
or in part in any form. Published by arrangement with Viking
Children's Books, a division of Penguin Group (USA) Inc.
Nederlandse vertaling © 2010 Jasper Mutsaers en Moon,
Amsterdam
Omslagontwerp Marlies Visser
Zetwerk ZetSpiegel, Best

ISBN 978 90 488 0579 2
NUR 285

www.moonuitgevers.nl

Moon is een imprint van Dutch Media Uitgevers bv.

moon
Dit boek is ook leverbaar als e-book:
ISBN 978 90 488 06027

Voor Leigh Feldman, die me er zoals altijd
weer doorheen heeft gesleept

En voor Jay,
die aan het eind van de rit steeds
op me staat te wachten

1

'En ten slotte,' zei Jamie toen hij de deur openduwde, 'zijn we bij het belangrijkste onderdeel aanbeland: jouw kamer.'

Ik was voorbereid op roze. Ruches en gewatteerde dekens, misschien zelfs wel appliqué. Dat was waarschijnlijk niet helemaal eerlijk, maar aan de andere kant had ik geen idee meer wie mijn zus was, laat staan wat haar smaak was qua inrichting. Als het op onbekenden aankwam, was het altijd mijn beleid geweest om uit te gaan van het ergste. Meestal stelden ze – en ook degenen die je wél kende – je dan niet teleur.

In plaats daarvan was groen het eerste wat ik zag. Een groot, hoog raam met aan de andere kant ervan hoge bomen die de afscheiding vormden tussen de enorme achtertuin en het huis van de achterburen. Waar mijn zus en haar man Jamie woonden, was alles groot – van de huizen en de auto's tot de stenen omheining die je meteen zag als je buurt in kwam rijden, gemaakt van stenen die er té groot uitzagen om ooit verplaatst te kunnen zijn. Het leek Stonehenge wel, maar dan provinciaal. Heel merkwaardig.

Toen ik dat stond te denken drong het pas tot me door dat we nog steeds in de gang stonden, op een rijtje, als in een file. Op een gegeven moment had Jamie, die tijdens deze kleine rondleiding voorop had gelopen, een stap opzij gedaan, waardoor ik in de deuropening kwam te staan. Het was duidelijk dat ze wilden dat ik als eerste naar binnen ging. Dat deed ik dus.

De kamer was groot, inderdaad, met roomkleurige muren. Behalve het grote raam dat ik als eerste zag, waren er nog drie ramen, waar smalle jaloezieën voor hingen. Rechts stond een tweepersoonsbed met een geel donzen dekbed en bijpassende kussens, en een dubbelgevouwen witte deken over het voeteneind. Er stond ook een klein bureau, waar een stoel onder geschoven stond. Het plafond was schuin met bovenin een recht stuk met daarin een vierkante lichtkoepel, ook met jaloezieën ervoor. Klein en vierkant, duidelijk op maat gemaakt. Alles paste zo goed bij elkaar en was zo ongewoon dat ik er heel even alleen maar naar stond te kijken, alsof het echt het vreemdste was wat me die dag was overkomen.

'Je hebt dus je eigen badkamer,' zei Jamie terwijl hij om me heen liep, waarbij zijn voeten een zacht ploffend geluid maakten op het tapijt, dat natuurlijk smetteloos was. Eigenlijk rook de hele kamer naar verf en nieuwe vloerbedekking, net als de rest van het huis. Ik vroeg me af hoe lang geleden ze verhuisd waren – een maand, een halfjaar? 'Achter deze deur. En daar zit de kast ook. Gek, hè? Dat is bij onze badkamer ook zo. Toen we aan het bouwen waren, beweerde Cora dat ze dan sneller klaar zou zijn. Een theorie die tot op heden nog niet bewezen is, kan ik wel zeggen.'

Toen lachte hij naar me, en ik probeerde wederom terug te lachen. Wie was toch dat vreemde wezen, mijn zwager, een aanduiding die merkwaardig genoeg goed bij hem paste, gezien de omstandigheden – in zijn mountainbike-T-shirt, spijkerbroek en hippe, dure sneakers; grapjes makend in een overduidelijke poging de spanning te doorbreken in deze ongelooflijk ongemakkelijke situatie? Ik had geen idee, behalve dan dat hij de laatste was die ik aan mijn zus gekoppeld zou hebben, die zo zenuwachtig was dat ze niet deed alsof ze om zijn grapjes moest lachen. Dat probeerde ik in elk geval nog wel.

Cora niet. Ze stond daar maar in de deuropening, nauwelijks voorbij de drempel, haar armen over elkaar geslagen. Ze droeg een mouwloos truitje – hoewel het half oktober was, was de temperatuur in het huis meer dan aangenaam, eerder heet – en ik zag hoe haar biceps en triceps zich aftekenden, iedere spier zo te zien aangespannen, net als toen ze twee uur daarvoor bij Poplar House binnenliep. Toen leek het ook al of alleen Jamie het woord had gevoerd, zowel tegen Shayna, de sociaal werkster, als tegen mij, terwijl Cora zweeg. Toch voelde ik zo af en toe haar ogen op mij rusten, onbeweeglijk, alsof ze mijn gelaatstrekken stond te bestuderen, in haar geheugen stond op te slaan, of misschien stond ze wel gewoon te kijken of er nog iets was wat ze überhaupt herkende.

Cora heeft dus een man, dacht ik, toen we tegenover elkaar zaten en Shayna druk met papieren in de weer was. Ik vroeg me af of ze een chique bruiloft hadden gehad, zij in een dure witte jurk, of dat ze in stilte waren getrouwd nadat ze hem had verteld dat ze geen noemenswaardige familie had. Aan haar lot overgelaten, ik weet zeker dat dat haar versie was – in haar eentje opgegroeid, zonder banden, zonder iemand iets verschuldigd te zijn. 'De thermostaat hangt in de gang, als je het warmer of kouder wilt hebben,' zei Jamie nu. 'Ikzelf vind het wel lekker als het een beetje koel is, maar je zus stikt graag van de hitte. Dus ook al zet je hem lager, waarschijnlijk zet ze hem dan meteen weer omhoog.'

Hij lachte weer, en ik ook. Jezus, wat was dit vermoeiend. Ik voelde hoe Cora in de deuropening van het ene op het andere been ging staan, maar ze zei wederom niets.

'O ja!' zei Jamie, en hij klapte in zijn handen. 'Vergeet ik het nog bijna. Het allerleukste.' Hij liep naar het middelste raam en graaide achter de jaloezie. Pas toen hij een stap terug deed om hem open te maken, besefte ik dat het een deur was. Ik rook vrijwel meteen de koude lucht. 'Moet je dit zien.'

Ik weerstond de drang om weer naar Cora te kijken toen ik een stap naar voren deed, en nog een, en voelde hoe mijn voeten in de vloerbedekking zonken. Ik liep achter hem aan, een klein balkon op. Hij stond bij de balustrade en ik ging naast hem staan. We keken samen naar beneden, de tuin in. Toen ik de tuin voor het eerst zag, vanuit de keuken, had ik alleen het minimale gezien: gras, een schuurtje, het grote terras met aan de ene kant een barbecue. Nu zag ik echter ook stenen in een ovaal in het gras liggen, die er duidelijk bewust waren neergelegd, en weer moest ik aan Stonehenge denken. Wat was dat toch met die rijke mensen, die druïdefixatie?

'Dat wordt een vijver,' vertelde Jamie, alsof ik net hardop had lopen denken.

'Een vijver?' vroeg ik.

'Met een ecosysteem,' zei hij. 'Negen bij zes meter, met een natuurlijke oever en een waterval. En vissen. Gaaf hè?'

En weer voelde ik hoe hij naar me keek, verwachtingsvol. 'Ja,' antwoordde ik omdat ik hier te gast was. 'Klinkt goed.'

Hij lachte. 'Hoor je dat, Cor? Zíj denkt niet dat ik gek ben.'

Ik keek nog een keer naar de ovaal en daarna naar mijn zus. Ze was de kamer in gelopen, zij het niet al te ver, en stond nog steeds met haar armen over elkaar geslagen naar ons te kijken. We keken elkaar heel even aan en ik vroeg me af hoe ik hier in godsnaam terechtgekomen was, op de laatste plek waar ik wilde zijn en zij me wilde hebben. Toen deed ze haar mond open om voor het eerst iets te zeggen sinds we de oprit op reden en dit, wat het ook zijn mocht, was begonnen.

'Het is hartstikke koud,' zei ze. 'Jullie kunnen beter weer naar binnen komen.'

* * *

Tot één uur diezelfde middag, toen ze me kwam opeisen, had ik mijn zus tien jaar niet gezien. Ik wist niet waar ze woonde, wat ze deed, of zelfs maar wie ze was. Dat interesseerde me ook niet. Er was een periode dat Cora deel uitmaakte van mijn leven, maar die tijd was voorbij, punt. Dat dacht ik tenminste, totdat de Honeycutts op een dinsdag op de stoep stonden en alles veranderde.

De familie Honeycutt was eigenaar van het gele boerderijtje waar mijn moeder en ik toen ongeveer een jaar woonden. Daarvoor woonden we in een flatgebouw in Lakeview Chalets, een vervallen complex achter het winkelcentrum. We hadden daar een flat met één slaapkamer, het enige raam bood uitzicht op de achteringang van het zelfbedieningsrestaurant J&K, waar altijd minstens één werknemer met een haarnetje op zittend op een omgekeerde melkkrat buiten aan het roken was. Parallel aan het complex liep een beekje dat helemaal niet opviel tot het flink regende en het waterpeil steeg, het buiten zijn niet-bestaande oevers trad en alles overstroomde, iets wat minstens twee of drie keer per jaar gebeurde. Omdat we op de bovenste verdieping woonden, bleven we gespaard voor het water zelf, maar de stank uit de lagergelegen flats drong overal doorheen, en God mag weten hoeveel schimmel er in de muren zat. Laat ik volstaan met te zeggen dat ik twee jaar lang onafgebroken verkouden was. Het eerste wat me opviel aan het gele huis, was dat ik er lucht kreeg.

Het was ook op andere manieren anders. Zo was het bijvoorbeeld een huis, en geen flatje in een groot complex of boven iemands garage. Ik was eraan gewend geraakt om aan de andere kant van een muur buren te horen, maar het gele huis stond midden in een groot weiland, geflankeerd door twee eiken. Aan de linkerkant stond nog een huis, maar daarvan waren alleen stukken van het dak zichtbaar door de bomen – we woonden er feitelijk gewoon alleen. En dat beviel ons goed.

Mijn moeder was niet zo'n mensenmens. Onder bepaalde omstandigheden – als ze iets van je gedaan wilde krijgen – kon ze heel vriendelijk zijn. En als je haar op honderdvijftig meter afstand van een man neerzette die haar als stront behandelde, zou ze als ze de kans kreeg naar hem toe lopen en vriendelijk met hem gaan staan praten. En ik weet dat het zo is, want ik heb het weleens uitgeprobeerd. Maar interactie tussen haar en het overgrote deel van de bevolking (caissières, het hoofd van de school, bazen, ex-vriendjes) was er alleen als het echt niet anders kon, en zelfs dan met grote terughoudendheid.

Daarom was het maar goed dat ze mij had. Zo lang als ik me kon herinneren, was ik haar buffer geweest. De tussenpersoon, mijn moeders ambassadeur voor de buitenwereld. Als we voor de supermarkt stonden en ze cola light moest hebben maar een te grote kater had om het zelf te gaan halen, of als ze een van de buren aan zag komen om over het zoveelste nachtelijke lawaai te klagen, of als er Jehova's getuigen aan de deur kwamen, het was altijd hetzelfde liedje. 'Ruby,' zei ze dan met haar vermoeide stem, haar glas in haar hand of tegen haar voorhoofd gedrukt. 'Sta die mensen even te woord, wil je?'

En dat wilde ik wel. Ik kletste met het meisje achter de toonbank terwijl ik op mijn wisselgeld stond te wachten, knikte naar de buurman als hij weer eens dreigde dat hij de politie zou bellen, negeerde de foldertjes die ze me aan-

boden voordat ik de deur voor de neus van de Jehova's getuigen dichtgooide. Ik was haar voorste verdedigingslinie en
had altijd een verklaring klaar of gaf ergens een positieve
draai aan. 'Ze is net naar de bank,' zei ik tegen de huisbaas,
zelfs al lag ze achter de halfgesloten deur naar de woonkamer op de bank te snurken. 'Ze staat buiten met een bezorger te praten,' verzekerde ik haar baas, zodat hij me haar
spullen meegaf terwijl ze bij het laaddek die sigaret stond te
roken waar ze zo'n behoefte aan had en probeerde haar trillende handen in bedwang te krijgen. En ten slotte de grootste leugen van allemaal: 'Natuurlijk woont ze er nog wel. Ze
werkt gewoon heel veel,' zei ik tegen de sheriff toen hij me
die ene keer uit de les kwam halen. Toen kon ik er zoveel
draaien aan geven als ik wilde, en ik stond zoals altijd op
haar verzoek de mensen te woord, maar ze luisterden niet
meer.

De eerste keer dat mijn moeder en ik echter voor het gele
huis parkeerden, was alles nog oké. Zeker, we hadden onze
flat met de gebruikelijke ellende verlaten – achterstallige
huur, de huismeester die rondhing en ons zo goed in de
gaten hield dat we er een paar dagen over deden om de auto
in te laden en er iedere keer iets bij stopten als we boodschappen gingen doen of naar ons werk gingen. Ik was hier
echter aan gewend, net zoals ik eraan gewend was dat de
telefoon het bijna nooit deed, en dat we, als hij wél werkte,
onder een andere naam in het telefoonboek stonden. Hetzelfde gold voor school. Mijn moeder vulde vaak een vals
adres in omdat ze zeker wist dat schuldeisers en huisbazen
ons anders zouden kunnen opsporen. Ik heb heel lang gedacht dat iedereen zo leefde. Toen ik oud genoeg was om te
beseffen dat dit niet zo was, was ik er al aan gewend geraakt
en op een andere manier leven zou heel onnatuurlijk aan-
gevoeld hebben.

Het gele huis was vanbinnen een beetje vreemd. De keuken was het grootst, en alles stond of hing er tegen één muur: kasten, apparaten, planken. Tegen een andere muur stond een enorme propaankachel, die met koud weer hard moest werken om het hele huis te verwarmen en met een diepe zucht sissend tot leven kwam. De enige badkamer was naast de keuken; de buitenmuren staken uit en waren niet geïsoleerd; volgens mijn moeder was hij later aangebouwd – er had waarschijnlijk eerst een buiten-wc gestaan – waardoor het op koude dagen wel even duurde voordat het water warm was en de stoom voor warmte zorgde. De woonkamer was klein en de muren waren bedekt met nephouten wandplaten. Zelfs midden op de dag zag je zonder lamp geen hand voor ogen. Mijn moeder was uiteraard dol op die duisternis en deed meestal ook de gordijnen nog dicht. Ik kwam dan thuis om haar op de bank te zien liggen, een sigaret bungelend in haar ene hand, de gloed van de tv in salvo's in haar gezicht flikkerend. Buiten scheen de zon misschien wel en was het stralend weer, maar bij ons binnen was het altijd 's avonds laat, het favoriete tijdstip van mijn moeder.

In het eenslaapkamerappartement waar we eerst woonden was ik eraan gewend om soms uit een diepe slaap gewekt te worden door mijn moeder, die met haar lippen vlak bij mijn oor fluisterend vroeg of ik alsjeblieft zo lief wilde zijn om op de bank te gaan liggen. Als ik daar dan naartoe liep, versuft en in de war, deed ik mijn uiterste best om niet te kijken wie er deze keer weer achter haar aan naar binnen was geglipt. In het gele huis had ik echter mijn eigen kamer. Hij was klein, met een kleine inbouwkast en slechts één raam, oranje vloerbedekking en dezelfde donkere muren als de woonkamer, maar hij had wel een deur die dicht kon en hij was van mij. Hij gaf me het gevoel dat we hier langer zouden blijven dan een paar maanden en dat hier alles beter zou worden. Uiteindelijk bleek echter maar één van deze dingen te kloppen.

Ik zag de familie Honeycutt voor het eerst drie dagen nadat we verhuisd waren. Het was vroeg in de middag en we wilden bijna naar ons werk gaan, toen er een groene pick-up de oprit op kwam rijden. Er zat een man achter het stuur met een vrouw naast zich.

'Mam,' riep ik naar mijn moeder, die zich in haar slaapkamer stond aan te kleden. 'Er komt iemand aan.'

Ze zuchtte, geïrriteerd zo te horen. Mijn moeder was niet op haar best als ze naar haar werk moest, prikkelbaar, als een kind. 'Wie is het?'

'Weet ik niet,' zei ik, terwijl ik toekeek hoe het stel – hij in jeans en spijkeroverhemd, zij in een lange broek en een topje met een print – naar het huis kwam lopen. 'Maar ze zijn bijna bij de voordeur.'

'O Ruby,' zei ze zuchtend. 'Werk jij dat even af, alsjeblieft?'

Het eerste wat me opviel aan de Honeycutts was dat ze meteen zo vriendelijk waren, het soort mensen dat mijn moeder niet kon uitstaan. Ze straalden allebei toen ik de deur opendeed, en toen ze me zagen, werd hun lach nog breder.

'Moet je nou toch eens kijken!' zei de vrouw, alsof alleen het feit dat ik bestond al iets bijzonders was. Ze leek zelf op een kabouter, met haar fijne gelaatstrekken en witte krullenkrans. Je zou haar zo in een vitrine zetten. 'Goedemorgen!'

Ik knikte terug, mijn standaard antwoord op iedereen die aan de deur kwam. Alles wat je te veel zei, moedigde hen alleen maar aan, had ik ondervonden. 'Kan ik u ergens mee van dienst zijn?'

De man knipperde met zijn ogen. 'Ronnie Honeycutt,' zei

hij, met uitgestrekte hand. 'En dit is Alice, mijn vrouw. En jij bent?'

Ik keek in de richting van mijn moeders kamer. Hoewel ze meestal een hoop lawaai maakte tijdens het aankleden – lades dichtgooien, in zichzelf mopperen – was ze nu uiteraard doodstil. Ik keek weer naar het stel en besloot dat het waarschijnlijk geen Jehova's getuigen waren, maar dat ze ongetwijfeld ergens mee liepen te leuren. 'Sorry,' zei ik, en ik maakte aanstalten om de deur dicht te gooien zoals alleen ik dat kon, 'maar we hebben niks...'

'O nee, lieverd!' zei Alice. Ze keek naar haar echtgenoot. 'Onbekend maakt onbemind,' verklaarde ze zich. 'Dat leren ze op school.'

'Onbekend maakt wát?' vroeg Ronnie.

'Wij zijn de huisbazen,' zei ze tegen me. 'We komen alleen maar even langs om gedag te zeggen en om te kijken of alles goed is gegaan met de verhuizing.'

Huisbazen, dacht ik. Die waren nog erger dan Jehova's getuigen. Instinctief deed ik de deur nog wat verder dicht en zette mijn voet er aan de binnenkant tegenaan. 'Alles is prima,' zei ik tegen hen.

'Is je moeder in de buurt?' vroeg Ronnie terwijl Alice haar gewicht op haar andere been verplaatste om te proberen in de keuken achter me te kijken.

Ik bewoog met haar mee en versperde haar uitzicht, alvorens te zeggen: 'Nou, eigenlijk is ze...'

'Hier,' hoorde ik mijn moeder zeggen, en toen liep ze door de woonkamer naar ons toe en deed met één hand haar haar naar achter. Ze had een spijkerbroek aan, laarzen, en een wit hemdje. Ondanks het feit dat ze pas zo'n twintig minuten geleden was opgestaan, moest ik toegeven dat ze er erg goed uitzag. Mijn moeder was ooit heel erg knap geweest en af en toe ving je nog een glimp op van het meisje dat ze ooit was geweest – in het juiste licht, of als ze een keer fatsoenlijk geslapen had, of als je het, zoals ik, maar graag genoeg wilde zien.

Ze lachte naar me en sloeg een arm om mijn schouders toen ze naast me in de deuropening kwam staan. Haar andere hand stak ze uit. 'Ruby Cooper,' zei ze. 'En dit is mijn dochter. Ze heet ook Ruby.'

'Dat is leuk, zeg!' zei Alice Honeycutt. 'En ze lijkt precies op u.'

'Dat hoor ik wel vaker,' antwoordde mijn moeder, en ik voelde hoe haar hand over mijn achterhoofd ging om het rode haar glad te strijken dat we allebei hadden, hoewel er bij haar inmiddels veel grijs doorheen zat. We hadden ook dezelfde bleke huidskleur – de vloek of zegen van roodharigen, afhankelijk van hoe je het bekeek – en hetzelfde lange, pezige lijf. Ik had meer dan eens te horen gekregen dat je van een afstand bijna geen verschil zag tussen ons, en hoewel ik wist dat het als een compliment was bedoeld, vatte ik het niet altijd zo op.

Ik wist dat haar onverwachte affectie gespeeld was om een goede indruk te maken op de huisbazen, zodat ze later een potje zou kunnen breken. Toch viel het me op met hoeveel gemak ik tegen haar aan ging staan, en mijn hoofd op haar schouder legde. Alsof iets in mij, waar ikzelf geen controle over had, op de loer had gelegen en nu zijn kans schoon zag, zonder dat ik het zelf wist.

'We gaan altijd even langs om te kijken hoe het gaat,' zei Ronnie, terwijl mijn moeder gedachteloos een haarlok van mij door haar vingers liet gaan. 'Ik weet wel dat het bemiddelingskantoor al het papierwerk regelt, maar we willen graag ook even persoonlijk gedag zeggen.'

'Nou, wat ontzettend aardig van jullie,' zei mijn moeder. Ze liet mijn haar los en liet haar hand zo nonchalant op de deurknop vallen, dat je bijna zou denken dat ze het zelf niet in de gaten had, ook niet dat ze de deur meteen daarna nog een stukje verder dichtdeed, waardoor de ruimte tussen ons nog kleiner werd. 'Maar zoals Ruby al zei, moet ik nu naar mijn werk. Dus...'

'O, natuurlijk!' zei Alice. 'Nou, laat het ons maar weten als jullie iets nodig hebben. Ronnie, geef Ruby ons telefoonnummer.'

We keken allemaal toe hoe hij een stukje papier en een pen uit zijn borstzakje haalde en langzaam de cijfers opschreef 'Alsjeblieft,' zei hij toen hij het aan mijn moeder gaf. 'Als er iets is: gewoon bellen, hoor.'

'Doe ik,' zei mijn moeder. 'Ontzettend bedankt.'

Na nog een paar beleefdheden uitgewisseld te hebben, verlieten de Honeycutts eindelijk de veranda, Ronnies arm stevig om de schouders van zijn vrouw geslagen. Hij zette haar eerst in de pick-up en deed het portier goed achter haar dicht, alvorens om te lopen en plaats te nemen achter het stuur. Toen keerde hij uiterst voorzichtig op de oprit, hij deed er wel acht keer over, om maar vooral niet over het gras te rijden.

Tegen die tijd was mijn moeder echter allang weer in haar slaapkamer, onderweg gooide ze het telefoonnummer in een asbak. 'Persoonlijk gedag zeggen, m'n reet,' zei ze terwijl ik haar een lade hoorde dichtgooien. 'Controleren zul je bedoelen. Bemoeials.'

Daar had ze natuurlijk gelijk in. De familie Honeycutt kwam altijd onverwacht langs voor kleine, onbelangrijke dingen: de tuinslang vervangen die we nooit gebruikten, in de herfst de mirte snoeien, of een vogelbadje plaatsen in de voortuin. Ze kwamen zó vaak langs, dat ik leerde om hun pick-up al van veraf aan te horen komen rijden over de oprit. Wat mijn moeder betreft waren de beleefdheden beperkt gebleven tot die eerste dag. Iedere keer dat ze daarna aan de deur kwamen deed ze net of ze hen niet hoorde en ze deinsde niet eens terug als het gezichtje van Alice verscheen in de kleine spleet tussen de gordijnen, wit en spookachtig door het heldere schijnsel van achteren, om naar binnen te gluren.

Omdat de Honeycutts mijn moeder maar zelden zagen, duurde het bijna twee maanden voor ze in de gaten hadden dat ze weg was. Ik denk zelfs dat als de droger niet kapot was gegaan, ze er nooit achter gekomen zouden zijn en ik tot het allerlaatst in het gele huis had kunnen blijven wonen. Ik liep weliswaar achter met de huur en de elektriciteit dreigde afgesloten te worden, maar daar had ik op de een of andere manier wel een oplossing voor gevonden, net zoals voor alle andere dingen. Ik bracht het er in mijn eentje goed van af; of in elk geval net zo goed als toen mijn moeder er nog was.

Dat wilde niet veel zeggen, dat weet ik ook wel. Maar toch, op een vreemde manier was ik trots op mezelf. Alsof ik eindelijk bewezen had dat ik haar ook niet nodig had.

Maar de droger ging dus wél kapot, met een plof en een brandlucht, op een avond eind oktober toen ik macaroni met kaas aan het maken was in de magnetron. Ik had geen andere keus dan in de keuken een waslijn te spannen boven het straalkacheltje dat ik gebruikte sinds het propaan op was, en alles op te hangen – spijkerbroeken, shirts en sokken – en er het beste van te hopen. De volgende ochtend waren mijn kleren nauwelijks droger, dus haalde ik het minst vochtige van de lijn en liet de rest hangen, daar zou ik wel een oplossing voor verzinnen als ik 's avonds uit mijn werk kwam. Maar toen stonden Ronnie en Alice opeens voor mijn neus om een paar planken te vervangen op de veranda die naar hun idee kapot waren. Toen ze de waslijn zagen, kwamen ze naar binnen en troffen ze de rest aan.

Pas op de dag dat ik naar Poplar House werd overgeplaatst, zag ik het rapport dat iemand van maatschappelijk werk had geschreven. Toen Shayna, de manager, het hardop voorlas, werd het me duidelijk dat degene die het geschreven had het mooier had gemaakt dan het was, waardoor het erger klonk dan het in feite was.

Minderjarig kind leeft klaarblijkelijk zonder stromend water of verwarming in huurhuis, verlaten door ouder. Keuken aangetroffen in vieze staat en liep over van ongedierte. Verwarming werkt niet. Bewijs aangetroffen van alcohol- en drugsgebruik. Minderjarig kind schijnt er al een tijd alleen te wonen.

Om te beginnen had ik wél stromend water. Alleen niet in de keuken, waar de leidingen waren gesprongen. Daarom stonden de borden zo hoog opgestapeld, omdat het zo'n gedoe was om water van de badkamer naar de keuken te dragen, alleen om een paar borden af te wassen. En wat betreft dat 'ongedierte': we hadden altijd al last gehad van kakkerlakken, het waren er nu alleen wat meer omdat er geen water in de gootsteen zat, hoewel ik toch op gezette tijden gesprayd had. En ik had wel verwarming; hij stond alleen niet aan. Met alcohol- en drugsgebruik bedoelden ze naar ik aannam de flessen op de salontafel en het stickie dat in een van de asbakken lag – het ontkennen zou weinig zin hebben, maar om daar nou iemand voor uit zijn vertrouwde omgeving te rukken, zonder het van tevoren aan te kondigen, vond ik wat ver gaan.

De hele tijd dat Shayna het rapport hardop voorlas, haar stem vlak en toonloos, dacht ik nog steeds dat ik me er wel uit kon lullen. Dat als ik kon verwoorden wat er aan de hand was, het goed omschreef en op de juiste toon, ze me wel naar huis zouden laten gaan. Per slot van rekening werd ik over zeven maanden al achttien, en dan zou deze hele vlieger sowieso niet meer opgaan. Maar zodra ik mijn mond opendeed om over het eerste punt te beginnen, het water, onderbrak ze me al.

'Ruby,' vroeg ze, 'waar is je moeder?'

Toen begon pas tot me door te dringen wat later zo duidelijk was. Dat het niet uitmaakte wat ik zei, hoe zorgvuldig ik mijn tegenargumenten ook formuleerde, zelfs al zou ik alles inzetten wat ik in de loop der jaren had geleerd over omzeilen en overtuigen. Er was maar één ding belangrijk, toen, maar ook nu, en dat was de vraag waar mijn moeder was.

'Ik zou het niet weten,' zei ik. 'Ze is gewoon weg.'

*_**

Na de rondleiding, de onthulling van de vijver en een paar andere gênante momenten, lieten Jamie en Cora me eindelijk alleen en gingen ze beneden het eten opzetten. Het was amper halfzes, maar het werd al donker buiten, het laatste licht zonk weg achter de bomen. Ik stelde me voor hoe de telefoon in het gele huis rinkelde omdat Richard belde, mijn moeders baas bij Commercial Courier, die zich realiseerde dat we niet gewoon te laat waren, maar helemaal niet kwamen opdagen. Later zou de telefoon waarschijnlijk nog een keer gaan, gevolgd door een auto die de oprit op kwam rijden en stilhield bij het raam aan de voorkant. Ze zouden even blijven wachten tot ik naar buiten kwam, misschien zouden ze zelfs wel iemand sturen om op de deur te bonken. Als zou blijken dat ik niet naar buiten kwam, zouden ze gehaast omdraaien, het keurige gras van de Honeycutts en de onderliggende modder zouden achter de achterwielen opspatten.

En wat zou er dan gebeuren? De nacht zou voorbijgaan,

zonder mij, het huis zou zich aanpassen aan het donker en de stilte. Ik vroeg me af of de Honeycutts al langs waren geweest om op te ruimen, of dat mijn kleren nog steeds spookachtig in de keuken hingen. Terwijl ik daar zo zat, in dat vreemde huis, had ik het gevoel dat ik werd teruggetrokken door het gele huis, dat het instinctief een ruk gaf aan mijn hart, op dezelfde manier waarop ik hoopte, vroeg in de herfst, dat het dat ook met mijn moeder zou doen. Maar zij was ook niet teruggekomen. En nu, als ze wel zou terugkomen, zou ik er niet meer zijn.

Terwijl ik daaraan dacht, voelde ik mijn maag samenknijpen en paniek zich van me meester maken, en ik stond op, liep naar de balkondeur, trok hem open en stapte naar buiten, de koude lucht in. Het was inmiddels bijna helemaal donker, de lichten in de omringende huizen gingen aan omdat de mensen thuiskwamen en zich opmaakten voor een avond op de plek die ze 'thuis' noemden. Maar terwijl ik daar zo stond, in het enorme huis van Cora en boven die uitgestrekte tuin daarbeneden, voelde ik me zó klein, dat iemand die omhoog zou kijken me niet zou zien staan – verdwaald, nu al.

Toen ik weer binnen was, maakte ik de plunjezak open die bij Poplar House voor mij was afgegeven; Jamie had hem uit de auto gehaald. Het was een goedkope tas, een of ander reclameding dat mijn moeder via haar werk had gekregen, het laatste ding dat ik gebruikt zou hebben om mijn aardse goederen in te stoppen, niet dat die erin zaten, trouwens. Er zaten voornamelijk kleren in die ik nooit droeg – de goede dingen hingen allemaal aan de waslijn – en verder een paar schoolboeken, een borstel, en twee setjes katoenen ondergoed die ik nog nooit eerder had gezien, met complimenten van de staat. Ik probeerde me voor te stellen hoe iemand die ik niet kende mijn kamer doorzocht om dingen voor me uit te zoeken. Knap hoor, dat je denkt te kunnen weten, in één oogopslag, waar iemand anders niet zonder kan. Alsof dat voor iedereen voor het gemak maar hetzelfde was.

Er was maar één ding dat ik echt nodig had, en ik was slim genoeg om dat altijd bij me te hebben. Ik liet mijn hand omhooggaan en liet hem langs de zilveren ketting om mijn nek glijden tot mijn vingers de vertrouwde vorm in het midden voelden. Ik had hem de hele dag tegen mijn borst gedrukt gehouden en nu voelde ik de omtrekken die ik uit mijn hoofd kende: de ronde bovenkant, de ene kant glad, aan de andere kant een paar gekartelde bobbels. De avond ervoor, toen ik in de badkamer in Poplar House stond, was dit het enige vertrouwde wat ik had, het enige wat ik duidelijk zag toen ik in de spiegel keek. Ik kon niet naar de donkere kringen onder mijn ogen kijken of naar de vreemde omgeving waarin ik me zo ongemakkelijk voelde. In plaats daarvan tilde ik hem rustig op, zoals nu, gerustgesteld dat de contouren nog zichtbaar waren op mijn huid, de contouren die de deur openden waarachter alles zat wat ik had achtergelaten.

∗

Tegen de tijd dat Jamie naar boven riep dat het eten klaar was, had ik besloten dat ik die avond weg zou gaan. Dat was gewoon logisch – waarom zou ik hun smetteloze huis of dat mooie bed in mijn kamer nog langer bevuilen? Als iedereen sliep, zou ik mijn spullen pakken, de achterdeur uit glippen en binnen een paar minuten op de hoofdweg zijn. In de eerste telefooncel die ik zag, zou ik een van mijn vrienden bellen om te vragen of ze me konden komen ophalen. Ik wist dat ik niet naar het gele huis kon – daar zouden ze als eerste komen zoeken – maar ik kon er wel naartoe om de spullen te pakken die ik nodig had. Ik was natuurlijk niet gek. Ik wist dat alles al anders was; onomkeerbaar. Maar ik kon in elk geval nog een keer door de kamers lopen om afscheid te nemen, en proberen een bericht achter te laten, voor het geval iemand zou komen kijken waar ik was.

Daarna was het een kwestie van me gedeisd houden. Na een paar dagen zoeken en wat papierwerk zouden Jamie en Cora me afschrijven als niet meer te redden, punten scoren omdat ze het in elk geval nog geprobeerd hadden en er bovendien redelijk zonder kleerscheuren van afkomen. Daar was het de meeste mensen immers om te doen.

Nu liep ik naar de badkamer, met mijn borstel in mijn hand. Ik wist dat ik er onverzorgd uitzag, het resultaat van twee min of meer slapeloze nachten, gevolgd door deze lange dag, maar in het licht in de badkamer, duidelijk bedoeld om goed in uit te komen, zag ik er beter uit dan in werkelijkheid, en daar werd ik door van mijn stuk gebracht. Spiegels werden op de eerste plaats verondersteld eerlijk te zijn. Ik deed het licht uit en borstelde mijn haar in het donker.

Net voor ik mijn kamer uit ging keek ik op mijn horloge en zag dat het kwart voor zes was. Als Cora en Jamie op zijn laatst laten we zeggen rond twaalf uur naar bed gingen, hoefde ik het dus nog maar zes uur en een kwartier te verdragen. Die wetenschap maakte me rustig, beheerst, en gaf me ook de kracht die ik nodig had om naar beneden te gaan om te eten en de anderen onder ogen te komen.

Zelfs met deze behoedzame houding kon ik echter niet voorbereid zijn op wat ik onder aan de trap aantrof. Daar, in het donkere halletje, net voor de boog die naar de keuken leidde, stapte ik in iets nats. En het was koud, te voelen aan de spetters tegen mijn enkel.

'Ho!' zei ik, terwijl ik mijn voet terugtrok en om me heen keek. Wat er ook voor vloeistof op de grond lag, die was nu verspreid door mijn schoen en ik verstijfde, om het niet verder te verspreiden. Ik was nog geen halfuur binnen en ik had het al voor elkaar gekregen om Cora's perfecte paleisje te onteren. Ik keek om me heen en vroeg me af wat ik in godsnaam kon gebruiken om het op te vegen – het wandkleed misschien? Iets uit de paraplubak? – toen het plafondlicht opeens aanging.

'Hé,' zei Jamie, en hij veegde zijn handen af aan een theedoek. 'Ik dacht al dat ik iets hoorde. Kom, we wilden net...' Hij stopte plotseling met praten omdat hij de plas met mij erin zag. 'O nee hè,' zei hij.

'Sorry,' zei ik.

'Vlug,' onderbrak hij me en gooide de theedoek naar me. 'Zou je het even op willen vegen? Voordat zij...'

Ik ving de handdoek en wilde net vooroverbukken, toen ik me realiseerde dat het te laat was. Cora stond achter hem in de doorgang over zijn schouder te kijken. 'Jamie,' vroeg ze, en hij sprong verschrikt op, 'is dat...?'

'Nee,' antwoordde hij kortaf, 'dat is het niet.'

Mijn zus, duidelijk niet overtuigd, liep om hem heen om het beter te kunnen bekijken. 'Wel waar,' zei ze, en ze draaide haar hoofd om naar haar man, die achteruit de keuken in was geslopen. 'Het is plas.'

'Cor...'

'Het is voor de zóveelste keer een plasje,' zei ze, en ze draaide zich vliegensvlug om om hem aan te kijken. 'Hebben we daarvoor niet dat hondenluik geïnstalleerd?'

Een hónd? dacht ik, maar ik was ook opgelucht, aangezien ik had gedacht dat ik heel erg verontrustende dingen over mijn zwager te weten dreigde te komen. 'Hebben jullie een hond?' vroeg ik. Cora zuchtte bij wijze van antwoord.

'Het africhten van een hond duurt nou eenmaal even,' zei Jamie tegen haar, terwijl hij een keukenrol van het aanrecht pakte en naar ons toe kwam lopen. Cora ging opzij toen hij een paar vellen afscheurde, op zijn hurken ging zitten, en ze over de plas en de omliggende spetters legde. 'Je kent die uitdrukking toch wel? Oude beren dansen leren is zwepen verknoeien.'

Cora liep zonder verder commentaar hoofdschuddend terug naar de keuken. Jamie, nog steeds op zijn hurken, scheurde nog een paar vellen af en depte mijn schoen, terwijl hij naar me opkeek. 'Sorry hoor,' zei hij. 'Het blijft een probleem.'

Ik knikte alleen maar, omdat ik niet wist wat ik moest zeggen. En dus vouwde ik de theedoek op en liep achter hem aan naar de keuken, waar hij de gebruikte keukenrol in een roestvrijstalen vuilnisemmer gooide. Cora stond bij het raam dat uitkeek over het terras en dekte de grote witte tafel. Ik keek toe hoe ze stoffen servetten vouwde en er bij elk bord één neerlegde, alvorens ze met het bestek begon: vork, mes, lepel. Er lagen ook placemats, en er stond een grote glazen kan water waar schijfjes citroen in dreven. Net als de rest van het huis zag het er hier ook uit als iets uit een tijdschrift, te perfect om echt te zijn.

Net toen ik dit dacht, hoorde ik een hard, reutelend geluid. Het was het geluid dat je opa zou maken als hij na het eten eenmaal bewusteloos in zijn leunstoel lag, maar dit kwam achter me vandaan, uit de bijkeuken. Toen ik me omdraaide, zag ik de hond.

Eigenlijk zag ik de rest het eerst: de grote mand, bekleed met wat eruitzag als een schapenvel, een berg speeltjes – plastic ringen, namaakkranten, touwkluiven – en, het duidelijkst zichtbaar, een oranje, rechtopstaande speelgoedkip. Pas nadat ik dit alles had verwerkt, zag ik de hond zelf, die klein was, zwart met wit gevlekt, en op zijn rug, met gesloten ogen en zijn poten omhoog, lag te snurken. Hard.

'Dat is Roscoe,' zei Jamie tegen mij toen hij de ijskast opentrok. 'Normaal gesproken zou hij je nu komen begroeten. Maar vandaag is hij voor het eerst met de uitlaatservice mee geweest en ik ben bang dat hij daar uitgeput van is. Dat is denk ik ook de reden dat hij dat ongelukje heeft gehad in de gang. Hij is doodop.'

'Het zou pas écht bijzonder zijn,' zei Cora, 'als hij ook daadwerkelijk naar buiten zou gaan.'

Ik hoorde Roscoe hard snurken in de bijkeuken. Het klonk alsof zijn holten ontploften.

'Laten we maar gewoon gaan eten,' zei Cora. Ze trok een stoel onder de tafel uit en ging zitten.

Ik wachtte tot Jamie aan het hoofd van de tafel plaatsnam voor ik zelf ging zitten. Pas toen ik zat en een vleugje van de spaghettisaus rook uit de schaal die links van mij stond, besefte ik dat ik stierf van de honger. Jamie pakte het bord van Cora, zette het op zijn eigen bord, schepte wat spaghetti, saus en salade voor haar op en gaf het toen weer aan haar terug. Daarna gebaarde hij dat ik mijn bord moest aangeven en deed hetzelfde, voor hij zichzelf opschepte. Het was allemaal zo formeel en normáál, dat ik er nerveus van wérd; zo erg zelfs, dat ik mijn zus in de gaten zat te houden en mijn vork pas pakte toen zij dat ook deed. Wat erg vreemd was als je bedacht hoe lang het geleden was dat ik een voorbeeld had genomen aan Cora. Toch was er ooit een tijd geweest dat ze me alles leerde, dus misschien, als met zoveel andere dingen, volgde ik gewoon mijn instinct.

'Dus morgen,' zei Jamie opgewekt en met luide stem, 'gaan we je op school inschrijven. Cora heeft een vergadering, daarom breng ik je naar mijn oude school.'

Ik keek op. 'Ga ik niet naar Jackson dan?'

'Andere regio,' antwoordde Cora, en ze prikte een stuk komkommer aan haar vork. 'En zelfs al zouden ze voor jou een uitzondering maken, dan was het nog te ver weg.'

'Maar het is halverwege het schooljaar,' zei ik. Ik zag mijn kluisje voor me, en het biologieproject dat ik vorige week had ingeleverd, helemaal af, dat ik nu net als mijn spullen in het gele huis gewoon in de steek liet. Ik slikte een keer en haalde adem. 'Ik kan niet zomaar alles achterlaten.'

'Komt goed,' zei Jamie. 'Dat gaan we morgen allemaal regelen.'

'Ik vind het niet erg om lang met de bus te moeten,' zei ik, gegeneerd omdat ik zo gespannen klonk, waardoor de brok in mijn keel goed hoorbaar werd. Een beetje belachelijk dat ik, na alles wat er gebeurd was, moeilijk liep te doen over school. 'Ik kan best vroeg opstaan, dat ben ik toch al gewend.'

'Ruby.' Cora keek me aan. 'Het is beter zo. Perkins Day staat uitstekend aangeschreven.'

'Perkins Day?' zei ik. 'Je maakt een grapje, hoop ik?'

'Wat is er mis mee?' vroeg Jamie.

'Alles,' antwoordde ik. Hij keek eerst verrast en daarna gekwetst. Mooi. Nou had ik de enige hier in huis die aan mijn kant stond, van me vervreemd. 'Het is geen slechte school,' zei ik. 'Ik wilde alleen maar zeggen dat ik daar denk ik... niet erg op mijn plaats ben.'

Dat was het understatement van de eeuw. Ik had de afgelopen twee jaar op Jackson High gezeten, de grootste middelbare school van de provincie. Overvol, te weinig financiële middelen, de helft van de lokalen zat in stacaravans; als je het daar een jaar volhield had je echt iets gepresteerd, helemaal iemand zoals ik, die nou niet bepaald met de studiebollen omging. Nadat ik zoveel had rondgetrokken met mijn moeder, was Jackson de eerste school waar ik twee jaar aaneengesloten op had gezeten, dus ook al was het een vreselijke school, het was wel vertrouwd. Dat kon ik niet zeggen van Perkins Day, de elitaire privéschool die beroemd was vanwege het lacrosseteam, het hoge slagingspercentage en het feit dat er op de parkeerplaats voor scholieren meer dure auto's stonden dan bij de dealer van Europese auto's. De enkele keer dat we in aanraking kwamen met scholieren van Perkins Day was als ze zin hadden in een armoedig feestje. En zelfs dan bleven de meisjes vaak in de auto zitten, met de motor en de radio aan, uit het raam rokend, te verwaand om binnen te komen.

Terwijl ik daaraan dacht, schoof Jamie plotseling zijn stoel naar achteren en sprong op. 'Roscoe!' zei hij. 'Niet doen! Het hondenluik!'

Maar het was al te laat. Roscoe, die kennelijk ergens van wakker was geworden, stond al met zijn poot omhoog tegen de vaatwasser. Ik deed mijn best om hem beter te kunnen zien, maar ik ving slechts een glimp van hem op voordat Jamie door de keuken vloog, hem onder het plassen oppakte en hem, nog nadruppelend, door de klep die onder in de openslaande deuren tegenover ons zat naar buiten gooide. Daarna keek hij naar Cora, en toen hij haar starre blik zag, ging hij zelf ook naar buiten. De deur viel met een klikje achter hem in het slot.

Cora legde een hand op haar voorhoofd, sloot haar ogen en ik vroeg me af of ik iets moest zeggen. Voor ik daar echter de kans toe kreeg, schoof ze haar stoel naar achter, pakte de keukenrol en verdween achter het kookeiland, waar ik haar hoorde opruimen wat Roscoe had achtergelaten.

Ik wist dat ik mijn hulp zou moeten aanbieden. Maar ik zat alleen aan tafel en probeerde nog steeds aan het idee te wennen dat ik naar Perkins Day zou gaan. Alsof mij in een duur huis stoppen en naar een dure school sturen het enige was wat ervoor nodig was om mij erbovenop te helpen, zoals Cora dat met zichzelf had gedaan toen ze lang geleden bij mijn moeder en mij was weggegaan. Maar we leken niet op elkaar; toen niet en nu zeker niet.

Ik voelde mijn maag samentrekken en ik betastte met mijn vingers de sleutel om mijn nek. Terwijl ik dat deed, ving ik een glimp op van mijn horloge, het licht scheen op de wijzerplaat, en ik voelde hoe ik ontspande. *Nog vijf uur en een kwartier*, dacht ik. Toen pakte ik mijn vork en at mijn bord leeg.

₊

Zes uur en vijftig lange minuten later begon ik te vrezen dat mijn zwager – de leukste man op aarde en liefhebber van incontinente wezens – ook aan slapeloosheid leed. Ik was, in de veronderstelling dat ze vroeg-naar-bed-types waren, om halftien naar mijn kamer gegaan 'om te gaan slapen'. Ik hoorde Cora een minuut of veertig later ook naar boven komen en langs mijn kamer naar die van haar trippelen, aan de andere kant van de gang. Het licht in haar kamer ging om elf uur uit, en vanaf dat moment begon ik af te tellen tot Jamie zich bij haar zou voegen. Dat deed hij niet. Er brandde nu beneden zelfs meer licht dan eerder die avond, het scheen de achtertuin in, zelfs toen het in alle andere huizen een voor een donker werd.

Ik zat nu bijna vier uur te wachten. Ik wilde het licht niet aandoen omdat ik werd verondersteld allang te slapen, dus lag ik maar wat op bed, mijn handen gevouwen op mijn buik, naar het plafond te staren en me af te vragen wat Jamie in godsnaam aan het doen was. Eerlijk gezegd was het niet veel anders dan die avonden een paar weken geleden, toen de elektriciteit in het gele huis tijdelijk was afgesloten. Maar daar kon ik tenminste een pijp opsteken of een paar biertjes drinken om het een beetje leuk te houden. Hier was slechts duisternis, de verwarming die steeds aan en uit sprong, met volgens mij, nadat ik het getimed had, willekeurige tussenpozen. Ik verzon mogelijke verklaringen voor het flikkerende licht dat helemaal achter uit de tuin kwam. Ik had het net teruggebracht tot buitenaarde wezens, of iets van een hemels neoprovinciaals fenomeen, toen het beneden opeens donker werd. Jamie ging eindelijk naar bed.

Ik ging rechtop zitten, streek mijn haar met mijn vingers uit mijn gezicht, en luisterde. In tegenstelling tot het gele huis, dat zo klein was en zulke dunne muren had dat je twee kamers verderop iemand zich in bed kon horen omdraaien, was het in Cora's paleis moeilijk om iemand af te luisteren. Ik liep naar de deur van de slaapkamer en deed hem een klein stukje open. Ik hoorde ver weg voetstappen en een deur die open- en dichtging. Mooi. Hij was binnen.

Ik bukte, pakte mijn tas, maakte zachtjes de deur open, liep de gang in en bleef dicht langs de muur lopen tot ik bij de trap was. Beneden in de hal aangekomen, had ik het eerste mazzeltje in dagen: het alarm stond niet aan. Erg fijn.

Ik pakte de deurknop, maakte de deur open en stak de arm met mijn tas als eerste naar buiten. Ik wilde net over de drempel stappen, toen ik het gefluit hoorde.

Het klonk opgewekt en ik herkende de melodie – een reclamejingle. Van een wasmiddel, volgens mij. Ik keek om me heen en vroeg me af wat voor gezelschap ik zou kunnen hebben in een achterafstraat om halftwee 's ochtends. Ik kwam er snel genoeg achter.

'Goed zo, Roscoe! Goed zo!'

Ik verstijfde. Het was Jamie. Ik kon hem nu zien komen aanlopen vanaf de andere kant van de straat. Roscoe had net zijn poot opgetild tegen een brievenbus, hij liep aan de riem voor Jamie uit. *Shit.* Ik vroeg me af of hij ver weg genoeg was om niet te kunnen zien dat ik er in tegenovergestelde richting vandoor zou gaan, de straatlantaarns ontwijkend. Na een snelle berekening besloot ik dat ik beter om het huis heen kon lopen.

Ik hoorde hem weer fluiten toen ik over de stenen trap sprong, door het gras naar de achtertuin rende en de sproei-installatie ontweek. In de achtertuin aangekomen, liep ik in de richting van het licht dat ik eerder had gezien en hoopte dat het écht buitenaardse wezens waren, of iets van een zwart gat of zo, als het me daar maar weghaalde.

In plaats daarvan trof ik een hek aan. Ik gooide mijn tas eroverheen en vroeg me af of ik er zelf ook overheen zou kunnen en, niet onbelangrijk, wat ik aan de andere kant zou aantreffen, toen ik achter me een klapperend geluid hoorde. Toen ik me omdraaide, zag ik Roscoe uit het hondenluik naar buiten komen.

Eerst liep hij alleen op de patio te snuffelen, zijn neus omlaag, in rondjes. Maar opeens stond hij stil, met zijn neus in de lucht. *O jee*, dacht ik. Ik had mijn handen al boven op het hek gelegd, en probeerde mezelf eroverheen te hijsen, toen hij begon te keffen en als een raket op me afkwam.

Je kunt zeggen wat je wilt over kleine hondjes, maar bewegen kunnen ze. In luttele seconden was hij de grote tuin die tussen ons in lag overgestoken en stond hij bij mijn voeten naar me te blaffen, terwijl ik aan het hek bungelde en mijn biceps en triceps al voelde branden. 'Sst,' siste ik naar hem, maar daar ging hij uiteraard alleen maar meer van blaffen. Achter ons ging in het huis een licht aan en ik zag Jamie door het keukenraam naar buiten kijken.

Ik probeerde mezelf op te trekken, in een poging wat meer hefboomvermogen te krijgen. Het lukte me om er een elleboog overheen te krijgen en mezelf ver genoeg op te hijsen om te kunnen zien dat het licht dat ik had gezien helemaal niet uit een andere wereld afkomstig was, maar van een zwembad kwam. Het was groot, verlicht, en er was iemand baantjes in aan het trekken.

Ondertussen stond Roscoe nog steeds te keffen en lag mijn tas al in de tuin van deze onbekende persoon, waardoor ik weinig andere keuze had dan erachteraan te gaan, of door Jamie gepakt te worden. Ik trok mezelf met veel moeite op, waardoor ik over het hek hing, en probeerde er een been overheen te gooien. Tevergeefs.

'Roscoe?' hoorde ik Jamie roepen vanaf de patio. 'Wat zie je allemaal, jongen?'

Ik keek om en vroeg me af of hij me kon zien. Ik dacht dat ik een seconde of vijf had, als Roscoe zijn bek niet hield, voordat hij zou komen kijken wat zijn hond de boom in had gejaagd. Of het hek. Daarna had hij nog vijftien seconden nodig om de tuin door te lopen, en daarna misschien nog een hele minuut om het kwartje te laten vallen.

'Hallo?'

Ik had zo druk lopen rekenen, dat ik niet merkte dat de persoon die baantjes aan het trekken was, dat inmiddels niet meer deed. Dat niet alleen, hij hing nu aan de rand van het zwembad naar me te kijken. Ik kon hem niet goed zien, maar het was duidelijk een man en hij klonk vreselijk aardig, gezien de omstandigheden.

'Hoi,' mompelde ik terug.

'Roscoe?' riep Jamie weer, en nu hoorde ik, zonder me om te hoeven draaien, dat hij in beweging was en dichterbij kwam. Tenzij ik opeens bovenmenselijke krachten zou krijgen of er zich een zwart gat opende dat me in zijn geheel zou opslokken, had ik een plan b nodig, en snel ook.

'Heb je...' begon de jongen in het zwembad. Hij verhief

zijn stem om boven Roscoe uit te komen, die nog steeds stond te blaffen.

'Nee,' antwoordde ik, terwijl ik me ontspande. Zijn gezicht verdween toen ik aan mijn kant van het hek omlaag gleed en op mijn voeten terechtkwam, een paar seconden voordat Jamie gebukt tussen het rijtje bomen aan de rand van de tuin liep en mij zag.

'Ruby?' zei hij. 'Wat doe jij nou hier?'

Hij keek zó bezorgd, dat ik me heel even erg schuldig voelde. Alsof ik hem teleurgesteld had of zo. Wat belachelijk was; we kenden elkaar niet eens. 'Niks,' zei ik.

'Is er iets?' Hij keek naar het hek en vervolgens weer naar mij, terwijl Roscoe, die eindelijk zijn bek hield, snuffelend rond zijn voeten liep en snuivende geluidjes maakte.

'Nee hoor,' antwoordde ik, en ik deed erg mijn best om langzaam te praten. Beheerst. Intonatie was nu heel belangrijk. 'Ik was gewoon...'

Eerlijk gezegd had ik toen geen idee wat ik van plan was te zeggen. Ik hoopte gewoon dat er een plausibele smoes uit mijn mond kwam rollen, wat, gezien de pech die ik tot nu toe had gehad, niet erg waarschijnlijk was, dat geef ik toe. Toch hoopte ik daar nog op. Maar voor ik mijn mond kon opendoen, hoorde ik een doffe trap aan de andere kant van het hek en verscheen er een gezicht boven ons. Het was de jongen uit het zwembad, die ongeveer van mijn leeftijd was, zag ik nu het licht beter was. Hij had nat, blond haar en er hing een handdoek om zijn nek.

'Jamie,' zei hij. 'Heej. Alles goed?'

Jamie keek hem aan. 'Heej,' antwoordde hij. Tegen mij zei hij: 'Aha... ik zie dat je Nate al hebt leren kennen?'

Ik keek de jongen even vlug aan. *Nou ja*, dacht ik. *Het is beter dan wat ik verzonnen had.* 'Ja.' Ik knikte. 'Ik was gewoon...'

'Ze kwam even zeggen dat de muziek te hard stond,' zei de jongen – Nate? – tegen Jamie. In tegenstelling tot mij hing hij zo te zien totaal ontspannen over het hek. Ik vroeg me af of hij ergens op stond. Tegen mij voegde hij eraan toe: 'Sorry. Ik zet de muziek hard zodat ik het onder water ook kan horen.'

'Ik snap het,' zei ik. 'Ik... kon gewoon niet slapen.'

Aan mijn voeten hoestte Roscoe opeens iets op. We keken allemaal naar hem en toen zei Jamie langzaam: 'Nou... het is al laat en het is morgen weer vroeg dag, dus...'

'Ja, ik ga ook naar bed,' zei Nate terwijl hij naar zijn hand- doek graaide en ermee over zijn gezicht wreef. Hij stond op een ligstoel of zo, volgens mij. Niemand heeft zoveel kracht in zijn bovenlichaam. 'Aangenaam kennis te maken, Ruby.'

'Insgelijks,' antwoordde ik.

Hij zwaaide naar Jamie en verdween toen uit het zicht. Jamie keek me even aan alsof hij nog steeds aan het uit- vogelen was wat er was gebeurd. Ik probeerde niet terug te deinzen toen hij naar mijn gezicht blééf kijken en ontspan- de pas toen hij zijn handen in zijn zakken liet glijden en over het grasveld begon te lopen, met Roscoe op zijn hielen.

Ik liep achter hem aan en was net bij de rij met bomen, toen ik 'Psst' achter me hoorde. Toen ik me omdraaide, had Nate een stuk van het hek opengeduwd en perste er mijn tas doorheen. 'Ik dacht dat je die wel nodig zou hebben,' zei hij.

Alsof ik hem daar dankbaar voor zou moeten zijn. *Onge- looflijk*, dacht ik toen ik naar hem toe liep om de tas op te rapen.

'Waar is hij voor?' vroeg hij.

Ik keek hem aan. Hij had zijn hand op het hek gelegd en had een donker T-shirt aangetrokken. Zijn haar begon op te drogen, het was een beetje piekerig. In het flikkerende licht van het nabijgelegen zwembad zag ik eindelijk genoeg van zijn gezicht om te kunnen zien dat hij best knap was, maar op zo'n rijkejongensachtige manier, atletisch en glad, totaal niet mijn type. 'Waar is wat voor?' zei ik.

'De sleutel.' Hij wees naar mijn nek. 'Waar is hij voor?'

Jamie liep net naar binnen, en liet de deur voor me open. Ik sloeg mijn vingers om de ketting om mijn nek. 'Nergens voor,' zei ik tegen hem.

Ik hield mijn tas achter mijn rug, in mijn eigen schaduw, en stak het grasveld over naar de achterdeur. *Bijna*, dacht ik. *Een lager hek, een dikkere hond, en ik had hier nu niet gelopen.* Maar dat hoefde niet altijd zo te zijn. Het zijn nooit grote dingen waardoor alles verandert, maar vaak juist de kleinste details die er onherroepelijk voor zorgen dat de balans in het universum wordt verstoord, terwijl jij juist focust op het grote geheel.

Toen ik bij het huis aankwam, waren Jamie en Roscoe nergens te bekennen. Toch durfde ik het risico niet te nemen om mijn tas mee naar binnen te nemen en aangezien het balkon te hoog was om hem erop te kunnen gooien, besloot ik dat ik hem wel ergens zou verstoppen om over een paar uur terug te komen, als de kust veilig was. Dus propte ik hem naast de barbecue en glipte naar binnen, net toen het flikkerende licht van Nates zwembad uitging, waardoor het donker werd tussen zijn huis en het onze.

Ik zag Jamie niet meer toen ik de trap op liep naar mijn kamer. Als ik hem wel gezien zou hebben, had ik niet geweten wat ik tegen hem had moeten zeggen. Misschien was hij in mijn slechte smoes getrapt, geholpen en bijgestaan door een zwemmer die toevallig op de juiste plaats op, voor mij in elk geval, de verkeerde tijd was. Het was best mogelijk dat hij echt zo onnozel was. In tegenstelling tot mijn zus, die kaas had gegeten van verdwijnen en die een leugen, al was hij nog zo goed, op een kilometer afstand kon ruiken. Ze had me waarschijnlijk graag een knietje gegeven om me over dat hek te helpen, of had me verteld waar de poort was, zodat ze voorgoed van me af zou zijn.

Ik wachtte een vol uur om weer naar beneden te glippen. Toen ik de slaapkamerdeur echter opendeed, stond mijn tas daar, voor mijn voeten. Ik kon me bijna niet voorstellen dat ik Jamie hem daar niet had horen neerzetten, maar toch had hij dat gedaan. Op de een of andere manier voelde ik me door de aanblik van die tas slechter dan ooit en schaamde ik me op een manier die ik niet eens kon uitleggen toen ik me bukte en de tas naar binnen trok.

2

Mijn moeder had een hekel aan werken. Ze was bepaald geen ideale werkneemster, ze had nog nooit een baan gehad die ze leuk vond, tenminste niet voor zover ik me kon herinneren. Bij ons thuis was werken een vies woord, het officiële einde van leuke tijden, soms iets om tegen op te zien en over te klagen, en, als het even kon, te vermijden.

Het zou misschien anders zijn geweest als ze bevoegd was geweest voor glamoureus werk als bijvoorbeeld medewerkster op een reisbureau of modeontwerpster. In plaats daarvan, mede door de keuzes die ze maakte, maar ook door een aantal factoren waar ze niets aan kon doen, had ze altijd eenvoudige baantjes, meestal zonder secundaire arbeidsvoorwaarden, en tegen een minimuminkomen. Serveerster, winkelbediende, telemarketeer, uitzendkracht, dat soort dingen. Daarom leek het zo fijn dat ze bij Commercial Courier, een koeriersbedrijfje, aan de slag kon. Niet dat het nou zo glamoureus was, maar het was in elk geval weer eens wat anders.

Commercial Courier prees zichzelf aan als een 'universele bezorgservice', maar hun belangrijkste werkzaamheden bestonden uit zoekgeraakte bagage. Ze hadden een klein kantoor op het vliegveld, waar bagage terechtkwam die naar de verkeerde stad was gestuurd of in het verkeerde vliegtuig was geladen, en die werd dan door een van de koeriers naar de juiste bestemming gebracht, of dat nou een hotel was of bij mensen thuis.

Vóór Commercial werkte mijn moeder als receptioniste bij een verzekeringsbedrijf, een baan die ze haatte, omdat ze er twee dingen voor moest doen waar ze de grootste hekel aan had: vroeg opstaan en met mensen werken. Toen haar contract na zes maanden niet werd verlengd, had ze eerst een paar weken uitgeslapen en lopen mopperen voor ze uiteindelijk de vacatures in de krant bekeek, waar ze een advertentie zag van Commercial. KOERIERS GEZOCHT, stond er. ZELFSTANDIG WERK, OVERDAG OF 'S AVONDS. In haar ogen was een baan nooit ideaal, maar op het eerste gezicht kwam deze gevaarlijk dicht in de buurt. Dus belde ze en maakte ze een afspraak voor een sollicitatiegesprek. Twee dagen later was ze aangenomen.

Of liever gezegd: waren wíj aangenomen. Eerlijk gezegd was mijn moeder niet zo'n goede navigator. Ik vermoedde dat ze een beetje dyslectisch was, omdat ze altijd links en rechts door elkaar haalde, iets wat zeker problemen zou gaan opleveren in een baan waar je bijna helemaal was aangewezen op geschreven routebeschrijvingen. Gelukkig begon ze pas om vijf uur 's middags, wat inhield dat ik met haar kon meerijden, een regeling waarvan ik aanvankelijk aannam dat die maar een paar dagen zou duren, tot ze het onder de knie had. In plaats daarvan werden we collega's, acht uur per dag, vijf dagen per week, en zaten we met zijn tweetjes in haar afgeragde Subaru om mensen te herenigen met hun eigendommen.

Onze werkdag begon altijd op het vliegveld. Als de tassen eenmaal in de auto stonden, overhandigde ze mij het vel met adressen en routebeschrijvingen en dan vertrokken we, eerst naar de hotels in de buurt, alvorens we ons in verder weg gelegen buurten waagden om bij mensen thuis langs te gaan.

Mensen reageerden op twee manieren als we op de stoep

stonden met hun bagage. Ze waren óf heel blij en dankbaar, óf ze kozen ervoor om de bezorger de volle laag te geven over hun toorn jegens de gehele luchtvaartindustrie. De beste tactiek, ontdekten we, was medeleven. 'Ik weet er alles van,' zei mijn moeder dan, met het klembord waar een handtekening op gezet moest worden in haar handen, als ze uit hun dak gingen over het moeten kopen van nieuwe toiletspullen of kleding in een onbekende stad. 'Het is een schande.' Meestal was dat voldoende, omdat het vaak meer was dan wat de luchtvaartmaatschappijen te bieden hadden, maar zo nu en dan ging er iemand compleet uit zijn plaat en gedroeg zich heel erg hufterig. Mijn moeder gooide dan gewoon de bagage voor zijn of haar voeten, draaide zich om, liep terug naar de auto en negeerde wat er naar haar hoofd werd geslingerd. 'Ze roepen het over zichzelf af,' zei ze dan tegen me als we wegreden. 'Moet jij eens opletten. Ik weet zeker dat we hier binnen de kortste keren weer terug zijn.'

Een hotel was fijner, omdat we dan alleen te maken kregen met de conciërge of iemand van de receptie. Ze gaven ons meestal een extraatje als we er vroeg naartoe gingen, en we werden vaste klanten in alle hotelbars, waar we tussen de bedrijven door snel een hamburger aten.

Aan het eind van onze dienst was het meestal niet druk meer op de grote weg, en vaak waren we de enige auto die op achterafweggetjes over stille heuveltoppen reed. Op dat tijdstip wilden de meeste mensen niet dat we nog aanbelden, en dus plakten ze een briefje op de voordeur met de vraag of we de bagage op de veranda konden neerzetten, of zeiden ze, wanneer we belden om te zeggen dat we kwamen, dat we hun spullen maar in de kofferbak van hun auto moesten zetten. Dat vond ik altijd de raarste ritten, als het middernacht was of zelfs nog later en we voor een donker huis stopten en zo zacht mogelijk deden. Het was eigenlijk omgekeerd inbreken, rondsluipen om iets te komen brengen in plaats van het weg te halen.

Toch had het werken voor Commercial ook iets geruststellends, bijna hoopgevends. Zoals dat je weer iets terug kon krijgen wat je kwijt was. Als we ergens wegreden, probeerde ik me altijd voor te stellen hoe het zou zijn als je de deur openmaakte en iets aantrof waarvan je niet had gedacht het ooit terug te zien. Het was misschien wel op een plek geweest waar je zelf nog nooit geweest was, had allerlei omwegen gemaakt en was door verschillende handen gegaan, maar het was het toch gelukt om bij je terug te keren, nog voor de dag begonnen was.

* * *

Ik had verwacht dat ik zou slapen zoals in Poplar House – bijna niet en heel slecht – maar ik schrok wakker toen Jamie op de deur klopte en zei dat we over een uur zouden vertrekken. Ik had zo diep geslapen, dat ik eerst niet eens wist waar ik was. Toen ik eenmaal de lichtkoepel boven mijn hoofd herkende, met de jaloezie ervoor, herinnerde ik me het weer: ik was bij Cora. Mijn bijna-ontsnapping. En nu zou ik naar Perkins Day gaan. Nog maar drie dagen geleden had ik in het gele huis geroeid met de riemen die ik had, werkte ik voor Commercial en ging ik naar Jackson. Nu ik hier was, was alles weer anders. Maar daar begon ik inmiddels aan te wennen.

Toen mijn moeder 'm net gesmeerd was, dacht ik niet dat het voorgoed zou zijn. Ik dacht dat ze gewoon weer eens uit de band sprong, iets wat gewoonlijk duurde tot haar geld op was of ze ergens niet meer welkom was, wat op zijn hoogst een paar dagen was. De eerste keren dat ze dat gedaan had, was ik zó ongerust en daarna zó opgelucht dat ze weer terug was, dat ik haar overstelpte met vragen over waar ze had uitgehangen, wat haar mateloos irriteerde. 'Ik had gewoon even wat tijd voor mezelf nodig, oké?' zei ze dan geërgerd tegen me voor ze naar haar kamer beende om te gaan slapen – iets wat ze zo te zien niet erg veel gedaan had toen ze weg was.

Ik had er nog een paar van haar verdwijningen voor nodig – die steeds een paar dagen langer duurden dan de vorige – voor ik besefte dat me er druk om maken precies was hoe ik níét moest reageren. In plaats daarvan ontwikkelde ik een meer blasé houding, alsof ik eigenlijk niet eens had ge merkt dat ze weg was geweest. Mijn moeder had altijd hoog opgegeven van onafhankelijkheid – die van haar, van mij en van ons samen. Je kon een heleboel over haar zeggen, maar niet dat ze klef was. Door weg te gaan, had ik besloten, leerde ze mij om voor mezelf te zorgen. Alleen als je zwak was had je constant iemand om je heen nodig. Elke keer dat ze verdween, liet ze zien dat ze sterker was geworden, het was aan mij om hetzelfde te doen, door mijn gedrag erop aan te passen.

Na twee weken niets van haar gehoord te hebben, dwong ik mezelf uiteindelijk om haar kamer binnen te gaan en in haar spullen te snuffelen. Haar bundeltje noodgeld – de laatste keer dat ik het had geteld was het driehonderd dollar in contanten – was verdwenen, net als haar obligaties, make-up, en, het meest veelzeggende, haar badpak en haar favoriete zomerjurk. Waar ze ook naartoe was; het was er warm.

Ik had geen idee wanneer ze echt vertrokken was, we konden toen niet bepaald goed met elkaar opschieten. We konden toen ook niet níét goed met elkaar overweg. Maar die bewuste herfst was het elkaar af en toe een paar dagen met rust laten, wat we allebei in stand hielden, uitgelopen in elkaar altíjd met rust laten. Ze ging ook niet meer naar haar werk – ze sliep als ik 's morgens naar school ging, ze sliep als ik terugkwam en naar Commercial ging, en was meestal weg als alles bezorgd was – dus echt veel gelegenheid om te praten hadden we niet. Bovendien was ze niet alleen, die enkele keer dat ze thuis was en wakker.

Meestal als ik de afgetrapte oude Cadillac van Warner, haar vriendje, op de oprit zag staan, zette ik de auto weg, liep achterom naar mijn slaapkamerraam, dat nooit dicht was, en liet mezelf zo binnen. Ik moest mijn tanden dan poetsen met mineraalwater, en mijn gezicht schoonmaken zat er niet in, maar dat waren kleine offers om Warner te ontlopen, die het huis vulde met rook uit zijn pijp en altijd leek uit te zweten wat hij de dag ervoor had gedronken. Hij installeerde zichzelf op de bank met een biertje in zijn hand, en volgde me in stilte als ik voor hem langs moest lopen. Hij had nooit echt iets verkeerd gedaan, maar dat kwam volgens mij niet omdat hij zo onschuldig was, maar omdat hij er gewoon de kans nog niet voor had gekregen. Ik was niet van plan hem die kans te geven.

Mijn moeder daarentegen hield van Warner, dat zei ze tenminste. Ze hadden elkaar leren kennen bij Halloran's, een kleine kroeg bij ons in de straat waar ze weleens heen ging om een biertje te drinken en karaoke te zingen. In tegenstelling tot mijn moeders andere vriendjes, was Warner geen lijvig, ruwe bolster, blanke pit-type. In zijn standaardoutfit, bestaande uit een donkere broek, goedkoop overhemd, gymschoenen en pet met kapiteinsinsigne, zag hij eruit alsof hij zojuist van boord was gegaan, waarmee niet gezegd was dat het per se een leuke boot moest zijn geweest. Ik wist niet of hij een nautisch verleden had en ernaar terugverlangde, of dat hij hoopte dat hij ooit nog eens op zee zou gaan werken. Hoe dan ook, hij lustte wel een borrel en scheen wat geld te hebben, dus voor mijn moeder was hij ideaal.

Als ik in die tijd aan mijn moeder dacht, stelde ik me haar op het water voor. Misschien hadden Warner en zij het in die oude Cadillac wel gered tot Florida, waar ze het altijd over hadden, en zaten ze nu op het dek van een of andere boot, deinend op open zee. Dat was in elk geval een leuker plaatje dan wat ik dacht dat er in werkelijkheid gebeurd was. Ik stond mezelf een klein beetje ontkenning toe. Niet dat ik veel tijd had om ergens over te fantaseren trouwens. Toen ze wegging, was het half augustus en duurde het nog negen maanden tot ik achttien werd en legaal zelfstandig mocht wonen. Ik wist dat het moeilijk zou gaan worden. Maar ik was een slimme tante en ik dacht dat het me wel zou lukken. Het plan was om bij Commercial te blijven werken tot Robert, de eigenaar, in de gaten kreeg dat mijn moeder weg was, en dat ik dan iets anders zou gaan zoeken. Voor wat betreft de rekeningen: omdat we dezelfde naam hadden, had ik toegang tot mijn moeders bankrekeningen en kon het salaris dat ik verdiende gebruiken. Ik dacht dat ik het goed voor elkaar had, in elk geval voorlopig. Zolang ik op school maar niet in de problemen kwam – want dan zou ik meteen door de mand vallen – hoefde niemand te weten te komen dat er iets was veranderd.

En wie weet hoe het afgelopen zou zijn? Het had makkelijk kunnen lukken als de droger niet was kapotgegaan. Maar waar mijn kortetermijnplannen dan misschien veranderd waren, was mijn doel voor de lange termijn ongewijzigd: vrijheid. Niet langer afhankelijk of iemand ten laste zijn, niet meer afhankelijk zijn van mijn moeders grillen, het systeem of iemand anders, altijd een molensteen om iemands nek. Het maakte eigenlijk niet uit of ik mijn tijd uitzat in het gele huis of in Cora's wereld. Als ik achttien werd, kon ik mijn banden met iedereen verbreken en eindelijk doen wat ik zo graag wilde: op mezelf wonen, voor eens en altijd.

Nu moest ik het beste zien te maken van mijn verschijning, omdat ik niet veel meer had dan de spijkerbroek die ik al twee dagen aanhad en een trui die ik al jaren niet meer had gedragen. Toch bedacht ik, toen ik de zoom uit de trui trok, die ongeveer twee maten te klein was, dat het me niet kon schelen wat voor indruk ik maakte op de mensen op Perkins Day. Zelfs mijn beste kleren zouden hun ergste zijn.

Ik griste mijn rugzak van het bed en liep over de overloop. De deur van Jamie en Cora's slaapkamer stond op een kiertje, en toen ik dichterbij kwam hoorde ik een zacht, snerpend piepje, te zacht om een wekker te zijn, maar het was hetzelfde geluid en had dezelfde toonhoogte. In het voorbijgaan keek ik naar binnen en zag mijn zus op haar rug liggen met een thermometer in haar mond. Ze trok hem eruit en keek er met halfdichte ogen naar toen het piepen stopte.

Ik vroeg me af of ze ziek was. Cora was net de kanarie uit een steenkolenmijn; ze was altijd de eerste die iets opliep. Volgens mijn moeder kwam dat doordat ze zich overal veel te druk om maakte en bezorgdheid het immuunsysteem aantastte. Zelf, beweerde ze, was ze 'al vijftien jaar niet meer verkouden geweest,' hoewel ik vermoedde dat haar eigen afweersysteem eerder overuren maakte dan dat het het rustig had. Hoe dan ook, mijn herinneringen aan mijn jeugd met Cora waren gekleurd door haar uiteenlopende ziektes: oorontstekingen, amandelontsteking, onverklaarbare vormen van uitslag en koorts. Als mijn moeder gelijk had en het inderdaad samenhing met stress, wist ik zeker dat ik mezelf de schuld kon geven voor haar laatste kwaal, wat die ook zijn mocht.

Beneden in de keuken trof ik Jamie zittend aan het kook-eiland aan met een opengeklapte laptop voor zijn neus en een mobiele telefoon tegen zijn oor. Toen hij me zag lachte hij en legde zijn hand eroverheen. 'Hoi,' zei hij. 'Bijna klaar. Er staan cornflakes en zo op tafel – pak het zelf maar.'

Ik keek naar de tafel en verwachtte één pak en melk te zien, maar er stonden verschillende pakken, de meeste nog dicht, een schaal met muffins, een kan jus d'orange en een grote glazen schaal met fruitsalade. 'Koffie?' vroeg ik, en hij knikte naar het andere aanrecht, waar ik een koffiezet-apparaat en een paar bekers zag staan.

'... ja, maar daar gaat het nou juist om,' zei hij terwijl hij zijn hoofd schuin hield en iets typte. 'Als we dit aanbod serieus in overweging zouden nemen, moeten we op zijn minst bepalen wat de parameters voor de onderhandelingen moeten zijn. Dat is heel belangrijk.'

Ik liep naar het koffiezetapparaat, pakte een beker en schonk hem vol. Op Jamies laptop zag ik de bekende home-page van UME.com, het netwerk waar schijnbaar iedereen, van je favoriete band tot je grootmoeder, zich grofweg het afgelopen jaar bij aangesloten had. Ik had er zelf ook een ac-count, hoewel ik, omdat ik niet vaak van een computer ge-bruik kon maken, al lang niet meer op de site was geweest.

'Maar daar gaat het nou juist om,' zei Jamie, en hij klikte door naar een andere pagina. 'Ze beweren dat ze de inte-griteit en de uitgangspunten willen behouden, maar ze den-ken vanuit zakelijk oogpunt. Weet je, praat gewoon even met Glen om te horen wat hij ervan vindt. Nee, vanochtend niet, ik heb iets anders. Ik ben er tegen de middag. Oké. Tot dan.'

Ik hoorde een piepje en hij legde zijn telefoon weg, pakte de muffin die naast hem lag en nam net een hap, toen er een *ping!* te horen was, het bekende geluid van een nieuw bericht in je UME-inbox. 'Zit jij op UME?' vroeg ik toen ik met mijn koffie aan tafel ging zitten. Mijn trui kroop weer omhoog en ik trok hem omlaag.

Hij keek me even aan. 'Uh... zo zou je het kunnen noemen, ja.' Hij knikte naar mijn beker. 'Moet je niet iets eten?'

'Ik ben niet zo'n ontbijter,' zei ik tegen hem.

'Doe niet zo raar.' Hij schoof zijn stoel naar achteren, liep naar een kastje, haalde er twee kommetjes uit, liep naar de ijskast, trok hem open en pakte de melk. 'Toen ik klein was,' zei hij terwijl hij naar de tafel liep en alles naast me neerzette, 'bakte mijn moeder iedere ochtend eieren of pannenkoeken voor ons. Met worst of spek en geroosterd brood. Je moet eten. Dat is goed voor je hersenen.'

Ik keek hem over mijn koffie heen aan toen hij een van de pakken ontbijtgranen pakte, hem openmaakte en een kom vulde. Daarna voegde hij er melk aan toe, bijna tot aan de rand, zette het op een bord en legde er nog een muffin en een schep fruitsalade bij. Ik wilde net gaan zeggen dat ik onder de indruk was van zijn eetlust, toen hij het hele gebeuren naar me toe schoof. 'O, nee,' zei ik, 'dat ga ik...'

'Je hoeft ook niet alles op te eten,' zei hij, en hij vulde zijn eigen kom. 'Gewoon een beetje. Je zult het nodig hebben, neem dat maar van mij aan.'

Ik keek hem voorzichtig aan, zette mijn beker neer, pakte mijn lepel en nam een hap. Hij grinnikte naar me vanaf de andere kant van de tafel, zijn mond vol muffin. 'Lekker, hè?'

Ik knikte tegelijk met weer een *ping!* van de laptop, onmiddellijk gevolgd door nóg een piepje. Jamie leek het niet te horen, en prikte een stuk ananas aan zijn vork. 'Zo,' zei hij. 'Belangrijke dag vandaag.'

'Zeg dat wel,' zei ik en ik nam nog een hap van mijn cornflakes. Ik gaf het niet graag toe, maar ik stikte van de honger en moest me inhouden om het eten niet in één keer naar binnen te schuiven. Ik kon me niet herinneren wanneer ik voor het laatst had ontbeten.

'Ik weet dat het vervelend is om naar een andere school te gaan,' zei hij tegen me terwijl er nóg drie keer achter elkaar een *ping!* klonk. Goh, wat was hij populair. 'Mijn vader zat in het leger. Acht verschillende scholen in twaalf jaar. Vreselijk. Ik was altijd "die nieuwe".'

'Hoe lang heb je dan op Perkins Day gezeten?' vroeg ik, in de veronderstelling dat als dat maar heel kort geweest was, hij het er misschien daarom wel leuk gevonden zou hebben.

Ping! Ping! 'Vanaf de derde. Geweldige tijd gehad.'

'Serieus?'

Hij keek me aan met één opgetrokken wenkbrauw, pakte een glas en schonk voor zichzelf wat jus in. 'Weet je,' zei hij, 'ik heb begrepen dat je nog nooit op zo'n school hebt gezeten. Maar zo erg is het helemaal niet.'

Ik onthield me van commentaar toen er nog vier berichten binnenkwamen, gevolgd door een klapperend geluid achter me. Ik draaide me nog net op tijd om om Roscoe zich door het hondenluikje te zien wringen.

'Hé, maatje,' zei Jamie tegen hem toen Roscoe hem voorbij liep op weg naar zijn drinkbak. 'Alles goed daarbuiten?'

Roscoes antwoord bestond uit langdurig geslurp, waarbij zijn penningen tegen de bak sloegen. Nu ik eindelijk in de gelegenheid was om hem eens goed te bekijken, zag ik dat hij best schattig was, als je tenminste van kleine hondjes hield, wat bij mij niet het geval was. Hij kon nooit meer wegen dan tien kilo en was gedrongen, zwart met een witte buik en pootjes, en rechtopstaande oren. Bovendien had hij een mopsneus, zo'n opstaand geval, wat volgens mij het nasale geluid verklaarde dat ik al tot zijn handelsmerk verklaard had. Toen hij uitgedronken was, boerde hij een keer, kwam op ons afgelopen en stopte onderweg even om een paar verdwaalde muffinkruimels op te likken.

Terwijl ik naar Roscoe zat te kijken, bleef Jamies laptop maar *ping!*-en, hij had die afgelopen vijf minuten minstens twintig berichten ontvangen. 'Moet je ze niet... lezen of zo?' vroeg ik.

'Wat moet ik lezen?'

'Je mail,' zei ik met een knikje naar de laptop. 'Er blijven maar berichten binnenkomen.'

'Neuh, dat kan wel wachten.' Zijn gezicht klaarde opeens op. 'Hé, slaapkop! Wat ben je laat.'

'Iemand blééf maar op *snooze* duwen,' bromde mijn zus, die met nat haar en in een zwarte broek en een witte blouse op blote voeten de keuken in kwam gelopen. 'Dat was dezelfde persoon,' zei Jamie, die ging staan en haar opwachtte bij het kookeiland, 'die ruim een halfuur eerder dan jij beneden was.'

Cora sloeg haar ogen ten hemel, kuste hem op zijn wang en schonk een kop koffie voor zichzelf in. Toen bukte ze zich om Roscoe te aaien, die om haar heen liep te rennen. 'Jullie moeten wel zo gaan,' zei ze. 'Het is vast druk onderweg.'

'We rijden binnendoor,' zei Jamie zelfverzekerd toen ik mij stoel achteruitschoof en mijn trui weer naar beneden trok voor ik mijn inmiddels lege kom en bord naar het aanrecht bracht. 'Vroeger reed ik in precies tien minuten naar Day, inclusief stoplichten.'

'Tien jaar geleden, ja,' zei Cora tegen hem. 'De tijden zijn veranderd.'

'Zoveel nou ook weer niet,' zei hij.

Zijn laptop pingde weer, maar Cora scheen het, net als hij, niet te horen. In plaats daarvan keek ze hoe ik me bukte om mijn bord in de vaatwasser te zetten. 'Wil je...?' zei ze, en vervolgens zweeg ze. Toen ik naar haar opkeek, zei ze: 'Misschien zou je iets van mij moeten lenen om aan te trekken.'

'Het is prima zo,' zei ik.

Ze beet op haar lip en keek naar het stuk blote buik dat tevoorschijn kwam tussen de boord van mijn trui en de gesp van mijn spijkerbroek, dat ik al de hele ochtend probeerde te bedekken. 'Kom toch maar even mee,' zei ze.

We liepen zonder iets te zeggen de trap op naar Cora's kamer, die gigantisch was, de muren een koele kleur lichtblauw. Ik was niet verbaasd dat het er superschoon was, en de kussens op het bed lagen zó precies gerangschikt, dat er wel ergens een constructietekening in een lade moest liggen. Net als in mijn kamer waren er veel ramen, een lichtkoepel en een balkon, dat hier veel groter was.

Cora liep door de kamer en nam een slok van de koffie die ze in haar hand had toen ze de badkamer in liep. We liepen via de douche, de dubbele wasbakken en een verzonken bad naar een kamer die achter de badkamer lag, die geen kamer maar een kast bleek te zijn. Een enórme kast met rekken kleding langs twee van de muren, en planken van het plafond tot aan de grond aan de andere. Van wat ik ervan kon zien, namen Jamies spullen – spijkerbroeken, een paar pakken, en een heleboel T-shirts en sneakers – maar een fractie van de ruimte in beslag. De rest was allemaal van Cora. Ik keek vanuit de deuropening toe hoe ze naar een kledingrek liep en wat spullen opzijschoof.

'Je wilt denk ik een blouse en een trui, hè?' zei ze, terwijl ze een paar vesten bestudeerde. 'Ik neem aan dat je zelf een jas hebt?'

'Cora?'

Ze trok ergens een trui vandaan en keer ernaar. 'Ja?'

'Waarom ben ik hier?'

Misschien kwam het door de besloten ruimte, of omdat we het al een tijdje zonder Jamie als buffer moesten stellen, maar wat de reden ook was, deze vraag kwam opeens naar boven, voor mij net zo onverwacht als voor haar. Nu ik het echter gezegd had, was ik verbaasd over hoe graag ik het antwoord wilde weten.

Ze liet haar hand van het kledingrek vallen en draaide zich om, zodat ze me aan kon kijken. 'Omdat je minderjarig bent,' zei ze, 'en je door je moeder in de steek bent gelaten.'

'Ik ben bijna achttien,' zei ik tegen haar. 'En ik redde me prima, in mijn eentje.'

'Prima,' herhaalde ze, met een uitdrukkingsloos gezicht. Toen ik naar haar keek, besefte ik hoe verschillend we waren; met mijn rode haar en bleke huid met sproeten stond ik in schril contrast met haar zwarte haar en blauwe ogen. Ik was langer dan zij, met de tengere bouw van mijn moeder, terwijl zij kleiner was en meer rondingen had. 'Noem je dat prima?'

'Wat weet jij er nou van?' zei ik. 'Je was er toch niet bij?'

'Ik weet toch wat ik in dat rapport heb gelezen?' antwoordde ze. 'Ik weet wat die maatschappelijk werkster tegen me heeft gezegd. Wou je soms beweren dat haar verslag niet klopte?'

'Ja,' zei ik.

'Dus je zat niet zonder verwarming of water in een smerig huis?'

'Nee.'

Ze keek me met samengeknepen ogen aan. 'Waar is mama, Ruby?'

Ik slikte een keer en wendde toen mijn hoofd af terwijl ik naar de sleutel greep en hem hard tegen mijn huid duwde. 'Wat kan mij dat nou schelen?' zei ik.

'Mij interesseert het ook niet,' antwoordde ze. 'Maar het

is wel zo dat ze weg is en jij niet alleen kunt wonen. Is dat een antwoord op je vraag?'

Ik zei niets, en ze wendde zich weer tot de kleding. 'Ik heb je toch gezegd dat ik niets hoef te lenen,' zei ik. Mijn stem was schril en gespannen.

'Kom op nou zeg, Ruby,' zei ze vermoeid. Ze trok een zwarte trui van een kleerhanger, gooide hem over haar schouder, liep naar een andere plank en pakte een groen T-shirt. Toen liep ze mijn kant op en duwde de kledingstukken in het voorbijgaan in mijn handen. 'Opschieten. Het duurt minstens een kwartier om er te komen.'

Ze liep terug naar de badkamer en liet me alleen achter. Heel even stond ik daar de keurige rijen kleding in me op te nemen, alles op dezelfde manier gevouwen, op kleur bij elkaar gelegd. Toen ik naar de kleren keek die ze me had gegeven, zei ik tegen mezelf dat het me niet kon schelen wat ze op Perkins Day van mij of mijn stomme trui vonden. Het was toch maar tijdelijk, dat ik daarnaartoe ging, of hier was. Of waar dan ook.

Even later echter, toen Jamie naar boven riep dat we weg moesten, stond ik toch het T-shirt van Cora aan te trekken, dat zo te zien hartstikke duur was en als gegoten zat. De trui, zacht en warm, trok ik eroverheen aan. Op weg naar beneden, in kleren die niet van mij waren, onderweg naar een school waar ik niet hoorde, stond ik even stil voor de badkamerspiegel. Je zag de sleutel om mijn nek niet; hij hing te laag. Maar als ik van bovenaf keek, zag ik hem zitten, diep weggestopt. Niet te zien, nauwelijks herkenbaar, maar toch te vinden, ook al was ik de enige die er ooit naar zou zoeken.

* * *

Cora had gelijk. We kwamen vast te staan in het verkeer. Nadat we alle stoplichten tegen hadden gehad, parkeerden we eindelijk voor Perkins Day, waar net een bel ging.

Alle bezoekersplekken waren bezet, dus zette Jamie zijn auto – een sportieve Audi met leren bekleding – op een plek voor scholieren. Ik keek links van me – ja hoor: daar stond een zo te zien fonkelnieuwe Mercedes. Aan de andere kant stond ook een Audi, een knalrode cabrio.

Mijn maag, die zich het grootste gedeelte van de rit tegen mijn ontbijt had verzet, verzette zich nu tegen zichzelf door zich hoorbaar samen te knijpen. Volgens het klokje op het dashboard was het tien over acht, wat inhield dat in een sjofel lokaal zo'n vijfendertig kilometer verderop meneer Barrett-Hahn monotoon pratend begon aan de mededelingen van die dag. Die volledig genegeerd werden door mijn klasgenoten, die binnen nu en vijf minuten naar buiten zouden slenteren om zich, te hard pratend, een weg te banen naar het eerste lesuur door gangen die helemaal niet berekend waren op het huidige aantal leerlingen. Ik vroeg me af of mijn lerares Engels, mevrouw Valhalla – die van de hoge spijkerbroeken en een eindeloze hoeveelheid oversized polo's – wist waar ik uithing of dat ze er maar gewoon van uitging dat ik van school was gegaan, zoals zoveel leerlingen deden in de loop van het schooljaar. We waren net begonnen in *Wuthering Heights*, een roman die, beloofde ze, veel beter was dan *David Copperfield*, waar ze ons de afgelopen weken werkelijk doorheen had moeten slepen. Ik vroeg me af of dat echt waar was, of dat ze dat zomaar zei. Daar zou ik nu wel nooit achter komen.

'Ben je klaar voor het vuurpeloton?'

Ik schrok toen ik plotseling werd teruggetrokken in het heden, waarin Jamie, die de sleutels uit het contact had gehaald, me verwachtingsvol zat aan te kijken, met zijn hand op de deurkruk.

'O jee, zo bedoelde ik het niet,' zei hij. 'Sorry.'

Hij duwde zijn portier open en ik dwong mezelf, met een knoop in mijn maag, om hetzelfde te doen. Net toen ik was uitgestapt, ging er weer een bel.

'De schoolleiding is deze kant op,' zei Jamie toen we over het parkeerterrein liepen. Hij wees naar een overdekte verbindingsgang rechts van ons, waarachter een groot grasveld lag met gebouwen aan de andere kant ervan. 'Dat is het gemeenschappelijke veld,' zei hij. 'De lokalen zijn eromheen gebouwd. De aula en de gymzaal zijn die twee grote gebouwen daar. En de kantine is hier, het gebouw dat het dichtstbij staat. Tenminste, dat was vroeger zo. Het is lang geleden dat ik hier een burger heb gegeten.'

We liepen de stoep op, in de richting van een lang, laag gebouw met een heleboel ramen. Ik liep maar gewoon achter hem aan, bukte voor een overhangend gedeelte, toen ik een bekend gereutel hoorde. Ik kon het eerst niet thuisbrengen, maar toen ik me omdraaide, zag ik een oude Toyota hortend en stotend het parkeerterrein op rijden, met haperende motor. Mijn moeders auto deed hetzelfde, meestal bij een stoplicht of als ik probeerde 's avonds laat ergens stilletjes iets af te geven.

De Toyota, een witte met een loshangende bumper, zoefde voorbij, en ging vervolgens, met knipperende remlichten, op een leeg plekje staan. Ik hoorde eerst een portier dichtslaan en daarna voetstappen. Even later kwam er een donker meisje met ingevlochten haar tevoorschijn. Ze rende en had haar rugzak aan een schouder hangen. Ze had een mobieltje aan haar oor en voerde zo te horen een pittig gesprek, ook nog toen ze de stoep op sprong, onder het overhangende gedeelte door liep en over het grasveld begon te rennen.

'Oei, te laat komen. Dat kan ik me ook nog wel herinneren,' zei Jamie.

'Ik dacht dat je hier in tien minuten naartoe reed?'

'Dat deed ik ook. Maar ik ging meestal vijf minuten voor de bel van huis.'

Toen we bij de hoofdingang kwamen en hij de glazen deur voor me openhield, rook ik niet die muffe geur van schimmel en ontsmettingsmiddel waar Jackson om bekendstond, maar de geur van net aangebrachte verf. Het rook er eigenlijk bijna hetzelfde als bij Cora thuis, en dat bracht me best van mijn stuk.

'Meneer Hunter!' Er stond een man in pak achter de deur. Zodra hij ons zag, kwam hij met uitgestoken hand op ons afgelopen. 'De verloren zoon is teruggekeerd. Hoe bevalt het leven tussen de grote jongens?'

'Groots,' zei Jamie lachend. Ze gaven elkaar een hand. 'Meneer Thackray, dit is mijn schoonzusje, Ruby Cooper. Ruby, dit is Meneer Thackray, de rector.'

'Aangenaam kennis te maken,' zei meneer Thackray. Zijn hand was groot en koel, en omsloot de mijne volledig. 'Welkom op Perkins Day.'

Ik knikte omdat mijn mond gortdroog was. Gezien mijn ervaringen met rectoren – en leraren, huisbazen en politieagenten – was dit geen verrassing. Zelfs zonder dat ik een overtreding had begaan, had ik de neiging om heel hard weg te rennen.

'Zullen we je dan maar eens wegwijs gaan maken?' zei meneer Thackray, en hij liep voor ons uit door een gang. Toen we een hoek om liepen, kwamen we bij een groot kantoor. Binnengekomen nam hij plaats achter een flink houten bureau en gingen Jamie en ik tegenover hem zitten. Door het raam achter hem zag ik uitgestrekte voetbalvelden, geflankeerd door tribunes. Een gozer op een motormaaier reed langzaam over een van de velden, zijn adem zichtbaar in de koude lucht. Meneer Thackray draaide zich om, om ook uit het raam te kunnen kijken. 'Ziet er goed uit, nietwaar? Alleen de gedenkplaat ter ere van de gulle gever ontbreekt nog.'

'Dat hoeft helemaal niet,' zei Jamie, die met zijn hand door zijn haar ging. Hij zat achterovergeleund met zijn benen over elkaar geslagen. In zijn sneakers, spijkerbroek en sweater met capuchon zag hij er niet uit als iemand die al tien jaar niet meer op de middelbare school zat. Een jaar of twee, drie misschien, maar zeker geen tien.

'Niet te geloven, toch?' zei meneer Thackray hoofdschuddend tegen mij. 'Schenkt een compleet nieuw voetbalcomplex en verwacht er niets voor terug.'

Ik keek Jamie aan. 'Is dat echt waar?'

'Het stelt niks voor,' zei hij gegeneerd.

'Natuurlijk wel,' zei meneer Thackray. 'En daarom vraag ik je of je er niet nog een keer over wilt nadenken en het ons wereldkundig wilt laten maken. Bovendien zit er een leuk verhaal achter. Onze leerlingen zitten vaker op UME.com dan op welke andere site dan ook, en de eigenaar schenkt een deel van zijn opbrengsten terug aan het onderwijs. Kostelijk!'

'Voetbal,' zei Jamie, 'zou ik geen onderwijs willen noemen.'

'Sport is een cruciaal onderdeel van de ontwikkeling van leerlingen,' zei meneer Thackray. 'Onderschat dat niet.'

Ik keek naar mijn zwager en herinnerde me opeens al dat geping in zijn UME-inbox. *Zo zou je het kunnen noemen, ja* had hij gezegd toen ik vroeg of hij op UME zat. Dat was dus duidelijk een understatement.

'... pak even een paar formulieren, en dan gaan we je rooster samenstellen,' zei meneer Thackray. 'Wat vind je daarvan?'

Ik besefte, iets te laat, dat hij het tegen mij had. 'O, ja hoor,' zei ik. Ik slikte een keer. 'Ja, bedoel ik.'

Hij knikte, schoof zijn stoel naar achteren en stond op. Toen hij de kamer uit liep, zat Jamie achterovergeleund de zool van zijn sneaker te bestuderen. Buiten was de gozer op de maaier klaar met de ene kant van het veld en hij begon nu aan de andere.

'Ben jij...?' zei ik tegen Jamie. Hij keek me aan. 'Is UME.com van jóú?'

Hij zette zijn voet op de grond. 'Nou, zo zou ik het niet willen noemen. Ik doe het samen met een paar anderen.'

'Maar hij zei dat het van jou was,' zei ik.

Jamie slaakte een zucht. 'Ik ben ermee begonnen,' zei hij. 'Toen ik van de universiteit kwam. Maar nu hou ik een beetje het overzicht.'

Ik keek hem alleen maar aan.

'Directeur,' gaf hij toe. 'Maar dat is wel een groot woord voor iemand die toezicht houdt.'

'Dat Cora dat niet verteld heeft,' zei ik.

'Ach, je weet toch hoe ze is.' Hij lachte. 'Tenzij je tachtig uur per week werkt om de wereld te redden zoals zijzelf, is ze moeilijk te imponeren.'

Ik keek hoe de gozer op de maaier voorbij kwam pruttelen. 'Dus Cora redt de wereld?'

'Dat probeert ze althans,' zei hij. 'Heeft ze je niet over haar werk verteld? Als openbaar aanklager?'

Ik schudde mijn hoofd. Ik wist eigenlijk niet eens dat ze rechten had gestudeerd, tot de maatschappelijk werkster van Poplar House daar de dag ervoor naar informeerde. Het laatste wat ik wist was dat ze vijf jaar geleden was afgestudeerd. En dat wist ik omdat we op de een of andere manier een uitnodiging voor de buluitreiking hadden ontvangen. Die was op dik papier gedrukt en haar naam stond aan de binnenkant. Ik weet nog dat ik de envelop bestudeerde en me afvroeg waarom we hem gekregen hadden, na zo lang geen contact te hebben gehad. Toen ik dat aan mijn moeder vroeg, had ze haar schouders slechts opgehaald en gezegd dat de universiteit dat standaard deed. Wat ook wel logisch was, omdat Cora ons duidelijk had gemaakt dat ze niet wilde dat wij deel uitmaakten van haar nieuwe leven, iets waar we helemaal niet rouwig om waren.

'Nou,' zei Jamie toen de spanning tussen ons bijna tastbaar werd, en ik me afvroeg wat hij eigenlijk wist van onze familie en of mijn bestaan voor hem als een verrassing was gekomen. Over bagage gesproken. 'Volgens mij hebben jullie een hoop om over bij te praten, hè?'

Ik keek zonder iets te zeggen naar mijn handen. Even later kwam meneer Thackray weer terug met een stapel papieren in zijn hand en begon over kopieën en studiepunten, en werd ons gesprek naar de achtergrond verdrongen. Naderhand wilde ik dat ik het toen had opgenomen voor mezelf, of in ieder geval geprobeerd had om uit te leggen dat ik Cora ooit als geen ander had gekend. Maar dat was lang geleden, in de tijd dat ze de wereld nog niet wilde redden. Alleen mij.

.

Toen ik nog klein was, zong mijn moeder vaak voor me. Altijd bij het slapengaan, als ze me welterusten kwam zeggen. Ze zat dan op de rand van mijn bed, veegde het haar uit mijn gezicht met haar vingers, haar adem zoet ('een wijntje of twee, heel bescheiden', was destijds haar richtlijn) als ze me op mijn voorhoofd kuste en 'tot morgen' zei. Als ze dan weg wilde gaan hield ik haar tegen en smeekte ik of ze een liedje wilde zingen. Meestal, als ze niet al te slecht gehumeurd was, stemde ze dan toe.

Toen dacht ik nog dat mijn moeder alle liedjes die ze voor

me zong zelf verzon, en daarom was het een vreemde ge-waarwording toen ik ze voor het eerst op de radio hoorde. Het was alsof je ontdekte dat een gedeelte van jezelf hele-maal niet van jou was, en ik vroeg me af waarop ik nog meer geen aanspraak kon maken. Maar dat was later pas. Toen waren er alleen de liedjes, en die waren van ons, en van niemand anders.

De liedjes van mijn moeder waren onder te brengen in drie categorieën: liefdesliedjes, droevige liedjes en droevige liefdesliedjes. Liedjes met een goede afloop waren aan haar niet besteed. Ik viel in slaap bij *Frankie and Johnny*; bij een amourette die helemaal verkeerd afliep: *Don't Think Twice It's All Right* en bij een stel dat niet leuk uit elkaar ging: *Wasted Time*; of bij iemand die vol spijt ergens op terugkeek. Maar *Angel*, in de versie van Bonnie Raitt, deed me het meest aan haar denken. Nu nog steeds.

Alles waar mijn moeder van hield bij een liedje zat erin – hartzeer, teleurstelling, en de dood – en dat allemaal ver-teld door een oude vrouw, inmiddels alleenstaand, die terug-keek op alles wat ze had gehad en weer was kwijtgeraakt. Niet dat ik dat toen wist, voor mij waren het gewoon woor-den op een mooie melodie, gezongen door een stem waar ik gek op was. Pas veel later, toen ik in een ander bed lag en haar 's avonds laat door de muur heen kon horen zingen, lag ik er wakker van. Grappig hoe zo'n mooie stem zo'n wei-nig fraai verhaal kon vertellen. Het leek niet eerlijk, alsof het bedrog was.

Als je het aan mijn moeder zou vragen, zou ze zeggen dat niets in haar leven gegaan was zoals ze het had ge-hoopt. Ze zóú naar de universiteit gaan en met Ronald Brown trouwen, haar jeugdliefde en tailback van het foot-ballteam, maar zijn ouders vonden dat het iets te serieus werd tussen die twee en dwongen hem er een punt ach-

ter te zetten, vlak voor Kerstmis, in het jaar voor hun eindexamen. Vervuld van liefdesverdriet stond ze toe dat haar
vrienden haar meesleepten naar een feestje waar ze helemaal niemand kende en ze raakte uiteindelijk met een jongen aan de praat die eerstejaars was op Middletown Tech en
ingenieur wilde worden. In een keuken vol bierflesjes vertelde hij over hangbruggen en wolkenkrabbers, 'de wonderen der bouwkunst', iets wat ze dodelijk saai vond. Vreemd
genoeg, dat vind ik althans, stemde ze er wel mee in dat hij
haar vriendje werd, dat ze met elkaar naar bed gingen en
dat mijn zusje werd verwekt, dat negen maanden later ter
wereld kwam.

Dus zat mijn moeder op haar achttiende, terwijl haar klasgenoten eindexamen deden, thuis met een dochter en een
echtgenoot. Toch, als je mag afgaan op de foto's, waren die
eerste jaren helemaal zo erg nog niet. Er zijn honderden
foto's van Cora: in een zomers pakje, met een schepje in
haar handen, of op de stoep voor het huis op een driewieler.
Mijn ouders staan er ook op, hoewel niet zo vaak, en bijna
nooit samen. Af en toe is er een foto van hen beiden – mijn
moeder jong en beeldschoon met haar rode haar en bleke
huid, mijn vader, donker haar en helderblauwe ogen, met
zijn arm om haar schouder geslagen of rond haar middel.

Omdat er tien jaar zit tussen Cora en mij, heb ik me altijd afgevraagd of ik misschien een foutje was, of een laatste poging om een huwelijk te redden dat al bergafwaarts
ging. Wat de reden ook was, mijn vader ging bij ons weg
toen ik vijf was en mijn zus vijftien. We woonden toen in
een heus huis in een heuse woonwijk, en we kwamen op
een keer 's middags thuis uit het zwembad en troffen mijn
moeder aan op de bank met een glas in haar hand. Los van
elkaar waren dit geen opmerkelijke dingen. In die tijd werkte ze niet en hoewel ze meestal pas een borrel inschonk als

mijn vader thuiskwam uit zijn werk, begon ze ook weleens zonder hem. Wat ons echter meteen opviel, was dat er muziek opstond, en dat mijn moeder aan het meezingen was. Dat vond ik voor het eerst niet rustgevend voor mij. Ik werd er nerveus en onzeker van, alsof al het leed dat in die liedjes bezongen werd, me ineens allemaal tegelijk om de oren sloeg. Vanaf dat moment was het geen goed teken als ze zong.

Ik had vage herinneringen aan mijn vader, na de scheiding. Hij nam ons in het weekend mee uit ontbijten of door de week mee uit eten. Hij kwam nooit binnen of naar de deur als hij ons kwam halen, maar parkeerde zijn auto bij de brievenbus en bleef recht voor zich uit kijkend achter het stuur zitten. Alsof hij niet op ons, maar op zomaar iemand zat te wachten, dat er een onbekende naast hem zou kunnen komen zitten en hij dat prima zou vinden. Misschien dat die afstand van toen ervoor zorgde dat ik nu moeite had om me hem voor de geest te halen als ik aan hem probeerde te denken. Er waren een paar herinneringen, dat hij me voorlas bijvoorbeeld, of dat hij vlees barbecuede op de patio. Maar zelfs bij deze paar dingen leek het al alsof hij er weliswaar bij was, maar toch ook afwezig was, als een geest.

Ik kan me niet meer herinneren hoe of wanneer zijn bezoekjes stopten. Het leek wel of ze van het ene op het andere moment ophielden. In groep acht, toen we een stamboom van onze familie moesten maken, kon ik een tijdje aan niets anders denken dan aan zijn verdwijning, en uiteindelijk kreeg ik mijn moeder zover dat ze vertelde dat hij naar Illinois, een andere staat, was verhuisd. Hij bleef nog een tijdje contact houden, maar nadat hij hertrouwde en een paar keer verhuisde, verdween hij, waardoor mijn moeder haar alimentatie misliep. Als ik er na die tijd nog naar vroeg, maakte ze me duidelijk dat ze er niet over wilde praten. Bij mijn moeder was het altijd uit het oog, uit het hart. Ze verspilde er geen energie meer aan, en dat kon jij ook maar beter niet doen.

Toen mijn vader wegging, trok mijn moeder zich langzaamaan terug uit mijn leven. Me 's morgens wakker maken, me wassen, aankleden en laten ontbijten, me naar de bushalte brengen, zeggen dat ik mijn tanden moest poetsen deed ze niet meer – dat nam Cora van haar over. Ook dat werd nooit officieel geregeld. Het gebeurde gewoon, net zoals het gewoon gebeurde dat mijn moeder steeds meer sliep, minder lachte en 's avonds laat begon te zingen, haar stem onvast, rondwarend, en altijd in staat om mijn oren te bereiken, ook als ik dicht tegen de muur ging liggen en probeerde aan iets anders, wat dan ook, te denken.

Cora werd de stabiele factor in mijn leven, de enige van wie ik erop kon vertrouwen dat ze er was en min of meer hetzelfde bleef, dag in, dag uit. 's Avonds, in de slaapkamer die we deelden, moest ik van mezelf vaak eerst naar haar ademhaling liggen luisteren, voordat ik zelf in slaap mocht vallen.

'Sst,' herinner ik me dat ze zei, als we in onze nachtjaponnen in onze slaapkamer stonden. Ze ging dan met haar oor tegen de deur staan luisteren, en ik keek op mijn hoede naar haar gezicht, terwijl zij luisterde hoe mijn moeder beneden rondliep. Afhankelijk van wat ze hoorde – een aansteker, ijsblokjes rinkelend in een glas, het opnemen of ophangen van de telefoon – ze peilde altijd of we veilig naar buiten konden gaan, onze tanden konden poetsen of iets te eten konden halen als mijn moeder het avondeten weer eens was vergeten. Als mijn moeder sliep, liepen Cora en ik hand in hand op onze tenen langs haar kamer naar de keuken. Daar hield ik dan een oud plastic dienblad op, waar zij snel cornflakes en melk op zette – of Engelse muffinpizza's, mijn favoriet, die ze in de broodrooster opwarmde – en sloop ze door de keuken terwijl mijn moeder in de kamer ernaast lag. Als alles goed ging, kwamen we weer boven zonder dat ze bewoog. Als het niet goed ging, schrok ze wakker en ging ze rechtop zitten, de slaapvouwen in haar gezicht, een schorre stem van het slapen, en zei ze: 'Wat zijn jullie aan het doen?'

'Niks,' zei Cora dan. 'We pakken alleen even iets te eten.'

Soms, als ze diep genoeg had geslapen, was dit voldoende. Maar vaker, helaas, hoorde ik de bank kraken, haar voeten op de houten vloer neerkomen, en stopte Cora ogenblikkelijk met wat ze aan het doen was – brood smeren, in mijn moeders portemonnee geld zoeken voor de lunch, de wijnfles geopend en zweterig achter op het aanrecht zetten – en deed ze datgene wat ik meer met haar associeer dan wat dan ook. Als mijn moeder eraan kwam, geïrriteerd en meestal op zoek naar ruzie, ging mijn zus altijd voor me staan. Destijds was ze nog minstens een kop groter dan ik, en ik herinner me heel goed hoe mijn perspectief dan plotseling verschoof, en hoe mijn beeld veranderde van iets engs, naar iets wat niét eng was. Natuurlijk, ik wist dat mijn moeder er nog steeds aan kwam, maar ik lette altijd op Cora: haar donkere haar, haar hoekige schouders, de manier waarop, als het echt heel erg werd, haar hand achter haar rug de mijne zocht en ze haar vingers eromheen sloot. Dan bleef ze staan waar ze stond, wachtend op mijn moeder, klaar om de ergste klappen op te vangen of wat er ook ging komen, zoals de boeg van een boot die dwars tegen een grote golf in gaat, en de golf tot kleine spetters reduceert.

Daardoor was het Cora die de meeste klappen kreeg, met twee handen werd geduwd zodat ze naar achteren wankelde, onverwacht aan haar arm werd getrokken waardoor er rode striemen op kwamen, die later blauwe plekken werden in de vorm van vingers. Deze uitbarstingen zag je nooit aankomen en ze waren daarom moeilijk te voorkomen: we waren uit bed terwijl dat niet mocht, we maakten te veel lawaai, we gaven het verkeerde antwoord op vragen waar eigenlijk geen goed antwoord op mogelijk was. Als het voorbij was, liep mijn moeder hoofdschuddend terug naar de bank of haar slaapkamer, en dan keek ik altijd naar Cora, en wachtte af tot ze besloot wat we moesten doen. Meestal liep ze dan zelf ook de keuken uit terwijl ze haar ogen afveegde, en ik liep vlak achter haar aan, zonder iets te zeggen maar erg dicht bij haar in de buurt, omdat ik me veiliger voelde als ze niet alleen tussen mij en mijn moeder stond, maar tussen mij en de hele wereld.

Later ontwikkelde ik mijn eigen systeem voor hoe ik met mijn moeder moest omgaan. Ik kon aan het aantal flessen en glazen die al op tafel stonden peilen hoe haar humeur was, en hoorde aan de manier waarop ze de twee lettergrepen van mijn naam zei hoe de vlag erbij hing. Ik kreeg ook weleens klappen, hoewel het minder werd toen ik op de middelbare school zat. Maar het zingen was altijd de beste graadmeter, het enige waardoor ik aarzelde om naar binnen te gaan en in het donker bleef staan. Hoe mooi ze alle nummers die ik uit mijn hoofd kende ook zong, ik wist dat er potentieel gevaar achter schuilging.

Toen was Cora al vertrokken. Ze was een goede leerling en werkte bij Exclamation Taco! om bij te verdienen zodat ze naar de universiteit kon en zonder onderbrekingen kon studeren om meer kans te maken op een van de beurzen die ze had aangevraagd. Mijn zus was erg gedreven en had altijd een goede balans weten te vinden tussen de chaos thuis en haar eigen focus op regelmaat en planning. Was de rest van het huis altijd stoffig en rommelig, Cora's helft van onze kamer was brandschoon, alles was keurig opgevouwen en lag op zijn plek. Haar boeken stonden op alfabetische volgorde, haar schoenen netjes op een rijtje, haar kussen lag in een perfecte hoek ten opzichte van de muur. Soms zat ik vanaf mijn bed naar haar spullen te kijken en was dan verbaasd over het contrast: het leek wel zo'n voor- en na-reportage, of een omgekeerd spiegelbeeld, waarin het beste eerst het slechtste werd, en daarna weer het beste.

Uiteindelijk kreeg ze een gedeeltelijke beurs voor de universiteit die een stad verderop gelegen was, en ze vroeg studentenleningen aan om de rest mee te betalen. Gedurende de lente en de zomer van het jaar waarin ze eindexamen deed en wist dat ze was toegelaten, verschoven de verhoudingen thuis. Ik voelde het gewoon. Mijn zus, die het grootste gedeelte van het voorgaande jaar mijn moeder zo veel mogelijk gemeden had – ze ging uit school naar haar werk, uit haar werk naar bed en vanuit bed weer naar school – werd opeens een stuk relaxter, makkelijker. In het weekend werd ze 's avonds opgehaald door mensen van wie de stemmen door de open ramen in het huis doordrongen tot ze weer waren ingestapt en wegreden. Meisjes die ontspannen belden om te vragen of Cora thuis was, die dan vervolgens met de telefoon in de badkamer ging zitten, en ik kon door de deur heen horen dat haar stem anders klonk wanneer ze met hen sprak.

Ondertussen werd mijn moeder steeds stiller en ze zei niets toen Cora met dozen thuiskwam om haar schoolspullen of haar helft van onze slaapkamer in te pakken. Ze zat tijdens het lange zomerse schemerdonker sigaretten te roken en naar de tuin aan de zijkant van het huis te staren. We spraken nooit over het naderende vertrek van Cora, maar naarmate de dag dichterbij kwam, werden de verschoven verhoudingen steeds duidelijker voelbaar, tot ik bijna kon zién dat mijn zus zich meer en meer losmaakte van ons, zich loswurmde en uitbrak. Soms schrok ik 's nachts wakker en keek naar haar slapende gestalte aan de andere kant van de kamer en was dan maar heel even opgelucht, omdat ik wist dat de dag dat ze er niet meer zou zijn nu snel zou aanbreken.

Op de dag dat ze verhuisde, werd ik wakker met een zere keel. Het was zaterdagochtend, en ik hielp haar dozen en koffers naar beneden te sjouwen. Mijn moeder bleef in de keuken zwijgend zitten kettingroken en keek niet toe terwijl we haar schamele bezittingen in de kofferbak laadden van een Volkswagen Jetta, die van een meisje was dat Leslie heette en dat ik nog nooit had gezien en daarna ook nooit meer zou zien.

'Nou,' zei Cora toen ze het portier van de auto dichtgooide. 'Dat was het geloof ik wel zo'n beetje.'

Ik keek naar ons huis en zag door het raam aan de voorkant mijn moeder van de keuken naar het studeerkamertje lopen en weer terug. En ondanks alles wat er gebeurd was, weet ik nog dat ik dacht dat ze Cora natuurlijk niet liet gaan zonder afscheid te nemen. Maar de tijd verstreek en ze maakte geen aanstalten om naar ons toe te komen, en na een tijdje zag ik haar helemaal niet meer, al deed ik nog zo mijn best.

Cora, op haar beurt, stond daar maar met haar handen in haar zakken naar het huis te kijken en ik vroeg me af of ze soms ook stond te wachten. Maar toen liet ze haar handen langs haar zij vallen en zuchtte een keer. 'Ik ben zo terug,' zei ze, en Leslie knikte. Toen keken we samen hoe ze langzaam het trapje op liep en naar binnen ging.

Ze bleef niet lang weg – een minuut of twee, misschien zelfs minder. En toen ze weer naar buiten kwam, zag ze er heel anders uit. 'Ik bel je vanavond,' zei ze tegen me. Toen deed ze een stap naar voren en omhelsde me stevig. Ik weet nog dat ik toen ze wegreed dacht dat mijn keel zoveel pijn deed, dat ik zeker ziek zou worden. Maar dat was niet zo. De volgende morgen had ik nergens last meer van.

Cora belde de eerste avond, zoals ze had beloofd, om te vragen hoe het met me ging, net als het volgende weekend. Beide keren hoorde ik geluid op de achtergrond, stemmen en muziek. Ze vertelde dat ze haar kamergenoot en de colleges erg leuk vond, en dat alles goed ging met haar. Toen ze vroeg hoe het met mij ging, wilde ik haar zeggen hoeveel ik haar miste en dat mijn moeder veel meer was gaan drinken sinds haar vertrek. Omdat we dat al nauwelijks bespraken toen we elkaar nog gewoon zagen, leek het me helemaal onmogelijk om het er aan de telefoon over te hebben.

Ze vroeg nooit of ze mijn moeder even mocht spreken en mijn moeder nam nooit op als ze belde. Het was alsof hun relatie een zakelijke overeenkomst was, volgens een contract, en dat het contract nu was afgelopen. Zo zag ik het tenminste. Tot we een paar weken later gingen verhuizen en mijn zus helemaal niet meer belde. Toen realiseerde ik me dat mijn naam ook in het contract had gestaan, in de kleine lettertjes.

Ik heb mezelf er heel lang de schuld van gegeven dat Cora de banden verbrak. Misschien deed ze het wel omdat ik haar niet had gezegd dat ik graag contact wilde houden, en dat ze dat dus niet wist of zo. Daarna dacht ik dat ze misschien ons nieuwe nummer niet kon vinden. Maar wanneer ik er mijn moeder om vroeg, zuchtte ze alleen maar en schudde haar hoofd. 'Ze heeft nu haar eigen leven, ze heeft ons niet meer nodig,' legde ze dan uit, en ze woelde door mijn haar. 'We zijn nu nog maar met z'n tweetjes, liefje. Alleen jij en ik.'

Terugkijkend zou het moeilijker moeten zijn geweest om iemand uit het oog te verliezen, of om uit het oog verloren te worden, zeker als je allebei nog in dezelfde staat woonde, slechts een paar steden verderop. Het zou zo eenvoudig zijn geweest om naar de universiteit te rijden, naar haar kamer te zoeken en aan te bellen. Maar hoe meer tijd er verstreek, hoe duidelijker het werd dat Cora niets met mijn moeder en mij te maken wilde hebben en het leek logisch dat we onze handen van haar af trokken, zoals zij bij ons had gedaan. Het werd, net als de alliantie die mijn zus en ik vroeger hadden, nooit officieel uitgesproken. Het gebeurde gewoon.

Het was ook niet vreselijk of zo. Mijn zus had geprobeerd te ontsnappen, was over de muur geklommen en ontkomen. Dat wilden we allebei. Daarom begreep ik ook dat ze niet even terugkwam, ook niet voor heel even. Het was het gewoon niet waard.

Er waren al die jaren echter zoveel momenten als we weer eens verhuisden, dat ik mezelf erop betrapte dat ik aan mijn zus dacht. Meestal 's avonds laat, als ik niet kon slapen en me probeerde voor te stellen hoe het in haar studentenhuis was, een kilometer of vijfenzestig verderop. Ik vroeg me af of ze er gelukkig was, en hoe het er zou zijn. En of ze heel misschien weleens aan mij dacht.

3

'Welkom, Ruby. Kom er gezellig bij, daar is nog een plekje.'

Ik voelde hoe iedereen in het lokaal naar me keek toen ik de uitgestrekte vinger van de lerares volgde, een tengere, blonde vrouw, die eruitzag alsof ze net van de universiteit kwam. Aan het eind van een lange tafel was nog een lege stoel.

Volgens mijn nieuwe rooster was dit 'literatuur in de praktijk', van M. Conyers. Op Jackson hadden de vakken gewone namen: Engels, wiskunde, geschiedenis. Als je niet tot de uitverkorenen behoorde, die al vroeg werden klaargestoomd voor de beste universiteiten en de beste banen, stelde je je vakkenpakket samen met behulp van een van de drie ongeïnteresseerde decanen die aan de klas waren toegewezen. Hier had meneer Thackray echter een vol uur naar mijn gegevens zitten kijken, uit een dikke catalogus voorgelezen wat de verschillende vakken inhielden, en met me besproken waar mijn interesses lagen en wat ik wilde gaan doen. Misschien deed hij dat wel vanwege Jamie – hij was natuurlijk een superdonateur – maar toch betwijfelde ik dat. Het was duidelijk dat het er hier heel anders aan toeging.

Toen ik eenmaal zat en mijn vakkenpakket, keurig in blokken verdeeld, twee keer had bekeken – introductie tot statistiek; wereldculturen en -gebruiken; tekenen: levende wezens en verschijningsvormen – vond ik dat iedereen wel genoeg gelegenheid had gehad om me te kunnen bekijken voor ze weer overgingen tot de orde van de dag. En inderdaad: toen ik een paar minuten later weer opkeek naar de lerares, zag ik vluchtig dat zo ongeveer iedereen hetzelfde deed.

'Zoals jullie weten,' zei ze, terwijl ze naar een tafel liep die voor een groot schoolbord stond en erop ging zitten, 'krijgen jullie de rest van het jaar verschillende opdrachten. Een onderzoeksopdracht over de roman van jullie keuze, en we gaan een aantal memoires en mondelinge overleveringen lezen.'

Nu ik me iets meer op mijn gemak voelde, bekeek ik het lokaal wat uitgebreider. Het was groot, met drie grote ramen aan één kant, die uitkeken over het gemeenschappelijke grasveld, er stonden een paar nieuwe computers achterin, en in plaats van lessenaars stonden er drie rijen tafels. Ik had niet veel klasgenoten – een stuk of twaalf tot veertien mensen. Naast mij zat een meisje met lang rossig haar dat in zo'n schijnbaar moeiteloos gedraaide knot zat waar een potlood doorheen gestoken zat. Ze was knap op zo'n cheerleader/voorzitter van de leerlingenraad/toekomstige kernfysica-achtige manier, en ze zat kaarsrecht met een kartonnen beker koffie voor haar neus. Aan mijn rechterkant stond een gigantische rugzak met een stuk of veertien keycords eraan, waardoor ik niet kon zien wie er aan de andere kant zat.

Mevrouw Conyers hopte van de tafel, liep eromheen en pakte iets uit een laatje. Met haar spijkerbroek, blouse en rode klompen, zag ze eruit als iemand van twaalf, waardoor ik me niet kon voorstellen dat ze orde kon houden. Maar aan de andere kant leek me dit niet zo'n moeilijke groep. Zelfs de jongens die achterin zaten – gespierde, atletische types die in elkaar gezakt over de tafel hingen of achterovergeleund zaten – zagen er eerder slaperig uit dan wild.

'Dus vandaag,' zei ze, terwijl ze het laatje dichtdeed, 'beginnen jullie met jullie eigen onderzoek naar mondelinge overleveringen. Niet echt geschiedenis, maar meer een compilatie.'

Ze liep tussen de tafels door en ik zag nu pas dat ze een plastic bakje in haar handen had, dat ze een dik meisje met een paardenstaart voorhield. Het meisje graaide in het bakje, haalde er een papiertje uit en mevrouw Conyers vroeg of ze wilde voorlezen wat erop stond. Het meisje wierp er een zijdelingse blik op. 'Advies,' zei ze.

'Advies,' herhaalde mevrouw Conyers en ze liep verder naar de volgende leerling, een jongen met een bril, en stak het bakje naar hem uit. 'Wat is advies?'

Niemand zei iets, en ze ging verder met het een voor een uitdelen van de papiertjes. Uiteindelijk zei het rossige meisje naast me: 'Wijsheid. Die je van iemand krijgt.'

'Heel goed, Heather,' zei mevrouw Conyers tegen haar toen ze met het bakje bij een mager meisje in een coltrui was aanbeland. 'Weet iemand nog een andere definitie?'

Stilte. Verscheidene mensen hadden nu een papiertje, en er steeg een licht geroezemoes op toen iedereen erover begon te praten. Uiteindelijk stak een jongen achter in de klas zijn hand op en zei monotoon: 'Het laatste waarop je bij sommigen zit te wachten.'

'Leuk,' zei mevrouw Conyers, die nu voor mij stond en naar me lachte toen ik mijn hand in het bakje stak en het eerste het beste papiertje pakte. Ik trok mijn hand terug zonder het papiertje open te vouwen terwijl ze verder liep naar degene naast me met de grote rugzak. 'Wie weet er nog iets?'

'Soms,' zei het meisje dat het briefje had gepakt, 'ga je ernaar op zoek als je zelf ergens niet uit komt.'

'Precies,' zei mevrouw Conyers en ze liep naar de jongens

achter in de klas. Toen ze langs een jongen kwam met stekelig haar die met gesloten ogen over zijn boeken gebogen lag, gaf ze hem een por en hij schrok op, om zich heen kijkend tot ze naar het bakje wees en hij zijn hand uitstak om een papiertje te pakken. 'Dus als ik Jake advies zou moeten geven, wat zou dat dan moeten zijn?'

'Ga eens naar de kapper,' zei iemand, en iedereen moest lachen.

'Of,' zei mevrouw Conyers, 'ga eens op tijd naar bed, want in de klas in slaap vallen is niet echt cool.'

'Sorry,' mompelde Jake, en zijn vriend, die naast hem zat en een pet ophad, gaf hem een klap op zijn arm.

'Wat ik hiermee wil zeggen,' zei mevrouw Conyers, 'is dat ieder woord meerdere betekenissen heeft. Misschien niet in het woordenboek, maar in het dagelijks leven wel. Het doel van deze oefening is dat je achterhaalt wat het betekent. Niet alleen voor jou, maar ook voor de mensen om je heen: familie, vrienden, collega's, teamgenoten. Als je klaar bent, heeft het begrip, als je alle betekenissen bij elkaar gooit, zijn eigen betekenis gekregen, naast alle omschrijvingen die het al heeft.'

Iedereen zat nu te praten, dus keek ik maar naar mijn papiertje en vouwde het langzaam open. FAMILIE, stond er, in blokletters. *Fijn*, dacht ik. *Da's nou net het enige wat ik niet heb, en wat me geen moer kan schelen. Is dit...*

'...een grap of zo?' hoorde ik iemand zeggen. Ik keek waar het vandaan kwam, net toen de rugzak opzij werd geduwd. 'Wat heb jij?'

Ik knipperde met mijn ogen, verbaasd om het meisje met de vlechtjes van de parkeerplaats te zien, die rennend had lopen telefoneren. Van dichtbij zag ik dat ze ondoorgrondelijke groene ogen had en een neuspiercing, een diamanten knopje. Ze duwde haar rugzak op de grond, waar hij met een harde bonk neerkwam, en richtte haar aandacht toen weer op mij. 'Eh, hallo?' zei ze. 'Kun je ook praten?'

'Familie,' zei ik, en ik schoof het papiertje naar haar toe, alsof ze dat visueel bevestigd moest hebben. Ze keek ernaar en zuchtte. 'En jij?'

'Geld,' antwoordde ze, met vlakke stem. Ze sloeg haar ogen ten hemel. 'Natuurlijk moet de enige hier die het níét heeft, erover schrijven. Voor iemand anders zou het namelijk te makkelijk zijn.'

Ze zei het zo hard dat mevrouw Conyers, die naar haar bureau liep, het kon horen. 'Is er iets, Olivia? Ben je niet blij met je woord?'

'O, ik vind het een prima woord, hoor. Ik ben alleen niet blij met de opdracht.'

Mevrouw Conyers lachte ten teken dat ze er niet mee kon zitten, en liep door, terwijl Olivia haar papiertje verfrommelde en in haar zak stopte.

'Wil je ruilen?' vroeg ik.

Ze keek nog een keer naar mijn papiertje met FAMILIE. 'Neuh,' zei ze vermoeid. 'Daar heb ik nou juist weer meer dan genoeg van.'

Mazzelaar, dacht ik toen mevrouw Conyers weer op haar bureau ging zitten met een dun boekje in haar handen. 'We gaan verder,' zei ze, 'met lezen. Wie wil beginnen waar we gisteren gebleven waren met *David Copperfield*?'

Een halfuur later, na een joekel van een literair déjà vu, ging eindelijk de bel en stond iedereen tegelijkertijd op en pakte zijn of haar spullen. Toen ik me bukte om mijn tas te pakken, viel het me op dat mijn tas, net als ikzelf, hier nogal uit de toon viel – hij was haveloos en oud, en zat nog vol met schrijfblokken waar ik hier niets aan had. Ik had die ochtend nog gedacht dat ik er beter alles uit kon gooien, maar ik had toch alles meegenomen, ook al moest ik nu dus door eindeloze aantekeningen over *David Copperfield* bladeren voor ik hetzelfde allemaal nóg een keer kon gaan zitten opschrijven. Ik stopte het papiertje met FAMILIE erop in mijn schrijfblok en sloeg hem dicht.

'Heb jij op Jackson gezeten?'

Ik keek naar Olivia, die met haar telefoon in haar hand naast de tafel stond en net haar eigen gigantische rugzak aan haar schouder had gehangen. Aanvankelijk vroeg ik me af of ze mijn verleden aan mijn goedkope tas kon zien, maar toen herinnerde ik me de sticker met JACKSON SPIRIT erop, die een overijverig lid van de sportvereniging erop had geplakt in de studiezaal. 'Eh... ja,' zei ik tegen haar. 'Daar zit ik inderdaad op, ja. Zát, bedoel ik.'

'Tot wanneer?'

'Een paar dagen geleden.'

Ze hield haar hoofd schuin en keek me aan terwijl ze dit verwerkte. Ondertussen hoorde ik in haar tas een telefoon overgaan. 'Ik ook,' zei ze, en ze wees naar haar jas, waar, nu ik hem eens goed bekeek, inderdaad het logo van Jackson op bleek te staan.

'Dat meen je niet,' zei ik.

Ze knikte. 'Tot vorig jaar. Je komt me niet bekend voor, trouwens.'

In de verte hoorde ik een klik. 'Hallo,' hoorde ik iemand zeggen, en ze hield de telefoon aan haar oor.

'Het is een grote school.'

'Joh.' Ze bleef me aankijken, terwijl degene aan de andere kant van de lijn maar 'hallo' bleef roepen. 'Het is hier totaal anders.'

'Daar lijkt het wel op, ja.' Ik stopte mijn schrijfblok in mijn tas.

'Man, je hebt geen idéé. Zal ik je wat adviezen geven?'

Dat bleek een retorische vraag te zijn.

'Je moet de inboorlingen niet vertrouwen,' zei Olivia. Daarna lachte ze, alsof het een grapje was, of misschien ook wel niet, alvorens ze haar telefoon aan haar oor hield en ons gesprek duidelijk voorbij was en ze aan een ander gesprek begon terwijl ze de klas uit liep. 'Hé, Laney. Hoe gaat het? Tussen twee lessen in... Nee, echt. Als ik moet gaan zitten wachten tot jíj een keer belt...'

Ik hing mijn tas aan mijn schouder en liep achter haar aan de gang op, waar het nu bedrijvig en druk was, maar toch niet té druk, niet vergeleken bij wat ik gewend was in elk geval. Er liep niemand tegen me aan, per ongeluk of expres, en áls er al iemand in mijn kont zou knijpen, zou het niet moeilijk zijn om te achterhalen wie dat geweest was. Volgens mijn rooster had ik nu Spaanse conversatieles, in gebouw C. Ik vond dat ik vandaag wel kon doen alsof ik nergens iets vanaf wist, dus hoefde ik me niet te haasten en liep ik op mijn gemak achter de meute aan.

Buiten, aan de rand van het gemeenschappelijke grasveld, stond een enorme, u-vormige sculptuur, die zo te zien van chroom gemaakt was en het zonlicht schitterend weerkaatste, waardoor alles veel helderder leek. Door dit effect was het eerst moeilijk om de mensen te onderscheiden die eromheen stonden, sommigen staand, anderen zittend, waardoor ik, toen ik mijn naam hoorde, eerst geen idee had waar het vandaan kwam.

'Ruby!'

Ik stopte en draaide me om. Toen mijn ogen zich hadden aangepast, zag ik wie er bij de sculptuur stonden. Ik zag meteen dat het hetzelfde soort mensen was dat op Jackson bij het muurtje voor de schoolleiding stond: het populaire kliekje, de bovenste laag in de voedselketen, het groepje waar je je niet zomaar bij kon aansluiten zonder expliciet gevraagd te zijn. Niet mijn soort mensen. En hoewel het een beetje jammer was dat de enige die ik buiten Perkins Day kende tot dat groepje behoorde, verbaasde me dat niet.

Nate stond langs de rand van het gras en toen hij merkte dat ik hem gezien had, stak hij lachend zijn hand omhoog. 'En,' zei hij, terwijl er een kleine jongen met een petje op tussen ons door rende, 'onlangs nog een grote verdwijntruc gedaan?'

Ik keek eerst naar hem en daarna naar zijn vrienden – het meisje met de koffie van Engels hoorde daar ook bij, zag ik nu – die een paar meter verderop stonden te kletsen. *Ha ha ha*, dacht ik. Nog geen minuut geleden was ik onzichtbaar geweest, of in elk geval zo onzichtbaar als je als nieuwe bent op een school waar iedereen elkaar waarschijnlijk al sinds zijn geboorte kent. Maar nu was ik me er plotseling van bewust dat iedereen me stond aan te staren – en niet alleen de vrienden van Nate. Zelfs de mensen die langsliepen keken om, en ik vroeg me af hoeveel mensen het al gehoord hadden, of het voor het eind van die dag zouden weten. 'Goeie,' zei ik, en ik wendde me van hem af.

'Ik maakte een grapje,' riep hij me na. Ik negeerde hem en liep verder. Even later kwam hij op een sukkeldrafje naast me lopen en ging voor me staan. 'Hé,' zei hij. 'Sorry. Ik dacht... Het was maar een grapje.'

Ik keek hem alleen maar aan. Bij daglicht zag hij er nog atletischer uit dan gisteravond – in zijn spijkerbroek, T-shirt met een ander T-shirt eroverheen, touwketting om zijn nek en slippers met dikke zolen, ook al was het allang geen strandweer meer. Zijn haar was, zoals ik gisteren al had gezien, heel erg blond, alsof hij de hele zomer in de zon had gelegen. Hij had knalblauwe ogen. *Té perfect*, dacht ik. De eerlijkheid gebiedt me te zeggen dat als ik hem nu voor het eerst zou zien, ik misschien moeite had gehad om hem af te doen als een bekrompen, domme atleet met het IQ van een mossel. Maar omdat ik hem nu voor de tweede keer zag, was het een stuk makkelijker.

'Mag ik het goedmaken?' zei hij met een knikje naar mijn rooster, dat ik nog steeds in mijn hand had. 'Zal ik je de weg wijzen?'

'Nee hoor,' zei ik, en ik trok mijn tas een beetje hoger op mijn schouder.

Ik had verwacht dat hij verbaasd zou zijn – omdat ik me niet voor kon stellen dat hij niet altijd zijn zin kreeg – maar hij haalde alleen zijn schouders op. 'Oké,' zei hij. 'Ik zie je straks wel weer, of anders morgenochtend.'

Twee meisjes die samen naar één iPod luisterden kwamen gierend voorbijgelopen. 'Wat is er morgenochtend dan?'

Nate trok zijn wenkbrauwen op. 'We gaan toch carpoolen?' zei hij. 'Volgens Jamie had je een lift naar school nodig.'

'Met jou?'

Hij deed een stap naar achteren en legde een hand op zijn borst. 'Voorzichtig,' zei hij quasiserieus. 'Je kwetst me.'

Ik keek hem alleen maar aan. 'Ik heb geen lift nodig.'

'Volgens Jamie wel.'

'En volgens mij niet.'

'Wat jij wilt.' Hij haalde zijn schouders nog een keer op. Gladjanus. 'Ik sta om halfacht voor de deur. Als je niet naar buiten komt, rijd ik door. Even goede vrienden.'

Even goede vrienden? dacht ik. Wie praat er nou nog zo? Hij keek me nog een keer stralend lachend aan en liep vervolgens nonchalant met zijn handen in zijn zakken terug naar zijn groepje keurig verzorgde vrienden.

De eerste keer dat de bel ging, liep ik net naar het gebouw waarvan ik hoopte dat het gebouw C was. *Je moet de inboorlingen niet vertrouwen*, had Olivia gezegd, maar ik ging nog een stap verder: ik vertrouwde helemaal niemand. Ik vroeg de weg niet, ik wilde niet meerijden, en ik hoefde ook van niemand goede raad te hebben. Oké, het was klote om verdwaald te zijn, maar ik wist allang dat ik liever verdwaald was dan dat ik van iemand anders afhankelijk was. Dat was nou juist het fijne van alleen zijn: wat er ook gebeurde; leuk, minder leuk of iets daartussenin – je had het altijd aan jezelf te danken.

***

Na school was het de bedoeling dat ik met de bus naar huis ging. In plaats daarvan liep ik de schoolpoort uit en ging ik naar Quik Zip, een paar honderd meter verderop, waar ik cola kocht en me vervolgens in de telefooncel installeerde. Ik hield de plakkerige hoorn zo ver mogelijk van mijn oor terwijl ik geld in de gleuf gooide en draaide toen een nummer dat ik uit mijn hoofd kende.

Ik zei niets toen ik Marshall een keer diep hoorde in- en uitademen. 'Aha,' zei hij uiteindelijk, 'mysterie opgelost.'

'Was ik een mysterie dan?' vroeg ik.

'Je was in elk geval íéts,' antwoordde hij. 'Alles goed?'

Dat kwam onverwacht, net als de brok in mijn keel. Ik slikte een keer, en zei toen: 'Prima.'

Marshall was achttien en had het jaar daarvoor eindexamen gedaan op Jackson, hoewel ik hem pas had leren kennen bij Rogerson, de gozer bij wie al mijn vrienden hun wiet kochten. Ik was aanvankelijk niet erg onder de indruk van Marshall – hij was gewoon een lange, magere gast die altijd in de keuken stond of er net doorheen liep als wij daar zakjes gingen halen. Ik had nog nooit met hem gesproken tot ik een keer alleen naar Rogerson ging, die niet thuis was, en Marshall en ik met zijn tweeën waren.

Rogerson was een man van weinig woorden. Je belde aan, kwam binnen, kocht wat je moest hebben en ging weer. Ik nam aan dat Marshall net zo was, en aanvankelijk stelde hij me niet teleur en deed hij nauwelijks zijn mond open toen ik achter hem aan liep naar de woonkamer en keek hoe hij het zakje vulde. Ik betaalde hem en wilde net opstaan, toen hij zijn hand uitstak naar een kast, een laatje opentrok en er een stenen pijp uit haalde. 'Jij ook?' vroeg hij.

'Ja hoor,' zei ik, en hij gaf me de pijp en een aansteker. Ik voelde dat hij keek, met samengeknepen ogen, hoe ik de pijp opstak, inhaleerde en hem vervolgens aan hem gaf.

Het was goede wiet, beter dan het spul dat we hier kochten en het begon meteen te werken, de kamer en mijn hersenen werden lekker wazig. Plotseling leek alles veel fascinerender, van het werkje in de stof van de bank waar ik op zat, tot Marshall zelf. Na een paar minuten had ik in de gaten dat we de pijp niet meer aan elkaar doorgaven en we gewoon in stilte zaten, ik had geen idee hoe lang.

'Weet je wat wij nodig hebben?' vroeg hij opeens, met lage, vlakke stem.

'Nee,' antwoordde ik. Mijn eigen tong voelde dik aan en mijn mond was gortdroog.

'Een Slush Puppie,' zei hij. 'Kom mee.'

Ik was even bang dat hij wilde dat ik zou rijden, iets wat uitgesloten was, maar in plaats daarvan ging hij me, toen we eenmaal buiten waren, voor over een pad door een weiland dat vol stond met hoogspanningsmasten en dat uitkwam bij een buurtwinkel. Onderweg zeiden we geen woord tegen elkaar, en in de winkel ook niet. Pas toen we likkend aan onze schaafijsjes – die koud en zoet en perfect smaakten – naar buiten liepen, zei hij iets.

'Goed spul,' zei hij, en hij keek naar me.

Ik knikte. 'Fantastisch.'

Bij het horen van dat woord lachte hij, waar ik nerveus

van werd omdat ik hem dat nog nooit had zien doen. Wat nog gekker was, was dat hij, toen we over het pad terugliepen, achter zich graaide, op zoek naar mijn hand, en dat hij hem, toen hij hem had gevonden, vast bleef houden, ook al liep hij een stukje voor mij uit. Hij bleef mijn hand de hele weg naar huis vasthouden. Ik zal het nooit vergeten: dat koude ijs en zijn warme hand terwijl we in de middagzon liepen, tussen de hoogspanningsmasten die lange schaduwen om ons heen wierpen.

Toen hij even later stilstond om me te kussen, leek het alsof de tijd stilstond, de lucht, mijn hart, de hele wereld, onbeweeglijk. En dit zou ik me iedere keer dat ik bij Marshall was, herinneren. Misschien kwam het omdat het zo'n mooi plaatje was, wij samen in dat weiland, of omdat het de eerste keer was. Ik wist toen nog niet dat dit alles was waartoe we in staat waren: samen momenten beleven die super waren, maar ook van voorbijgaande aard.

Marshall was mijn vriendje niet. Maar aan de andere kant was hij ook niet gewoon een vriend. Er zat veel rek in onze relatie, en afhankelijk van wie erbij waren, was hij mijn vriendje of juist niet. Het hing ook af van hoeveel we gedronken hadden en andere factoren. Dat was precies zoals ik het wilde, omdat mezelf vastleggen nooit echt iets voor mij was geweest. En moeilijk was het ook niet, op deze manier. Je moest alleen uitkijken dat je nooit meer van jezelf gaf dan je kwijt wilde raken. Bij Marshall en mij werd het een soort spelletje, dat ik 'Het kan me geen flikker schelen' noemde. Op het ene feestje stond ik met een jongen te praten, en de volgende keer kneep hij er met een meisje tussenuit. Hij belde nooit terug, ik liet tijdenlang niets van me horen, zodat hij zich afvroeg waar ik uithing, enzovoort.

'Ja, weet je, er spelen wat familiedingen, weet je,' zei ik, terwijl ik tegen de wand van de telefooncel geleund stond. 'Ik ben bij mijn zus gaan wonen, en...'

'Blijf even hangen, oké?' zei hij, en ik hoorde dat hij zijn hand op het mondstuk legde. Ik hoorde hem iets zeggen wat ik niet kon verstaan, voor hij weer tegen mij sprak. 'Sorry,' zei hij, en hij hoestte toen. 'Wat zei je ook alweer?'

Opeens was ik er klaar mee. Net zo makkelijk. Zelfs het feit dat ik hem miste, was vergankelijk.

'Laat maar,' zei ik tegen hem. 'Ik moet ophangen. Ik bel je nog wel, oké?'

'Is goed. Ik ga je zien.'

Ik hing op en hield de hoorn vast terwijl ik in mijn zak naar nog wat kleingeld zocht. Daarna nam ik een flinke teug adem, zette de hoorn aan mijn oor, gooide wat geld in de gleuf en belde iemand die zéker zin had om te praten.

'Ruby?' zei Peyton toen ze mijn stem hoorde. 'Mijn god! Wat is er gebeurd?'

'Nou,' zei ik.

Maar ze luisterde al niet meer. Ze struikelde over haar eigen woorden. 'Ik bedoel, ik zat op het plein op je te wachten, net als altijd, en je komt gewoon niet opdagen! Dus ik zeg tegen mezelf "ze zal wel kwaad zijn of zo", maar toen zei Aaron dat je door de politie uit de klas was gehaald, en dat niemand wist waarom. En toen ging ik bij je langs, maar het was helemaal donker binnen, en...'

'Er is niks aan de hand,' zei ik. Ik onderbrak haar meer uit tijdnood dan uit onbeleefdheid. Peyton vatte altijd alles samen, ook al kende je het verhaal net zo goed als zij. 'Het heeft met mijn familie te maken. Ik ga een tijdje bij mijn zus wonen.'

'Nou,' zei ze. 'Daar heeft iedereen het over, dan weet je dat. Je zou alle roddels eens moeten horen.'

'O ja?'

'Vreselijk!' zei ze en ze probeerde oprecht verbijsterd te klinken. 'Je wordt al van van alles beschuldigd. Van moord tot prostitutie.'

'Ik ben amper twee dagen weg,' zei ik.

'Dat weet ik ook wel. Ik neem het ook steeds voor je op,' voegde ze er snel aan toe. 'Ik heb gezegd dat jij nooit met een jongen naar bed zou gaan voor geld. Ik bedoel, denk na, zeg.'

Dit was typisch Peyton. Mij door dik en dun verdedigen, en ondertussen laten doorschemeren dat ze me wel in staat achtte tot moord. 'Dank je wel,' zei ik. 'Erg fijn.'

'Graag gedaan.' Ik hoorde stemmen op de achtergrond, zo te horen zat ze op de open plek, een eindje van school, waar we altijd zaten na schooltijd. 'Maar vertel: wat is er nou eigenlijk echt aan de hand? Iets met je moeder?'

'Zoiets, ja,' zei ik tegen haar. 'Maar zoals ik al zei: het stelt niets voor.'

Peyton was mijn beste vriendin op Jackson, maar ze wist net zomin als alle anderen dat mijn moeder 'm gesmeerd was. Ze had haar trouwens ook nog nooit gezien, en dat was niet toevallig, want in principe hield ik mijn privé-leven het liefst wat het was: privé. Helemaal in het geval van Peyton, want haar familie was zo goed als perfect. Ze waren rijk en normaal, woonden in een groot huis in een dure wijk, en tot het jaar daarvoor was ze een modeldochter: ze haalde alleen tienen en blonk uit in hockey. Maar afgelopen zomer kreeg ze iets met Aaron, een vriend van mij, een onschuldig type, maar verslaafd aan wiet. In de herfst werd ze betrapt met een joint en werd ze van St. Micheline gestuurd, de katholieke school waar ze op zat. Haar ouders waren hier uiteraard niet blij mee, en hoopten dat het een rebelse fase was waar Peyton doorheen ging en dat het over zou gaan als het uitging met Aaron. En een paar weken later ging het ook uit, maar toen waren we al vriendinnen.

Peyton was in één woord schattig. Klein en mollig, ontzettend naïef – wat afwisselend irritant en aandoenlijk was. Ik voelde me vaak meer een grote zus dan een vriendin – ik moest haar op feestjes altijd redden van rare gozers, hield haar hoofd vast als ze moest kotsen, of moest haar uitleggen hoe al die elektrische apparaten werkten die haar ouders voor haar kochten – maar je kon haar er goed bij hebben, ze had een auto en zeurde er nooit over dat ik zo ver weg woonde en dat ze me altijd moest komen halen, ook al lag het totaal uit de richting.

'Maar waar ik voor bel,' zei ik, 'is om te vragen of je iets voor me zou willen doen.'

'Tuurlijk,' zei ze.

'Ik sta bij Perkins Day en ik moet worden opgehaald,' zei ik. 'Kun je me komen halen?'

'Bij Perkins Day?'

'Vlakbij. In de straat.'

In de stilte die viel hoorde ik gelach op de achtergrond. 'Jeetje, Ruby,' dat zou ik wel willen, maar ik moet over een uur thuis zijn.'

'Zo ver is het toch niet?' zei ik.

'Dat weet ik ook wel, maar je weet toch hoe moeilijk mijn moeder de laatste tijd doet?' Sinds die keer dat Peyton naar bier ruikend was thuisgekomen, hadden haar ouders een strikt regime bedacht, waarin ze constant moest laten weten waar ze uithing, ze uitgebreid besnuffeld werd en haar kamer onaangekondigd werd doorzocht. 'Heb je het al aan Marshall gevraagd? Ik durf te wedden dat hij...'

'Nee,' zei ik, en ik schudde mijn hoofd. Peyton had nooit begrepen wat Marshall en ik met elkaar hadden. Als onverbeterlijke romantica was elk verhaal voor haar een liefdesverhaal. 'Maar het is goed joh, ik regel wel iets.'

Er viel weer een stilte en opnieuw hoorde ik wat er om haar heen gebeurde: gelach, het geluid van een autoradio, een motor die werd gestart. Het klopte wat ik had gezegd: het was niet ver, hooguit een kilometer of vijfentwintig. Maar op dat moment leek het opeens een oneindige afstand.

'Weet je het zeker?' vroeg ze. 'Anders vraag ik hier wel iemand.'

Ik slikte een keer, nog steeds tegen de telefooncel geleund. Tegenover me, boven de telefoon, had iemand geschreven: WAAR SLAAP JIJ? Eronder was gekrabbeld: BIJ JOUW MOEDER. Ik haalde mijn hand over mijn gezicht. Ik had ook eigenlijk niet verwacht dat iemand me zou komen redden. 'Neuh,' zei ik. 'Laat maar zitten joh. Ik verzin wel wat.'

'Oké,' zei ze. Op de achtergrond claxonneerde iemand. 'Maar geef me wel even het nummer van je zus. Dan bel ik je vanavond om bij te kletsen.'

'Ik moet nog alles uitpakken en zo,' zei ik. 'Ik bel je over een paar dagen wel.'

'Is goed,' zei ze. 'O ja, Ruby?'

'Ja?'

'Ik ben blij dat je geen hoer of moordenaar bent.'

'Nou,' zei ik, 'anders ik wel.'

Ik hing op, liep de telefooncel uit, dronk mijn cola op en dacht na over wat ik nu moest doen. Het parkeerterrein, dat daarstraks zo goed als leeg was, stond nu vol met leerlingen van Perkins Day. Dit was duidelijk een hangplek, iedereen zat op de motorkap en bumper van zijn dure auto en behielp zich met de armoedige spullen van Quik Zip. Ik zag Nate ergens helemaal rechts bij een zwarte SUV staan, zijn armen over elkaar geslagen, leunend tegen de bestuurderskant. Er stond een meisje bij hem met bruin haar in een paardenstaart en een kort blauw jasje aan. Ze stond iets te vertellen en gebaarde er wild bij. Het flesje cola in haar hand zwaaide mee tijdens het praten. Nate stond uiteraard glimlachend te luisteren, als belichaming van de leukste-jongen-ter-wereld.

Toen bedacht ik opeens iets. Ik keek op mijn horloge. Het was bijna vier uur, dus ik had nog iets meer dan een uur voordat het iemand zou opvallen dat ik te laat was. Tijd genoeg, als ik nu zou gaan. Ik had alleen een beetje hulp nodig, en als ik het slim zou aanpakken, zou ik er misschien niet eens om hoeven vragen.

Terwijl ik mijn rugzak goed hing en naar de weg liep, keek ik bewust niet naar de delegatie van Perkins Day, zelfs niet toen ik er recht langs liep. Ik keek strak voor me uit, naar het kruispunt dat voor me lag. Het was een flink eind lopen naar huis, en nog veel verder naar waar ik eigenlijk naartoe wilde, dus ik nam een grote gok, zeker gezien hoe ik me daarstraks had gedragen. Maar aardige mensen vergeven je alles – dat wordt althans beweerd – dus ik nam het risico.

Toen ik twee straten verder was, hoorde ik een claxon en een auto die vaart minderde. Ik wachtte tot er nog een keer getoeterd werd en deed toen net alsof ik verbaasd opkeek en draaide me om. En ja hoor: het was Nate.

'Laat me raden,' zei hij. Hij leunde over de passagiersstoel om me aan te kunnen kijken. 'Je hoeft geen slinger naar huis.'

'Klopt,' zei ik. 'Maar toch bedankt.'

'Dit is een drukke weg hoor,' legde hij uit. 'Zonder stoep.'

'Werk je als veiligheidstoezichthouder of zo?'

Hij keek me aan. 'Dus je loopt liever die acht kilometer naar huis?'

'Het is geen acht kilometer,' zei ik.

'Dat klopt. Het is achtenhalf,' zei hij, toen achter hem een rode Ford geïrriteerd toeterde, en vervolgens voorbijreed.

'Ik loop dit stuk elke vrijdag hard. Ik weet dus precies hoe ver het is.'

'Waarom wil je me per se ergens naartoe brengen?' vroeg ik.

'Omdat ik een galante ridder ben,' zei hij.

Dat zal best, dacht ik. *Zo kun je het ook noemen, ja.* 'Galante ridders bestaan allang niet meer.'

'En jij bestaat straks ook niet meer, als je hier blijft lopen.' Hij slaakte een zucht. 'Stap nou maar gewoon in.'

Zo makkelijk was het dus.

***

In Nates auto was het donker; het interieur zag er spic en span uit en rook nog nieuw. Toch hing er luchtverfrisser aan de achteruitkijkspiegel. Er stond UW ZORGEN ZIJN ONZE ZORGEN op.

'Dat is het bedrijf van mijn vader,' legde hij uit toen hij me ernaar zag kijken. 'We proberen het leven makkelijker te maken in deze moeilijke tijden.'

Ik trok mijn wenkbrauwen op. 'Dat klinkt alsof het zo uit een folder komt.'

'Dat komt het ook,' zei hij. 'Maar ik moet het zeggen als iemand vraagt wat voor werk we doen.'

'En wat zeg je als ze echt een antwoord verwachten?'

'Dan,' zei hij, terwijl hij achteromkeek omdat hij van rijstrook wilde veranderen, 'zeg ik dat we alles doen. Van het leeghalen van je brievenbus, het uitlaten van je hond, het ophalen van je kleding bij de stomerij, tot het versieren van je zoons verjaardagstaart voor zijn feestje.'

Ik dacht hier even over na. 'Klinkt lang niet zo goed,' zei ik.

'Dat weet ik. Daarom moet ik dat andere ook zeggen.'

Ik leunde achterover in mijn stoel en keek uit het raam naar de gebouwen waar we langs reden en de voorbijzoevende auto's. Oké, ik moest toegeven dat hij geen slecht gezelschap was. Maar toch zat ik hier niet om vrienden te worden.

'Nog even over daarstraks en dat flauwe grapje,' zei hij.

'Er is niks aan de hand,' zei ik. 'Echt niet.'

Hij keek me van opzij aan. 'Wat deed je gisteren eigenlijk, op dat hek? Als ik dat mag vragen tenminste.'

Liever niet. Maar aangezien ik momenteel aan zijn genade was overgeleverd, zei ik: 'Dat was toch wel duidelijk?'

'Eigenlijk wel, ja,' zei hij. 'Ik was er alleen nogal verbaasd over.'

'Hoezo?'

'Ik weet het niet.' Hij haalde zijn schouders op. 'Je zou eerder denken dat mensen daar willen inbreken, in plaats van uitbreken. Helemaal omdat Jamie en Cora zo tof zijn, bedoel ik.'

'Ik denk daar heel anders over,' zei ik.

Ik voelde dat hij me bleef aankijken toen ik mijn hoofd afwendde en weer naar buiten ging zitten kijken. Ik kende deze buurt niet goed, maar volgens mij reden we naar Wildflower Ridge, de wijk waar Jamie en Cora woonden, hoogste tijd om het ergens anders over te gaan hebben. 'Hoe dan ook,' zei ik, zo nonchalant mogelijk, 'bedankt voor de lift.'

'Graag gedaan,' zei hij. 'Maar ik moet er toch naartoe.'

'Eigenlijk...' zei ik, en ik wachtte tot hij me weer aankeek. Toen dat het geval was, ging ik verder: 'zou het fijn zijn als je me hier kon afzetten.'

'De bushalte?' zei hij. 'Waar ga je naartoe dan?'

'O, gewoon bij een vriendin langs. Ik moet iets ophalen.'

We naderden een druk kruispunt. Nate minderde vaart, en ging achter een Kever staan met bloemenstickers op de achterbumper. 'Waar woont ze?' vroeg hij.

'Joh, dat is hartstikke ver weg,' zei ik snel. 'Geloof mij nou maar, daar wil je echt niet helemaal naartoe.'

Het licht sprong op groen en we reden weer. *Nu komt het erop aan*, dacht ik. *Hij hapt of hij hapt niet.* Het was inmiddels kwart over vier.

'Oké, maar met de bus doe je er uren over,' zei hij.

'Dat geeft niet. Echt niet,' zei ik, met mijn hoofd schuddend. 'Zet me hier maar gewoon af, bij het winkelcentrum.'

Het probleem met onderhandelingen, en met manipulaties helemaal, is dat je moet weten hoe ver je kunt gaan. Eén keer weigeren is prima, twee keer kan meestal nog net, maar drie keer wordt link. Je weet nooit wanneer degene die je tegenover je hebt het opgeeft en jij dus met lege handen staat.

Ik liet hem nog maar weer eens naar me kijken en deed erg mijn best om niet te laten blijken dat ik dat zag, en ik hem dus zag aarzelen. *Kom op nou*, dacht ik. *Kom op.*

'Geen enkel probleem,' zei hij uiteindelijk, toen we vlak bij de oprit naar de snelweg waren. 'Zeg maar waar ik naartoe moet.'

* * *

'Jezus,' zei Nate toen hij de oprit van het gele huis op reed, geconcentreerd kuilen en een aanzienlijke berg natte kranten ontwijkend. Verderop zag ik mijn moeders Subaru staan, op precies dezelfde plek waar ik hem had achtergelaten, met een lege tank, de laatste keer dat Peyton me kwam ophalen om naar school te gaan. 'Wie woont hier ook alweer?'

'Een kennis,' zei ik.

Als het aan mij lag, waren we hier zo weer weg. Ik zou naar binnen gaan, pakken wat ik moest hebben en weer vertrekken, hopelijk zonder al te veel te moeten uitleggen.

Daarna zou Nate me bij Cora afzetten en zou het achter de rug zijn. Kaasje.

Maar toen we langs de slaapkamer reden, zag ik het gordijn bewegen.

Heel even maar, waardoor ik me afvroeg of ik het wel goed had gezien. Het gordijn bewoog een centimeter naar links, en toen weer terug. Zoals het beweegt als iemand ongezien naar buiten wil kijken.

Ik wist niet wat ik verwacht had te zullen aantreffen. Misschien de Honeycutts wel, die ergens druk mee bezig waren. Of een leeggehaald huis, waar geen sporen van ons meer in te zien waren. Ik had met déze mogelijkheid echter geen rekening gehouden.

Daarom was ik al uitgestapt nog voor Nate had kunnen parkeren. 'Hé, heb je...' hoorde ik hem roepen, maar ik negeerde hem, en liep met twee treden tegelijk de trap naar de voordeur op, zodat ik daar hijgend aankwam en naar de sleutel om mijn nek graaide. Toen hij eenmaal in het slot zat, draaide ik de deurknop, die zo vertrouwd aanvoelde, met een klik om. En toen stond ik binnen.

'Mam?' riep ik, en mijn stem weerkaatste tegen de muren. Ik liep de keuken in, waar mijn kleding inmiddels stijf en half beschimmeld aan de waslijn hing. Ik duwde ze opzij en riep: 'Hallo?'

In de woonkamer stond een rij bierflesjes op de salontafel, en de deken die normaal gesproken opgevouwen op een armleuning lag, lag nu in een prop in een hoek. Ik voelde mijn hart bonzen. Ik zou hem zeker hebben opgevouwen. Toch?

Ik liep verder naar mijn slaapkamer, waar ik het licht aandeed. Hier zag het er precies zo uit als ik het had achtergelaten, alleen stond de deur van mijn kledingkast open. Ik nam aan dat degene van Poplar House, die mijn kleren was gaan halen, dat had gedaan. Ik draaide me om en liep de woonkamer door naar de andere slaapkamerdeur, die dichtzat. Ik legde mijn hand op de deurknop en sloot mijn ogen.

Niet dat ik een wens deed of probeerde een droom werkelijkheid te laten worden of zo, maar op dat moment probeerde ik al die keren dat ik was thuisgekomen en hier naar binnen was gegaan, terug te halen. Om mijn moeder dan opgerold in bed aan te treffen, met los haar dat over het kussen hing, een hand ter bescherming tegen het felle licht voor haar ogen. Dit beeld stond zó duidelijk op mijn netvlies, dat ik bijna zeker wist dat ik iets roods zag bewegen toen ik de deur opendeed en dus in één klap alle emoties die ik een week lang had verdrongen weer toeliet. Maar net zo snel als ik dat dacht, verschoof het beeld. De kamer en alles wat erin stond, vielen weer op hun plek; het bed, de donkere muren... en het raam, waarvan ik me nu weer herinnerde dat er een stuk van de vensterbank ontbrak, dat met plakband was afgeplakt, waardoor de wind erdoorheen kwam en het gordijn bewoog. Maar toch verroerde ik me niet, alsof ik dacht dat de kamer anders toch opeens allesbehalve leeg bleek te zijn.

'Ruby?'

Nate sprak zacht, aarzelend. Ik slikte en bedacht hoe stom ik was geweest om te denken dat mijn moeder terug zou zijn gekomen, terwijl ik heus wel wist dat ze alles bij zich had wat ze nodig zou kunnen hebben. 'Ik ben zo klaar,' zei ik tegen hem, en ik haatte hoe beverig ik klonk.

'Gaat het...?' vroeg hij.

Ik knikte, weer helemaal bij mijn positieven. 'Ja. Ik moet alleen even iets pakken.'

Ik hoorde hoe hij zijn gewicht van het ene naar het andere been verschoof en een stap zette. Ik wist niet of dat van me af was of juist naar me toe, en dus draaide ik me naar hem om. Hij stond in de deuropening naar de keuken, de voordeur geopend achter hem, en keek langzaam om zich heen om alles in zich op te nemen. Er ging een golf van schaamte door me heen; hoe had ik zo stom kunnen zijn om hem mee hier naartoe te nemen? Uitgerekend ik had toch moeten weten dat ik geen volslagen vreemde mee zou moeten nemen naar de plek waar ik het kwetsbaarst was, en die ze moeiteloos terug zouden kunnen vinden.

'Het lijkt hier wel...' zei Nate, die naar de flessen op tafel keek, een spinnenweb tussen ons in, 'het lijkt wel...'

Plotseling was er een windvlaag buiten, en er waaiden een paar blaadjes naar binnen, die over de keukenvloer vlogen. Ik was zo van slag dat mijn stem schril klonk toen ik vroeg: 'Vind je het erg om in de auto te wachten? Alsjeblieft?'

Hij keek me even aan. 'Tuurlijk niet,' antwoordde hij. Hij liep naar buiten en trok de deur achter zich dicht.

Kappen, zei ik tegen mezelf toen ik de tranen in mijn ogen voelde branden. Ik keek de kamer rond in een poging mijn hoofd leeg te maken en te bedenken wat ik allemaal moest meenemen, maar ik zag alles in een waas en ik voelde hoe er een snik omhoogkwam. Ik sloeg mijn hand voor mijn mond, ik schokschouderde, en dwong mezelf te lopen.

Denk na! bleef ik in mijn hoofd herhalen toen ik terugliep naar de keuken en mijn kleren van de waslijn begon te halen. Ze waren hard en ze stonken, en hoe meer er van de lijn kwam, hoe meer ik van de keuken zag; de vieze pannen in de gootsteen, de emmers die ik gebruikte om water te halen in de badkamer, de waslijn die nu slap boven mijn hoofd hing. *En ik redde me prima, in mijn eentje*, had ik tegen Cora gezegd, en ik had het toen zelf nog geloofd ook. Maar nu ik hier met mijn vieze kleren stond, de geur van rottend eten in mijn neusvleugels, wist ik het opeens niet meer zo zeker.

Ik ging rechtop staan, veegde mijn ogen af, en keek naar Nate, die achter het stuur van zijn auto zat te bellen. Joost mocht weten wat hij hiervan dacht. Ik keek naar mijn kleren en wist dat ik ze niet kon meenemen, ook al was het alles wat ik bezat, samen met die paar dingen in mijn slaapkamer en de kapotte Subaru. Toen ik ze op tafel gooide, zei ik tegen mezelf dat ik ze een andere keer wel zou komen halen, als ik een beetje gesetteld was. Lekker makkelijk, zo'n loze belofte. Zo makkelijk, dat ik me bijna kon voorstellen dat als iemand die door die deur naar binnen kwam hetzelfde tegen zichzelf zou zeggen, diegene het ook zou geloven. Bijna.

* * *

Ik zag op tegen de rit naar huis, omdat ik geen idee had wat Nate tegen me zou gaan zeggen, of hoe ik de vragen die hij ongetwijfeld zou gaan stellen moest omzeilen. Dus besloot ik te doen wat ik het beste kon: alles ontkennen. Ik zou doen alsof er niets vreemds was voorgevallen en het precies zo was gegaan als ik verwacht had. Als ik het maar overtuigend genoeg bracht, zou hij het wel moeten geloven.

Ik liep nonchalant terug naar de auto en zat helemaal in mijn rol. Toen ik instapte, zag ik dat dat helemaal niet nodig was; hij zat nog steeds met zijn telefoon aan zijn oor toen hij de auto in zijn achteruit zette en wegreed.

Omdat hij toch afgeleid was, keek ik nog één keer naar het slaapkamerraam van mijn moeder. Over ontkennen gesproken: zelfs van een afstand en rijdend, was het duidelijk dat er niemand was. Je ziet meteen of iets leeg is, ook al doe je nog zo je best om iets anders te zien.

'Is niet erg,' zei Nate opeens, en ik keek naar hem. Zijn ogen waren op de weg gericht, zijn lippen samengeperst terwijl hij luisterde naar wie hij dan ook aan de lijn mocht hebben. 'Ik kan er over tien minuten zijn, misschien zelfs wel minder. Ik neem het mee, en...'

Hij werd onderbroken, degene aan de andere kant van de lijn praatte zo hard dat ik het kon horen, hoewel ik niet kon verstaan wat er werd gezegd. Nate haalde zijn hand over zijn gezicht. 'Ik ben er over tien minuten,' zei hij, en trapte het gaspedaal in toen hij de weg op was gedraaid. 'Nee...' zijn stem stierf weg. 'Ik was met iets voor school bezig. Ja. Is goed. Oké.'

Hij klapte zijn telefoon dicht en gooide hem in de console tussen de stoelen. 'Probleempje?' vroeg ik.

'Nee,' antwoordde hij. 'Mijn vader. Hij... hij is nogal een controlfreak als het op de zaak aankomt.'

'Ben je een taart vergeten te versieren?'

Hij keek me aan alsof hij verbaasd was dat ik gevoel voor humor had. 'Zoiets ja,' zei hij. 'Ik moet onderweg even ergens stoppen. Als je dat goedvindt tenminste.'

Ik haalde mijn schouders op. 'Het is jouw auto,' zei ik.

Toen we invoegden op de snelweg, ging zijn telefoon weer. Nate pakte hem op, keek op de display wie er belde, en klapte hem open. 'Hallo? Ja, ik ben onderweg. Op de snelweg. Tien minuten. Absoluut. Oké. Doei.'

Nu legde hij zijn telefoon niet weg, maar hield hij hem vast. Na een tijdje zei hij: 'We zijn maar met z'n tweeën, weet je. We wonen samen, we werken samen. Dat is soms best... heftig.'

'Ik weet er alles van,' zei ik.

Misschien kwam het omdat ik aan mijn moeder had zitten denken, maar het floepte er zomaar uit. Het was een onbewuste, acute reactie. En tevens wel het laatste waar ik het over wilde hebben, zeker met Nate, maar natuurlijk antwoordde hij met: 'Echt waar?'

Ik haalde mijn schouders op. 'Mijn moeder en ik werkten ook samen. Een tijdje, althans.'

'Dat meen je niet,' zei hij. 'Wat voor werk deden jullie dan?'

'We bezorgden zoekgeraakte bagage voor diverse luchtvaartmaatschappijen.'

Hij trok zijn wenkbrauwen op, maar ik kon niet zien of hij verbaasd was of onder de indruk. 'Is dat een baan?'

'Wat dacht jij dan, dat het ergens naartoe werd gestraald, of zo?'

'Nee,' zei hij bedachtzaam, en hij keek me snel aan. 'Ik bedoel... dat is nou typisch zoiets waarvan je weet dat het gedaan wordt, maar je hebt geen idee hoe. Ik heb er nooit over nagedacht wie zulk werk zou doen.'

'Dat hoeft vanaf nu ook niet meer,' zei ik. 'Je kent nu iemand die het doet. Of dééd, liever gezegd.'

We reden op een afslag en kwamen bij een stoplicht. Toen we stilstonden, vroeg Nate: 'Wat is er gebeurd?'

'Waarmee?'

'Met het afleveren van die koffers. Wanneer ben je daarmee gestopt?'

Nu wist ik wel beter. Ik gaf geen antwoord, maar omzeilde de vraag. 'Ik ben gewoon iets anders gaan doen,' zei ik. 'Da's alles.'

Gelukkig ging hij er verder niet op in, maar zette hij zijn knipperlicht aan en reed naar de hoofdingang van het winkelcentrum, een weids complex van winkels en restaurants. Het parkeerterrein stond bomvol toen we achter een oude groene Chevrolet Tahoe gingen staan. Het achterportier stond open, waardoor een met dozen en melkkratten volgepropte achterbank zichtbaar werd. Die dozen en kratten zaten op hun beurt weer vol met enveloppen en verpakkingsmaterialen. Een vrouw met rood haar in een knot, in een pluizige roze trui, stond er, met een beker koffie in haar handen, overheen gebogen, met haar rug naar ons toe.

Nate draaide zijn raam naar beneden. 'Harriet,' riep hij.

Ze hoorde hem niet omdat ze net een krat oppakte en hem op de achterbank zette. Er viel een lege koffiebeker uit, die weg wilde rollen, maar ze pakte hem op en propte hem in een andere doos.

'Harriet,' riep Nate nog een keer. Er kwam weer geen antwoord, omdat ze nog steeds gebukt stond.

'Je zult harder moeten praten,' zei ik, omdat hij zijn stem nauwelijks verhief.

'Weet ik,' zei hij. Toen haalde hij diep adem, huiverde enigszins en drukte op de claxon.

Eén keer maar, en heel snel. Maar toch schoot de vrouw een meter de lucht in. Recht omhoog, haar voeten kwamen los van de grond, er vloog koffie uit de beker, die achter haar spetterend op het asfalt terechtkwam. Ze draaide zich om op haar hielen, met haar vrije hand voor haar borst geslagen, en keek ons met uitpuilende ogen aan.

'Sorry,' riep Nate. 'Maar je hoorde...'

'Ben je gek geworden?' vroeg ze. 'Wou je me soms een hartinfarct bezorgen?'

'Nee.' Hij maakte zijn portier open, stapte vlug uit en liep naar haar toe. 'Laat maar. Ik pak het wel. Deze drie? Of die kratjes ook?'

'Alles,' zei de vrouw – Harriet? – die duidelijk nog steeds van de kaart tegen haar auto geleund stond en met haar hand voor haar gezicht stond te wapperen. Terwijl Nate de dozen in zijn auto stond te laden, zag ik dat ze best knap was. Ze droeg een dikke zilverkleurige ketting met bijpassende oorbellen en een paar ringen. 'Hij weet dat ik nogal schrikachtig ben,' zei ze tegen mij, en ze gebaarde naar Nate. 'En toch toetert-ie. Hij toetert!'

'Het ging per ongeluk, zei Nate, die het laatste kratje pakte. 'Sorry.'

Harriet zuchtte een keer, leunde tegen de bumper van haar auto en sloot haar ogen. 'Nee,' zei ze. 'Het ligt aan mezelf. Ik heb een gigantische deadline en ik lig hartstikke achter op schema en ik wist dat ik niet meer op tijd op het postkantoor zou zijn voor het dichtging...'

'En daar heb je ons nou voor,' maakte Nate haar zin af en hij sloeg het achterportier met een klap dicht. 'Ik neem het je nu uit handen. Geen paniek.'

'Ze moeten met de gewone post, niet met de expressservice. Dat kan ik niet betalen.'

'Weet ik.'

'En let op dat je het per verzekerde pakketpost verstuurt, want het moet er eind van de week zijn, en het is heel slecht weer in het westen van het land...'

'Komt voor elkaar,' zei Nate en hij trok zijn portier open.

Harriet verwerkte dit even met haar beker nog in haar handen. 'Heb je gisteren die spullen nog afgegeven bij de stomerij?'

'Je kunt ze donderdag ophalen,' zei Nate.

'En is het geld gestort?' vroeg ze.

'Dat heeft mijn vader vanmorgen gedaan. Het stortingsbewijs zit in een envelop in je brievenbus.'

'Heeft hij eraan gedacht om...'

'Hem weer op slot te doen? Ja. De sleutel ligt weer op dezelfde plek. Verder nog iets?'

Harriet haalde diep adem, alsof ze nog iets wilde vragen, en liet de lucht toen langzaam weer ontsnappen. 'Nee,' zei ze langzaam. 'Nu niet, in elk geval.'

Nate kroop achter het stuur. 'Ik e-mail je de gegevens van het postkantoor zodra ik thuis ben, oké?'

'Prima,' antwoordde ze, hoewel ze niet erg overtuigd klonk. 'Bedankt.'

'Graag gedaan. En bellen als er iets is, hè?'

Ze knikte, maar stond nog steeds onzeker kijkend met de beker in haar hand tegen de bumper geleund toen we wegreden. Ik wachtte tot we weer op de snelweg waren voor ik iets zei. 'En dat was dus UW ZORGEN ZIJN ONZE ZORGEN?'

'Nee, dat was Harriet,' zei Nate met vermoeide stem.

Tegen de tijd dat we bij Cora aankwamen, was het halfzes. Er was maar een dik uur verstreken sinds hij me had opgepikt, en toch leek het veel langer geleden. Toen ik mijn spullen bij elkaar zocht en het portier opendeed, ging zijn telefoon weer. Hij keek van de display naar mij. 'Mijn vader krijgt het op zijn heupen,' zei hij. 'Ik kan maar beter gaan. Zie ik je morgenochtend?'

Ik keek hem aan, en zag weer hoe goed hij eruitzag, en hoe vriendelijk zijn uitstraling was. Oké, hij was aardig en misschien niet zo'n domme atleet waar ik hem eerst voor had aangezien. Bovendien had hij me geholpen, niet één maar twee keer, en waarschijnlijk dacht hij daarom dat ik morgen gewoon met hem zou meerijden. Maar ik kon Peyton iets minder makkelijk uit mijn hoofd zetten. Ze had me meteen laten barsten toen ik haar nodig had.

'Bedankt voor de lift,' zei ik.

Nate knikte, klapte zijn telefoon open en ik gooide het portier dicht. Ik wist niet of hij in de gaten had dat ik geen antwoord op zijn vraag had gegeven, of dat het hem gewoon niet kon schelen. Hoe dan ook, toen ik halverwege het tuinpad was, was hij uit beeld verdwenen.

* * *

Eerder die ochtend, nadat we mijn rooster hadden samengesteld, ging Jamie naar zijn werk en liep meneer Thackray met me mee naar Engels. We waren ongeveer halverwege toen ik Jamie achter ons hoorde roepen.

'Wacht even!'

Ik draaide me om en keek de gang in, die nu snel volliep met mensen die uit hun eerste lesuur kwamen. Ik zag Jamie zich er een weg doorheen banen. Toen hij bij ons was, lichtelijk buiten adem, lachte hij, stak zijn hand naar me uit en gebaarde dat ik dat ook moest doen.

Mijn eerste reactie was aarzelen, omdat ik me afvroeg wat hij me in hemelsnaam kon willen geven. Maar toen ik mijn hand openhield, met de handpalm naar boven, en hij er een sleutel in liet vallen, vond ik het opeens een absurd idee dat ik had gedacht dat het iets anders had kunnen zijn.

'Voor als je eerder thuis bent dan wij,' zei hij. 'Veel plezier vandaag!'

Ik had toen geknikt, de sleutel in mijn broekzak gestopt en er verder totaal niet meer aan gedacht. Tot dat moment.

Bij de voordeur aangekomen haalde ik hem uit mijn zak. Hij was klein, en er zat een zilveren kettinkje aan met een plaatje waar WILDFLOWER RIDGE in gegraveerd was. Vreemd dat die sleutel daar de hele dag had gezeten en dat ik hem niet had gevoeld. Van de sleutel om mijn nek was ik me altijd bewust van zowel zijn gewicht als zijn aanwezigheid, maar dat kwam misschien wel omdat ik die sleutel ook letterlijk dichter bij me droeg.

De voordeur zwaaide bijna geluidloos open, en maakte de grote, hoge hal zichtbaar. Net als in het gele huis was alles rustig en stil, maar dan wel op een andere manier. Niet onaangeroerd of vergeten, maar meer in afwachting van iets. Alsof zelfs een huis het verschil merkte tussen iemand die even wegging en iemand die voorgoed weg was.

Ik deed de deur achter me dicht. Vanuit de hal kon ik de woonkamer in kijken, waar ik de zon achter de bomen zag zakken en die speciale, warme gloed verspreiden die je alleen vlak voor zonsondergang ziet.

Ik stond hier nog steeds alleen maar naar te staren, toen ik links van me dravende pootjes op de vloer hoorde tikken. Ik keek en zag dat het Roscoe was, die door de keuken kwam aangelopen. Toen hij mij zag, gingen zijn oren recht omhoog staan. Daarna ging hij me aan zitten kijken.

Ik bleef op dezelfde plek staan en vroeg me af of hij weer naar me zou gaan staan blaffen, iets wat ik er na mijn eerste dag op school en inbreken in mijn oude huis echt niet meer bij kon hebben. Gelukkig deed hij dat niet. In plaats daarvan ging hij zichzelf luidruchtig zitten likken. Ik nam aan dat het dus veilig was om naar de keuken te gaan, wat ik dan ook deed, en hield ruim afstand.

Op het kookeiland lag een Post-it, en hoewel ik het jaren geleden voor het laatst had gezien, herkende ik het geschrevene meteen als het supernette handschrift van mijn zus. Elke letter was zó perfect, dat je je afvroeg of ze soms eerst een kladversie had gemaakt. *J*, stond er, *lasagne staat in ijskast, meteen als je thuiskomt op honderdvijfenzeventig graden verwarmen. Ben uiterlijk om zeven uur thuis. Kus van mij.*

Ik pakte het briefje van het aanrecht en las het nog een keer. Het was me duidelijk dat mijn zus eindelijk alles had wat haar hartje begeerde. Niet alleen in materiële zin – het huis, haar baan en geborgenheid – had ze alles waar ze ongetwijfeld van had gedroomd in onze gezamenlijke slaapkamer, maar ze had ook iemand om het mee te kunnen delen. Iemand om voor naar huis te komen, mee te eten en briefjes voor neer te kunnen leggen. Eenvoudige, stomme dingen, maar wel die dingen die het leven echt zin gaven.

Daarom moest het wel een domper voor haar zijn dat ze zo haar best had moeten doen om dit te bereiken en dat ik nu opeens voor haar neus stond, net nu ze dacht dat ze haar oude leven voorgoed achter zich had gelaten. *Jammer dan,* dacht ik. Het minste wat ik kon doen was de lasagne in de oven zetten.

Ik liep naar de oven en verwarmde hem voor, haalde de schaal met lasagne uit de ijskast en zette hem op het aanrecht. Ik stond er net de krimpfolie vanaf te trekken, toen ik iets tegen mijn been voelde. Ik keek omlaag en zag dat Roscoe tussen mijn benen omhoog zat te kijken.

Mijn eerste gedachte was dat hij op de grond had geplast en zat te wachten tot ik tegen hem begon te schreeuwen. Maar toen realiseerde ik me dat hij zat te trillen en tussen mijn enkels heen en weer zat te wiegen. 'Wat is er?' vroeg ik aan hem, en bij wijze van antwoord dook hij nog verder in elkaar en tegen me aan. Hij bleef me onafgebroken aankijken, smekend, maar ik wist niet waarom.

Heb ik dat? dacht ik. Dat kon ik ook echt gebruiken, een hond die doodgaat als ik met hem alleen ben, waardoor mijn status nog verder daalde. Ik zuchtte, stapte voorzichtig over Roscoe heen om de telefoon te pakken en Jamie op zijn mobiele telefoon te bellen; zijn nummer hing op de ijskast. Voor ik het nummer had kunnen intoetsen, was Roscoe al weer naar me toe geschuifeld, had zich weer tussen mijn voeten genesteld en zat op volle kracht te trillen. Ik hield mijn ogen op hem gericht toen de telefoon twee keer overging voordat Jamie, goddank, opnam.

'Er is iets met de hond,' zei ik.

'Ruby?' zei hij. 'Ben jij dat?'

'Ja,' zei ik slikkend en ik keek weer naar Roscoe, die op zijn beurt nog dichterbij kwam en zijn snuit tegen mijn kuit duwde. 'Sorry dat ik je stoor, maar volgens mij is hij... ziek, of zo. Ik wist niet wat ik moest doen.'

'Ziek? Moet hij overgeven?'

'Nee.'

'Heeft hij diarree?

Ik trok een vies gezicht. 'Nee. Tenminste, volgens mij niet. Ik kwam thuis en zag het briefje van Cora over de lasagne, dus die heb ik in...'

'O,' zei hij langzaam. 'Oké. Rustig maar, er is niks aan de hand. Hij is niet ziek.'

'Echt niet?'

'Nee. Hij is gewoon bang.'

'Voor lasagne?'

'Voor de oven.' Hij zuchtte. 'We snappen ook niet hoe het komt. Ik denk dat het iets te maken heeft met het ongelukje met de aardappelkroketten en het brandalarm.'

Ik keek naar Roscoe, die nog steeds hevig zat te trillen. Je vroeg je toch wel af hoe zoiets zoveel effect op zo'n hondje kon hebben – dit kon nooit goed zijn voor zijn zenuwen. 'Oké,' zei ik, terwijl Roscoe doodsbang naar me opkeek, 'wat moet ik eraan doen?'

'Je kunt niets doen,' zei hij. 'Zolang de oven aanstaat, doet hij zo. Soms kruipt hij ergens onder een bed, of onder de bank. Je kunt het beste zo gewoon mogelijk blijven doen. En als je echt gek van hem wordt, sluit hem dan maar op in de bijkeuken.'

'O,' zei ik, toen de hond ging verzitten en zichzelf tussen mijn schoen en een keukenkastje propte. 'Oké.'

'Ik rond het hier nog even af,' zei hij, 'maar ik ben zo thuis. Je...'

Ik hoorde gezoem en toen werd de verbinding verbroken. Ik hing op en legde de telefoon voorzichtig terug. Ik wist niet goed wat 'zo' betekende, maar ik hoopte dat het betekende dat hij een paar straten verderop zat, omdat ik niet veel met dieren had. Toch vond ik het zielig om dat trillende hoopje op te sluiten in een kleine ruimte, ook al deed hij nog zo raar.

'Doe maar rustig, oké?' zei ik tegen hem en ik bevrijdde

mezelf. Ik liep naar de hal om mijn tas te pakken. Hij bleef heel even zitten, maar toen kwam hij toch achter me aan. Het laatste waar ik behoefte aan had was gezelschap, dus liep ik vlug de trap op, in de hoop dat het kwartje zou vallen en hij beneden zou blijven. Tot mijn grote verrassing deed hij dat ook; toen ik boven was aangekomen, zat hij nog steeds in de hal. Hij zat me weliswaar meelijwekkend aan te kijken, maar bleef wel zitten.

Toen ik op mijn kamer was, maakte ik mijn gezicht schoon, trok de trui van Cora uit en ging op bed liggen, met mijn voeten op de grond. Ik weet niet meer hoe lang ik daar uit het raam heb liggen kijken naar het laatste restje zonsondergang, voor Roscoe binnenkwam. Hij liep langzaam, bijna zijwaarts, als een krab. Toen hij zag dat ik hem opmerkte, legde hij zijn oren plat tegen zijn kop, alsof hij verwachtte weggestuurd te worden, maar het voor de zekerheid toch maar even probeerde.

Heel even keken we elkaar alleen maar aan. Toen kwam hij behoedzaam steeds een stukje dichterbij, tot hij weer tussen mijn voeten zat. Toen hij weer begon te trillen, en zijn penningen zachtjes rinkelden, sloeg ik mijn ogen ten hemel. Ik wilde zeggen dat hij moest ophouden, dat we allemaal weleens iets hadden, en dat ik de laatste was bij wie hij troost moest komen zoeken. Maar tot mijn eigen verbazing zei ik helemaal niets, en ging ik rechtop zitten om mijn hand op zijn kop te kunnen leggen. Zodra ik hem aanraakte, was hij stil.

4

Eerst was het een beetje gerommel, af en toe onderbroken door geschreeuw; het soort geluid dat je in de verte hoort en toch kunt buitensluiten. Toen het acht uur werd op mijn wekker, barstte het pas echt los.

Ik ging geschrokken rechtop in bed zitten toen mijn kamer zich opeens vulde met het geluid van metaal dat over steen schraapt. Pas toen ik opgestaan was, op het balkon stond en de graafmachine zag, viel het kwartje.

'Jamie!'

Ik keek naar rechts en zag mijn zus, in haar pyjama, op haar eigen balkon staan. Ze klampte zich vast aan de balustrade, en keek naar haar man, die beneden op het gras stond en er veel te wakker uitzag; met een beker koffie in zijn handen en Roscoe aan zijn voeten. Toen hij naar boven keek en haar zag staan, zei hij grinnikend: 'Tof hè! Nu krijg je er echt beeld bij!'

Het merendeel van Cora's reactie ging verloren in het lawaai dat de graafmachine maakte, die zand schepte uit de ovaal die Jamie met stenen had aangegeven en het vervolgens ergens op een inmiddels flinke hoop weer neergooide. Toen de grijparm weer richting kuil ging en de bestuurder schakelde, hoorde ik haar nog net zeggen: '... zaterdagochtend, als er mensen zijn die willen slápen.'

'Lieverd, we zijn toch met de vijver bezig,' antwoordde Jamie, alsof hij alles had verstaan. 'Daar hebben we het toch over gehad, weet je nog wel?'

Cora keek hem alleen maar aan, en haalde een hand door haar haar, dat aan één kant omhoog stond. Daarna liep ze zonder iets te zeggen terug naar binnen. Jamie keek geamuseerd toe. 'Hé!' riep hij toen hij mij zag staan. De graafmachine maakte zo mogelijk nóg meer lawaai. 'Gaaf hè! Met een beetje mazzel zit vanavond het plastic erin.' Ik knikte en zag hoe de machine de volgende lading zand op de hoop gooide. Jamie had gelijk, je kon echt zien hoe het zou gaan worden. Er zat een groot verschil tussen een vijver op papier en een gigantische kuil in de grond. Toch kon ik me moeilijk voorstellen dat wat hij voor ogen had – een compleet ecosysteem, een watervlakte, met vissen en zo – hier ooit op zijn plek zou zijn, in zo'n platte, rechte tuin. Zelfs al werd het nog zo mooi aangelegd, dan nog zou het eruitzien alsof het uit de lucht was komen vallen.

Ik ging weer in bed liggen, hoewel slapen uitgesloten was. Ik kon me bijna niet voorstellen dat ik die zaterdag ervoor op de bank in het gele huis wakker was geworden, met een muffe wollen deken om me heen geslagen. En nu, een week later, woonde ik bij Cora. Aan mijn eerste levensbehoeften werd zeker voldaan – stromend water, verwarming, eten – maar toch voelde het vreemd. Het leek allemaal maar tijdelijk, ik had dan ook nog niks uitgepakt, mijn tas stond nog naast het bed en ik leefde eruit zoals je op vakantie doet, wanneer je elk moment weer kunt vertrekken. De weinige spullen die ik had waren daardoor inderdaad erg gekreukt, maar als ik 's ochtends wakker werd, naast mijn bed keek en in één oogopslag al mijn aardse goederen zag, gaf me dat het gevoel dat ik de situatie nog een béétje onder controle had. En daar had ik behoefte aan, omdat de rest allemaal buiten mijn macht lag.

* * *

'Met de bús?' zei Jamie de eerste avond, toen hij vertelde dat Nate me zou komen ophalen en ik zei dat ik liever met de bus ging. 'Maak je een grapje?'

'Er rijdt 's ochtends geen Perkins Day-bus,' zei Cora, die tegenover me zat. 'Die rijdt alleen 's middags, ten behoeve van naschoolse activiteiten.'

'Dan neem ik wel een gewone bus,' zei ik.

'Waarom zou je al die moeite doen?' vroeg Jamie. 'Nate rijdt tóch. Bovendien heeft hij het aangeboden.'

'Uit beleefdheid,' zei ik. 'Hij zit echt niet op mij te wachten.'

'Natuurlijk wel,' zei Jamie, die nog een broodje pakte uit de broodmand die tussen ons in stond. 'Hij is top. En wij betalen mee aan de benzine. Het is allemaal geregeld.'

'De bus is prima,' zei ik.

Cora keek me met samengeknepen ogen aan. 'Wat is er nou eigenlijk écht aan de hand?' vroeg ze. 'Vind je Nate niet leuk of zo?'

Ik pakte mijn vork en ik prikte er een stuk asperge aan. 'Het is gewoon zo'n gedoe.' Ik probeerde zo normaal mogelijk te klinken. 'Als ik met de bus ga, kan ik gaan wanneer ik wil en ben ik niet afhankelijk van een ander.'

'Nee, dan ben je afhankelijk van een dienstregeling, wat nog veel erger is,' zei Jamie. Hij dacht even na. 'Misschien moesten we maar een auto voor je kopen. Dan kun je zelf rijden.'

'Er komt niet nóg een auto bij,' zei Cora bot.

'Ze is zeventien,' maakte Jamie haar duidelijk. 'Ze kan moeilijk de hele dag thuis gaan zitten.'

'Dan neemt ze de bus maar. Of ze rijdt met Nate mee. Of ze leent jouw auto.'

'Die van mij?'

Cora keek hem alleen maar aan, en wendde zich toen tot

mij. 'Als jij met de bus wilt; ga je gang. Maar als je daardoor te laat komt, ga je carpoolen. Oké?'

Ik knikte. Na het eten printte ik vier dienstregelingen uit en omcirkelde ik de bussen die ik bij de dichtstbijzijnde bushalte kon pakken om op tijd te komen. Oké, ik moest er vroeger mijn bed voor uit, en een eind lopen, maar dat had ik er wel voor over.

Dat dacht ik althans. Tot ik de volgende ochtend een paar keer te vaak op de snooze-knop drukte en ik pas om tien voor halfacht beneden was. Ik wilde een muffin pakken en de deur uit vliegen, maar uiteraard zat Cora me op te wachten.

'De bel gaat over een halfuur,' zei ze, zonder van de krant op te kijken, die opengeslagen voor haar lag. 'Dat red je nooit.'

Dus stond ik mezelf tien minuten later bij de brievenbus te vervloeken tot Nate voor kwam rijden. 'Hoi,' zei hij toen hij opzij leunde om het portier open te duwen. 'Toch maar van gedachten veranderd?'

Echt niet, dacht ik. Ik was niet van gedachten veranderd. Ik was juist meer dan ooit vastbesloten geen vriendschappen aan te gaan, al werd dat er op deze manier niet makkelijker op. Maar ik kon niet anders, dus stapte ik in, deed het portier dicht en legde de muffin op mijn schoot.

'In de auto wordt niet gegeten.'

De stem was vlak en toonloos en kwam ergens achter mij vandaan. Toen ik mijn hoofd langzaam omdraaide, zag ik waar het geluid vandaan kwam: er zat een klein kind in een duffel en met een indrukwekkende beugel, met een opengeslagen boek op schoot.

'Pardon?' zei ik.

Hij boog zich naar voren, waardoor zijn beugel – inclusief hoofdband – in de zon weerkaatste die door de voorruit scheen. Zijn haar stond recht omhoog. 'In de auto wordt niet gegeten,' herhaalde hij, als een robot. Daarna wees hij naar mijn muffin. 'Zo zijn de regels.'

Ik keek naar Nate, en toen weer naar het jochie. 'Wie ben jij?'

'Wie ben jíj?'

'Dit is Ruby,' zei Nate.

'Is ze je nieuwe vriendin?' vroeg het joch.

'Nee,' zeiden Nate en ik tegelijkertijd. Ik voelde mijn gezicht rood worden.

Het jochie ging weer gewoon zitten. 'Dan mag je niet eten. Vriendinnen zijn de enige uitzondering op de carpoolregels.'

'Effe dimmen, Gervais,' zei Nate.

Gervais pakte zijn boek en sloeg een bladzijde om. Ik keek naar Nate, die de hoofdweg op draaide en zei: 'Waar breng je hem naartoe? De lagere school?'

'Echt niet,' zei Gervais. Zijn stem was nasaal en irritant, als het gegak van een gans.

'Hij zit in de bovenbouw van de middelbare school,' legde Nate uit.

'De bovenbouw?'

'Ben je doof, of zo?' vroeg Gervais.

Nate keek hem door de achteruitkijkspiegel aan. 'Gervais gaat iets sneller dan de rest,' zei hij terwijl hij in een andere baan ging rijden. 'In de ochtenduren zit hij op Perkins, en 's middags gaat hij naar college op de universiteit.'

'Goh,' zei ik, en ik keek weer naar Gervais, die me negeerde omdat hij opging in zijn boek, dat groot en dik was en duidelijk lesstof bevatte. 'Oké... en wie gaan we nog meer ophalen?'

'Eerst haalden we Heather ook nog op,' zei Gervais, zijn ogen nog steeds op zijn boek gericht. 'Toen Nate en zij nog een setje waren. Zij mocht wel eten in de auto. Meestal een tosti.'

Naast mij schraapte Nate zijn keel en ging uit het raam zitten kijken.

'Maar een paar weken geleden,' ging Gervais op dezelfde monotone toon verder, 'dumpte ze Nate. Dat sloeg in als een bom. Hij had het totaal niet zien aankomen.'

Ik keek naar Nate, die overdreven hard zijn adem uitblies. Een paar straten verder zei hij: 'Nee. Verder halen we niemand op.'

Gelukkig was het gesprek hiermee ten einde. Toen we vijf minuten later het parkeerterrein op reden, klom Gervais als eerste uit de auto, gooide zijn rugzak om zijn magere schoudertje, en liep richting grasveld zonder iets tegen ons te zeggen.

Ik wilde zijn voorbeeld volgen en ook alleen weglopen, maar Nate kwam naast me lopen. Het was duidelijk dat hem dit heel erg makkelijk afging, en dat hij ervan uitging dat we elkaar gezelschap zouden blijven houden. Ik had geen idee hoe het moest zijn om iemand als Nate te zijn.

'Nog even over Gervais,' zei Nate.

'Wat een schatje,' antwoordde ik.

'Zo kun je het ook noemen, ja. Maar serieus, hij is...'

Hij werd afgeleid door een groene BMW die langsreed en verderop parkeerde. Even later ging het portier open en het rossige meisje van Engels stapte uit. Ze droeg een witte kabeltrui, had een zonnebril boven op haar hoofd staan en sleepte een propvolle grote draagtas met zich mee. Ze gooide het portier dicht met haar heup en liep naar het hoofdgebouw, en gooide haar haar naar achteren. Nate keek even naar haar, kuchte, en stak zijn handen in zijn zakken.

'Hij is wat?' vroeg ik.

'Wie is wat?' antwoordde hij.

Voor ons liep het rossige meisje – ik had inmiddels uit-gevogeld dat het de beruchte, tosti-etende Heather moest zijn – naar haar kluisje en gooide haar tas op de grond. 'Laat maar,' zei ik. 'Tot straks.'

'Is goed,' zei hij knikkend, duidelijk afgeleid. Ik versnelde mijn pas, blij dat ik eindelijk wat afstand kon creëren. 'Later.'

Hij stond nog steeds naar haar te kijken toen ik wegliep. Wat ik wel een beetje zielig vond, maar tegelijkertijd ook niet mijn probleem, helemaal niet omdat ik vanaf nu met de bus zou gaan, zoals ik al van plan was geweest.

Dat was ik inderdaad van plan ja, maar de volgende och-tend versliep ik me weer gigantisch, en kon ik de bus we-derom op mijn buik schrijven. Eerst baalde ik daar stevig van, maar toen ik onder de douche stond bedacht ik dat het allemaal wel meeviel. Het was tenslotte maar een kort ritje, qua afstand in elk geval.

'Wat voor shampoo gebruik je?' commandeerde Gervais vanaf de achterbank toen ik was ingestapt. Mijn haar was nog vochtig.

Ik draaide me naar hem om. 'Geen idee,' zei ik. 'Hoezo?'

'Hij stinkt,' zei hij tegen me. 'Je ruikt naar bomen.'

'Naar bomen?'

'Kappen, Gervais,' zei Nate.

'Ik zeg het alleen maar hoor,' mopperde Gervais, en hij ging achterovergeleund zitten. Ik draaide me weer om zodat ik naar hem kon kijken. Hij keek met arrogante blik terug. Zijn ogen leken een stuk groter door zijn brillenglazen. Ik bleef hem echter strak aankijken, zeker van mezelf, en uit-eindelijk gaf hij toe en ging uit het raam zitten kijken. *Kind-jes van twaalf*, dacht ik. *Zo makkelijk klein te krijgen.*

Toen ik weer recht ging zitten, keek Nate me aan.

'Wat is er?' vroeg ik.

'Niks,' zei hij. 'Ik ben jaloers op hoe je dat doet.'

Bij school aangekomen deed Gervais zijn uit-de-auto-klauteren-en-verdwijnen-truc, en Nate liep weer samen met mij het parkeerterrein af. Nu was ik me niet alleen bewust van hem naast me – waar ik nog steeds niet aan gewend was, eerlijk gezegd – maar ook van de reacties daarop van iedereen die nog bij zijn of haar auto stond, of even later bij de kluisjes: starende blikken, opgetrokken wenkbrauwen, veel te veel aandacht. Ik werd er nerveus van, om nog maar te zwijgen over hoezeer het me afleidde.

Toen ik op Perkins kwam, sprong ik instinctief in de nieuweschoolstand. Een methode die ik in de loop der jaren geperfectioneerd had omdat mijn moeder en ik constant verhuisden. Het kwam kort gezegd hierop neer: zonder veel tamtam binnenkomen, zorgen dat je niet opviel, en de dagen vullen met zo weinig mogelijk interactie. Maar omdat Perkins Day zo'n kleine school was, besefte ik dat ik als nieuwkomer onvermijdelijk de aandacht zou trekken. Voeg daaraan toe dat iemand mijn connectie met Jamie had ontdekt – 'Hé, UME!' werd er een paar dagen geleden door iemand op de gang naar mijn hoofd geslingerd – en je kon anonimiteit wel op je buik schrijven.

Nu Nate had besloten dat we vrienden waren, was het helemaal zo goed als onmogelijk. Ik had op mijn tweede dag op Perkins al in de gaten dat hij een van de populairste jongens van de school was, waardoor ik, door alleen maar naast hem te gaan staan, ook interessant werd. Waarschijnlijk zouden veel meisjes graag in mijn schoenen staan, maar ikzelf liever niet.

Ik keek nu geërgerd naar hem, omdat er precies op onze route een groepje cheerleaders bij een glimmende Volkswagen stond. Hij zag het niet omdat hij het te druk had met de groene BMW die een paar rijen verderop stond. Ik kon

Heather achter het stuur zien zitten met een beker koffie in haar hand. Jake Bristol, de jongen die bij Engels had zitten slapen, stond voorovergebogen met haar te praten, op zijn armen leunend in het open raampje.

Dit was niet mijn probleem. Maar toch, als ik zag dat iemand zich niet normaal gedroeg, zoals Gervais eerder had gedaan, had ik mezelf niet in de hand. En als hij per se met me mee wilde lopen, had hij het bovendien nog bijna verdiend ook.

'Weet je,' zei ik, 'smachtend rondlopen is niet chic. Nooit.'

Hij keek me aan. 'Wat bedoel je?'

Ik knikte naar Heather en Jake, die nog steeds stonden te praten. 'Het ergste wat je kunt doen als je iemand mist of behoefte aan iemand hebt, is om dat te laten merken,' zei ik.

'Ik mis haar helemaal niet.'

Dat zal wel. 'Oké,' antwoordde ik. 'Ik wil alleen maar zeggen dat áls je haar terug zou willen, je net moet doen alsof dat niet zo is. Niemand zit te wachten op een zwak, zielig vogeltje. Regel nummer één in relatiekunde.'

'Relatiekunde,' zei hij sceptisch. 'En daar geef jij les in, of zo?'

'Het is maar een tip,' zei ik. 'Doe ermee wat je wilt.'

Ik verwachtte dat hij er niks mee zou doen. De volgende morgen echter, toen hij weer naast me liep – dat was inmiddels duidelijk een gewoonte geworden – en we het parkeerterrein overstaken, kwam Heather weer aanrijden. Zelfs ik zag het. Maar Nate niet. Of hij deed net alsof. Hij bleef me onder het lopen gewoon aankijken.

Naarmate de week verstreek – en ik me maar blééf verslapen – merkte ik dat ik voor het carpoolen begon te bezwijken en ook voor het samen de school in lopen. Me ertegen verzetten had geen zin, en Nate en ik raakten bevriend, of zoiets. Wat hem betrof in elk geval wel.

Dat was eigenlijk te gek voor woorden, omdat we absoluut niets gemeen hadden. Ik was een einzelgänger tot in mijn haarwortels, stond op instorten, en mijn privéleven was één grote puinhoop. En wat stond daartegenover? Nate, de braverik, populair op school, tegen iedereen even aardig, door en door gezond. Bovendien – daar kwam ik een week later pas achter – vicevoorzitter van de leerlingenraad, met Heather samen gekozen tot leukste stel van de school op het eindfeest, en wereldkampioen vrijwilligerswerk doen. Zijn naam dook overal op, werd constant genoemd door de monotone stem die 's ochtends de mededelingen van die betreffende dag door de intercom voorlas.

Wil je naar de benefietavond voor de hoogste klassen? Neen contact op met Nate Cross. Wil je helpen bij het schoonmaken van het schoolterrein? Praat even met Nate. Hulp nodig bij de proefwerkweek? Bij Nate Cross moet je zijn.

Ik moest niet bij Nate wezen, hoewel naarmate de week vorderde – en het gestaar gewoon doorging – duidelijk werd dat er mensen waren die hier heel anders over dachten. Het was duidelijk dat het uit elkaar gaan van Nate en Heather de gemoederen flink had beziggehouden, afgaande op het feit dat er weken later nog steeds gepraat werd over hun relatie: dat ze al samen waren sinds hij in de brugklas vanuit Arizona hierheen was verhuisd, meteen tot populairste stel van het eindfeest werden gekroond, en samen zouden gaan studeren na de zomer. Waarom ze uit elkaar waren, wist eigenlijk niemand. Zonder er iets voor te hoeven doen hoorde je zoveel verschillende verhalen – hij was vreemdgegaan met een meisje op het strand! Zij wilde zich niet vastleggen! – dat het duidelijk was dat niemand de ware toedracht wist.

Het verklaarde echter wel alle aandacht die ik kreeg. Het populaire, lekkere ding duikt op met die nieuwe, als zijn lange relatie nog maar net uit is. Hij pakte ogenschijnlijk de draad van zijn leven weer op, dus natuurlijk trok iedereen zijn eigen conclusies. En op elke andere school, of in een andere stad, zouden ze waarschijnlijk gelijk hebben gehad. Maar in dit geval niet.

Wat Perkins Day zelf betrof: voor mij was het een complete shock. Van de leraren (die het zo te zien echt naar hun zin hadden) tot de bibliotheek (groot, met splinternieuwe, werkende computers) en de kantine (met saladebar en smoothie-apparaat), het was totaal anders dan wat ik gewend was. En de kleine klassen maakten het zo goed als onmogelijk om niet op te letten, waardoor ik er qua lesstof flink vanlangs kreeg. Ik was nooit een erg goede leerling geweest, op geen stukken na zelfs, maar op Jackson haalde ik overal gemiddeld een acht voor, zelfs met mijn werk 's avonds en mijn zogenaamde buitenschoolse activiteiten. Nu had ik geen eigen vervoer of vrienden om iets leuks mee te gaan doen, dus ik had alle tijd om te leren, en toch kon ik maar met moeite meekomen. Ik maakte mezelf wijs dat ik toch weg zou gaan zodra ik genoeg geld had gespaard, en dat het dus weinig zin had om er heel erg mijn best voor te doen. Maar als ik me op mijn kamer zat te vervelen, pakte ik toch mijn boeken, om maar iets te doen te hebben.

De mentaliteit op Perkins was ook anders. Tijdens de lunch op Jackson bijvoorbeeld was er vanwege de te kleine kantine, het gebrek aan beschikbare picknicktafels en de algemeen heersende angst, altijd wel gezeik. Er werd gevochten, geschreeuwd, geslagen; steeds van korte duur, en vaak nauwelijks waarneembaar. Op Perkins leefde iedereen vreedzaam naast elkaar, zowel in de kantine als op het grasveld, en áls de gemoederen al verhit raakten, dan was het aan de HELP-tafel, waar dan een heftige discussie losbarstte, maar zelfs die was nog beschaafd.

De HELP-tafel was ook al zoiets waar ik niks van begreep. Elke dag aan het begin van de lunchpauze was er wel een groepje dat op een tafel dicht bij de ingang zijn spullen uitstalde, folders neerlegde en een bord ophing met de doelstellingen. Ik had tot nu toe van alles gezien: van het inzamelen van handtekeningen tegen hongersnood, tot een inzamelactie om een nieuwe flatscreen-tv voor het kinderziekenhuis te kunnen kopen. Iedere dag een ander goed doel waar hulp en aandacht voor nodig waren, NU! dus SCHRIJF JE IN of GEEF! of HELP EEN HANDJE – DAT IS WEL HET MINSTE WAT JE KUNT DOEN!

Je moet niet denken dat ik hardvochtig of harteloos was. Ik geloofde echt wel in goede doelen. Maar na alles wat ik de afgelopen maanden had meegemaakt, had ik gewoon weinig behoefte om me druk te maken over het leed van anderen. Mijn moeder had me iets te goed geleerd om voor mezelf op te komen, en hier, in deze voor mij onbekende wereld, leek me dat heel verstandig om te doen. Maar toch werd ik elke keer dat ik langs de HELP-tafel liep van mijn stuk gebracht door de goede doelen van die dag – Binnenkort is er weer een aids-loop! Koop een koekje, je leert er een ander vroeger door lezen en schrijven! Red de dieren! – maar ook door de constante stroom van hulp die iedereen bood, het leek wel of zij net zo graag anderen wilden helpen als dat ik op mezelf wilde zijn.

Iemand die duidelijk tot de gevers behoorde, was Heather Wainwright, die altijd wel bij de HELP-tafel scheen te staan, ongeacht het goede doel. Ik had haar een groepje meiden met smoothies zien toespreken over de moeilijke situatie van de Tibetanen, taartjes zien verkopen voor het kankerfonds, en vrijwilligers zien ronselen om het stuk snelweg dat Perkins geadopteerd had schoon te maken, en ze leek zich overal even enthousiast voor in te zetten. Nog een reden waarom de geruchten over Nate en mij nergens op sloegen, in mijn ogen tenminste. Het was toch overduidelijk dat ik zijn type niet was, dat kon een blinde nog wel zien.

Natuurlijk had ik me kunnen aansluiten bij de mensen die wel op mij leken. Er waren mensen die er niet tussen pasten op Perkins Day, hoewel veel minder dan op Jackson, maar ze waren duidelijk te herkennen. Ze stonden altijd aan de andere kant van het grasveld, bij de teken- en handvaardigheidlokalen. Die plek werd De Schoorsteen genoemd. Op Jackson waren de hardrockers en de hippies twee verschillende groepen, maar op Perkins waren ze samengegaan – omdat het maar zo'n kleine school was of omdat je sterker stond met een grotere groep. Dus tussen de gasten in gekreukte Phish-t-shirts, footbag spelend op teenslippers, stonden ook meisjes in jurkjes uit tweedehandswinkels, die kistjes droegen, met haar in alle kleuren van de regenboog en tatoeages. Ze doken meestal halverwege de lunchpauze op, en druppelden langzaam binnen over het pad naar de achterste voetbalvelden. Eenmaal aangekomen waren ze druk in de weer met druppeltjes tegen rode ogen en het nuttigen van dingen uit de automaat, en ze vertoonden gedrag dat zo typisch was voor blowers dat ik me constant afvroeg waarom de schoolleiding niet ingreep en ze allemaal oppakte.

Het zou erg makkelijk zijn geweest om op ze af te stappen en me bij ze aan te sluiten, maar zelfs na een paar lunchpauzes die ik alleen met mijn broodje had doorgebracht, had ik dat nog steeds niet gedaan. Misschien omdat ik wist dat ik toch niet lang zou blijven – wat had het dan voor zin om vrienden te maken? Of misschien had het wel een andere oorzaak. Dat ik nu een tweede kans kreeg, of ik daar nou aanvankelijk wel of niet blij mee was, om het anders aan te pakken. Het leek me niet slim om die kans te laten lopen. De oude aanpak had niet bepaald vruchten afgeworpen, toch?

En toch was er één iemand met wie ik wel zou willen omgaan, als het moest. Misschien wel omdat zij de enige was die nóg minder moeite deed om zich bij iemand aan te sluiten dan ik.

Ik wist inmiddels wel het een en ander over Olivia Davis, klasgenoot en oud-leerling van Jackson. Ten eerste: ze zat altijd te bellen. Zodra de les afgelopen was, klapte ze haar telefoon open en zat ze sneller dan het geluid een nummer in te toetsen. Als ze van het ene naar het andere lokaal liep en ook tijdens de hele lunchpauze zat ze in dat ding te praten. Ze lunchte ook in haar eentje en nam brood mee van thuis. En ondertussen zat ze te kletsen. Van die paar flarden die ik had opgevangen begreep ik dat het meestal vrienden waren die ze aan de lijn had, hoewel ze ook weleens die geïrriteerde, monotone stem opzette die je voor je ouders bewaart. Maar meestal zat ze uitgebreid te beppen en besprak ze dezelfde dingen als iedereen: school, feestjes, stress. Alleen hoorde je in haar geval alleen haar kant van het verhaal.

Het was ook duidelijk dat Olivia niet vrijwillig op Perkins Day zat. Dat stak ze dan ook niet onder stoelen of banken. Ik had een uitgesproken mening over mijn klasgenoten en hun manier van leven, maar die hield ik wijselijk voor me. Olivia was minder discreet.

'Lekker belangrijk,' zei ze binnensmonds toen Heather Wainwright de symboliek van de armoede in *David Copperfield* verklaarde. 'Alsof jij weet wat armoede is, met je BMW en je kast van een huis.'

'Fijn,' mompelde ze toen een van de atleten van de achterste rij, aangespoord door mevrouw Conyers, zijn situatie vergeleek met een personage. 'Laat ons delen in jouw pijn. We zitten op het puntje van onze stoel.'

Soms zei ze helemaal niets, maar liet ze haar afkeuring

blijken door eens flink te zuchten, met haar hoofd te schudden en opzichtig haar ogen ten hemel te slaan. Eerst vond ik het wel grappig hoe ze zich gekweld door het tweede lesuur sloeg, maar na verloop van tijd werd het irritant, en bovendien leidde het behoorlijk af. Toen ze op een vrijdag letterlijk haar handen gefrustreerd in de lucht gooide toen iemand een poging deed om te omschrijven wat een arbeider is, kon ik me niet meer inhouden.

'Als je het hier echt zo erg vindt,' zei ik, 'wat doe je hier dan nog?'

Ze wendde zich langzaam tot mij, alsof ze me voor de eerste keer zag. 'Pardon?' zei ze.

'Het is nou niet bepaald een goedkope school. Dit is toch zonde van het geld?'

Olivia ging rechtop zitten, alsof dat haar zou helpen begrijpen waarom ik in godsnaam tegen haar gesproken had. 'Sorry,' zei ze, 'maar kennen wij elkaar?'

'Het was maar een vraag hoor,' zei ik.

Mevrouw Conyers, stond voor de klas iets uit te leggen over een status-quo. Ik sloeg een paar bladzijden om van mijn schrijfblok en voelde dat Olivia naar me zat te kijken. Na een tijdje keek ik terug om haar te laten weten dat ik daar niet door werd geïntimideerd.

'Waarom zit jíj hier eigenlijk?' vroeg ze.

'Ik had weinig keus,' antwoordde ik.

'Ik ook niet,' zei ze terug. Ik knikte. Wat mij betrof lieten we het hier bij. Maar wat haar betrof niet. 'Ik had het prima naar mijn zin op Jackson. Maar mijn vader wilde dat ik een beurs aanvroeg voor Perkins. Beter onderwijs, betere leraren. Betere vrienden, je kent het wel. Tevreden?'

'Ik heb toch nooit gezegd dat ik dat niet was?' zei ik. 'Jij bent degene die alleen maar loopt te klagen en te zeuren.'

Olivia keek me fronsend aan. Ze keek hier duidelijk van op, en ik had het idee dat dat niet vaak voorkwam. 'Hoe heet je ook alweer?'

'Ruby,' zei ik. 'Ruby Cooper.'

'Aha,' zei ze, alsof dat meteen een andere vraag beantwoordde. De volgende keer dat ik haar echter zag, op het grasveld tussen twee lessen in, liep ze me druk bellend weer straal voorbij. Ze zei ook niks tegen me. Maar we hadden heel even oogcontact gehad, en ik had een klein beetje erkenning gekregen, al wist ik niet waarvoor.

* * *

Op zaterdagochtend, terwijl ik nog in bed lag, hoorde ik buiten een klap, gevolgd door nog meer gepiep. Ik stond op en liep naar het raam om in de tuin te kijken. De kuil was nu nog groter, de rode klei en de stenen vormden een groot contrast met het groene gras aan weerszijden. Jamie stond nog steeds met de hond op de patio, hoewel hij nu met zijn handen in zijn zakken op zijn hielen wiegend stond toe te kijken hoe de graafmachine zijn werk deed. Ik kon me bijna niet meer voorstellen hoe de tuin er een halve dag geleden nog bij had gelegen, ongerept en ongeschonden. Er is weinig voor nodig om iets te veranderen, maar ook om te vergeten hoe iets er eerst uitzag.

In de keuken was het lawaai nog veel harder, de ruiten trilden in hun sponningen. Ik zag dat Cora, aangekleed en met nat haar, bij Jamie was gaan staan. Hij stond haar druk gebarend iets uit te leggen en zij stond totaal niet enthousiast te knikken.

Ik pakte wat cornflakes omdat ik bang was dat ik anders weer commentaar zou krijgen, en pakte een stuk van de krant die op het kookeiland lag. Ik wilde net gaan zitten, toen ik een klap achter me hoorde en Roscoe door zijn luik naar binnen kwam.

Toen hij me zag, gingen zijn oren omhoog en kwam hij aangetrippeld om mijn voeten te besnuffelen. Ik stapte over hem heen en liep naar de tafel, maar natuurlijk kwam hij achter me aan, zoals hij dat tegenwoordig constant deed, sinds dat gedoe met de lasagne. Ondanks mijn verwoede pogingen om hem te ontmoedigen, vond het beest me leuk.

'Weet je,' had Jamie de avond daarvoor gezegd, toen hij zag hoe Roscoe met zijn grote, bolle, insectachtige ogen naar me zat te kijken tijden het eten, 'dit is best wel heel bijzonder. Hij is namelijk erg eenkennig.'

'Ik ben niet zo dol op honden,' zei ik.

'Het is niet zomaar een hond,' had Jamie geantwoord. 'Het is Roscoe.'

Ik wist niet wat ik daarmee aan moest; ik wilde gewoon rustig mijn horoscoop lezen en me niet bezig hoeven te houden met Roscoe die zich aan mijn voeten uitgebreid zat te wassen – hevig slurpend. 'Hé,' zei ik, terwijl ik hem met de punt van mijn schoen een zetje gaf. 'Kappen nou.'

Hij keek me aan. Hij had een loopoog, volgens mij een permanente aandoening. Na een tijdje ging hij verder met waar hij mee bezig was.

'Ha, je bent wakker,' hoorde ik Cora achter me zeggen toen ze door de tuindeur binnenkwam. 'Laat me raden. Je kon ook niet meer slapen.'

'Zoiets ja,' zei ik.

Ze schonk koffie voor zichzelf in en liep toen naar de tafel. 'Ik had liever,' zei ze terwijl ze zuchtend ging zitten en Roscoe over zijn kop aaide, 'een zwembad gehad. Zodat we konden zwemmen.'

Ik keek eerst naar haar en vervolgens naar de graafmachine, die net de kuil weer in ging. 'Een vijver is best leuk, toch?' zei ik. 'Er zitten straks vissen in.'

Ze zuchtte. 'Zie je wel. Hij heeft je al ingepalmd.'

Ik sloeg schouderophalend een pagina om. 'Ik trek geen partij.'

Ik voelde hoe ze naar me keek toen ik dat zei. Ze keek nog steeds toen ik zat te kijken welke films er draaiden. Daarna pakte ze haar beker, nam nog een grote slok en zei toen: 'Ik geloof dat wij wel het een en ander te bespreken hebben.'

Op hetzelfde moment dat ze dat zei, hield de graafmachine ermee op, waardoor het opeens eng stil werd. 'Prima,' zei ik. 'Kom maar op.'

Cora ging haar handen zitten bestuderen en vouwde haar vingers in elkaar door het oor van haar beker. Ze keek me recht aan toen ze zei: 'Ik zeg geloof ik niks geks als ik beweer dat dit voor ons allebei nogal onverwacht kwam. We zullen ons allemaal moeten aanpassen.'

Ik nam nog een hap van mijn cornflakes en keek vervolgens naar Roscoe, die met zijn kop op zijn voorpootjes aan haar voeten lag en zijn achterpoten languit gestrekt had, als een kikker. 'Dat lijkt mij ook, ja,' zei ik.

'Het belangrijkste is, althans volgens Jamie en mij, dat je je hier en op school snel een beetje thuis voelt. Routine is de eerste stap op weg naar een normaal leven.'

'Ik ben geen kleuter,' zei ik. 'Ik heb heus geen schema nodig.'

'Ik wil alleen maar zeggen dat we het rustig aan moeten doen,' zei ze. 'Dat zal niet altijd meevallen. Zolang we maar onder ogen zien dat we leren van de fouten die we maken.'

Ik keek haar met opgetrokken wenkbrauwen aan. Ik stond dan misschien nog wel in de overleefstand, maar dit klonk wel heel erg klef. Als iets wat rechtstreeks uit een of ander handboek kwam. *Hoe ga ik met mijn tiener om*, of zo. Ik zat er niet heel ver naast.

'Het lijkt me ook verstandig,' zei Cora, 'als je in therapie gaat. Je zit momenteel in een overgangsfase, en er met iemand over praten...'

'Nee,' zei ik.

Ze keek me aan. 'Nee?'

'Ik hoef met niemand te praten,' zei ik. 'Er valt nergens over te praten.'

'Ruby, ik ben niet de enige die dat vindt. Shayna, van Poplar House, was ook van mening dat je er profijt van zou hebben als je over je nieuwe situatie zou praten.'

'Shayna van Poplar House heeft mij anderhalve dag meegemaakt,' zei ik. 'Je kunt haar dus niet bepaald een expert noemen. En over het verleden gaan zitten praten verandert niets aan de situatie. Ik zie er het nut niet van in.'

Cora pakte haar beker en nam een slok. 'Er zijn anders genoeg mensen,' zei ze stug, 'die veel baat hebben bij therapie.'

Goh, wat fijn voor ze, dacht ik.

'Wat ik bedoel te zeggen,' zei ik, 'is dat je niet zoveel moeite voor me hoeft te doen. Vooral omdat het toch maar tijdelijk is, en zo.'

'Tijdelijk?' vroeg ze. 'Hoezo?'

Ik haalde mijn schouders op. 'Ik word over een paar maanden achttien.'

'En dus?'

'En dus ben ik dan volwassen,' zei ik tegen haar. 'Dan kan ik op mezelf gaan wonen.'

Ze leunde achterover. 'Ach, natuurlijk,' zei ze. 'De afgelopen maanden waren inderdaad een groot succes, hè?'

'Weet je,' zei ik toen de graafmachine weer begon en

Roscoe, die was ingedut, deed opschrikken, 'wees blij. Je zit maar heel even met me opgescheept; ik ben zo weer weg.' Ze keek me alleen maar aan. Toen vroeg ze: 'En waar ga je dan naartoe? Terug naar dat huis? Of ga je zelf iets huren, met al dat geld van je?'

Ik voelde dat ik rood werd. 'Je hebt...'

'Of misschien is het slimmer om weer bij mama in te trekken, waar ze tegenwoordig ook mag uithangen,' ging ze met harde stem op dramatische toon verder, alsof ze voor publiek stond te spreken. 'Ze heeft waarschijnlijk een schitterend huis, met een schattig logeerkamertje in gereedheid gebracht voor jou. Is dat geen goed idee?'

De graafmachine was weer aan het ratelen; hij groef steeds dieper.

'Waar haal jij je informatie vandaan?' zei ik tegen haar. 'Je kent me helemaal niet.'

'En aan wie zou dat liggen, denk je?'

Ik deed mijn mond open, ik had mijn antwoord al klaar; dat was een makkie natuurlijk. Wie was er weggegaan om nooit meer terug te komen? Belde niet meer, kon het niets meer schelen? Vergat voor het gemak waar ze vandaan kwam, zodra ze eraan ontsnapt was, aan haar oude leven, dat nog wel het mijne was? Maar ook al lagen die woorden op mijn lippen, ik keek mijn zus alleen maar aan. Ze keek zó uitdagend terug, dat ik mijn woorden inslikte. Terwijl het de enige waarheid was die ik kende.

'Ik bedoel dat je voor mij niet je hele leven overhoop hoeft te gooien. En dat van Jamie ook niet. Doe maar net alsof ik er niet ben. Ik ben heus geen baby die nog opgevoed moet worden of zo, hoor.'

Haar gezichtsuitdrukking veranderde. Haar uitgestreken, boze blik maakte plaats voor iets anders, niet zozeer milder, maar afstandelijker. Alsof ze in haar schulp kroop, maar wel aanwezig bleef. Ze staarde naar haar beker en schraapte toen haar keel. 'Oké,' zei ze kortaf. 'Dan niet.'

Ze schoof haar stoel naar achter, stond op, liep naar het koffiezetapparaat en schonk nog een keer in. Met haar rug naar me toe gekeerd zei ze even later: 'Maar je moet wel nieuwe kleren hebben.'

'Och,' zei ik, terwijl ik naar mezelf keek. Ik had mijn spijkerbroek de afgelopen dagen drie keer gewassen en ik had het vale T-shirt aan dat ik mijn laatste dag op Jackson ook had gedragen. 'Dit kan nog wel.'

Cora pakte haar tas. 'Ik moet naar een afspraak en Jamie kan hier niet weg,' zei ze, terwijl ze er een paar biljetten uit haalde en ze aan me gaf. 'Maar je kunt best lopend naar het nieuwe winkelcentrum. Het is te voet goed bereikbaar. Hij wijst je wel waar het is.'

'Joh, dat hoeft toch niet...'

'Ruby, doe me nou gewoon een lol en pak het aan,' zei ze vermoeid.

Ik keek eerst naar het geld en vervolgens naar haar. 'Oké,' zei ik. 'Bedankt.'

Ze knikte zonder iets te zeggen, draaide zich om en liep de keuken uit, haar tas onder haar arm geklemd. Roscoe keek haar met opgeheven hoofd na en richtte zijn aandacht daarna op mij. Hij keek toe hoe ik de biljetten openvouwde. Tweehonderd dollar. *Niet slecht*, dacht ik. Toch wachtte ik tot ik zeker wist dat ze boven was voor ik het in mijn zak stopte.

Achter mij hoorde ik een deur opengaan en Jamie kwam binnen, een lege koffiebeker bungelend aan een vinger. 'Goedemorgen!' zei hij, duidelijk in een stralend humeur vanwege de vijver. Hij liep naar het kookeiland en pakte onderweg een muffin uit de doos die op tafel stond. Roscoe sprong op en liep achter hem aan. 'Hebben jullie uitgedokterd hoe het shoppen aangepakt moet worden? En trouwens, met haar erbij kun je niet grasduinen. Ze staat erop dat er een plan van aanpak wordt gemaakt.'

'We gaan niet shoppen,' zei ik.

'Hoezo niet?' Hij draaide zich om. 'Dat was anders wel de bedoeling. Vrouwen onder elkaar, lekker lunchen...'

Ik haalde mijn schouders op. 'Ze zei dat ze een afspraak had.'

'O.' Hij keek me even aan. 'Waar is ze nu?'

'Boven, volgens mij.'

Hij knikte, keek naar de graafmachine, die achteruit aan het rijden was – *piep, piep, piep*. Daarna keek hij weer naar mij voor hij de keuken uit liep en ik hem even later de trap op hoorde klossen. Roscoe, die tot aan de deur met hem was meegelopen, stond stil en keek achterom naar mij.

'Ga maar,' zei ik. 'Hier valt niks te zien.'

Daar was hij het uiteraard niet mee eens. In plaats daarvan, terwijl ik Cora en Jamie boven hoorde praten – ongetwijfeld over mij – kwam hij met rinkelende naamplaatjes op me afgelopen en zakte voor mijn voeten weer door zijn pootjes. Grappig hoe moeilijk het was om in zo'n groot huis alleen te zijn.

***

Anderhalf uur later ging ik, aangekleed en met het geld van Cora in mijn zak, buiten aan Jamie vragen wat de kortste route naar het winkelcentrum was. Hij stond helemaal achter in de tuin, achter de inmiddels aanzienlijke kuil, bij het hek van de tuin van Nate met een man te praten.

Eerst ging ik ervan uit dat het iemand van het aannemersbedrijf was. Daar sjouwden er namelijk een aantal van rond sinds de graafmachine was geïnstalleerd. Toen ik dichterbij kwam, zag ik echter dat wie deze man ook mocht zijn, hij de kost niet op een graafmachine verdiende.

Hij was lang, gebruind, had peper-en-zoutkleurig haar en droeg een vale spijkerbroek, leren mocassins, volgens mij een trui van kasjmier en er hing een dure zonnebril aan zijn boord. Tijdens het gesprek met Jamie liet hij steeds zijn autosleutels rond zijn vinger draaien en sloot er dan zijn handpalm omheen. *Draai, sluit, draai, sluit.*

'... je naar China aan het graven was,' hoorde ik de man zeggen toen ik binnen gehoorsafstand was. 'Of naar olie aan het boren, of zo.'

'Nee hoor, ik laat gewoon een vijver aanleggen,' zei Jamie.

'Een vijver?'

'Ja.' Jamie liet zijn handen in zijn zakken glijden en keek ondertussen in de kuil. 'Helemaal biologisch. Geen chemicaliën, helemaal natuurlijk.'

'Klinkt duur,' zei de man.

'Valt reuze mee. Oké, het is niet goedkoop, maar ik zie het als een investering. Op den duur is het echt een aanvulling voor de tuin.'

'Nou,' zei de man, die weer met zijn sleutels begon te spelen, 'als je nog wilt investeren, moeten we binnenkort maar eens rond de tafel gaan zitten. Ik heb een aantal projecten die je waarschijnlijk wel zullen aanspreken, stuk voor stuk veelbelovend. Het is zelfs zo...'

'Hé, Ruby,' zei Jamie, die de man onderbrak toen hij me zag. Hij legde een arm om mijn schouder en zei: 'Blake, dit is Ruby, het zusje van Cora. Ze woont een tijdje bij ons. Ruby, dit is Blake, de vader van Nate.'

'Hallo,' zei meneer Cross met uitgestoken hand. Hij had een stevige handdruk, zo een die je op de economische faculteit leerde geven: twee keer schudden en ondertussen de ander strak blijven aankijken. 'Ik probeerde je zwager er net van te overtuigen dat hij zijn geld beter in een goed idee kan stoppen dan in de grond. Wat jij?'

'Och,' zei ik, toen Jamie vriendelijk naar me lachte, 'daar heb ik geen verstand van.'

'Natuurlijk wel! Gewoon logisch nadenken,' zei meneer Cross. Toen lachte hij, speelde weer met zijn sleutels en keek naar Jamie, die op zijn beurt weer naar de graafmachine stond te kijken.

'Jamie,' vroeg ik, 'Cora zei dat jij me kunt uitleggen hoe ik naar het winkelcentrum kan lopen.'

'Het winkelcentrum?' antwoordde Jamie. 'Tuurlijk. De straat uit lopen en dan rechtsaf. Er liggen grote stenen bij de ingang.'

'Je kunt het niet missen,' zei meneer Cross. 'Je hoeft alleen maar al die mensen te volgen die in deze buurt niets te zoeken hebben.'

'Kom op zeg, Blake,' zei Jamie. 'Het is openbaar. Voor iedereen toegankelijk.'

'Waarom zetten ze hem dan in een wijk met buurtbeveiliging?' vroeg meneer Cross. 'Ik ben ook een echt gemeenschapsmens, maar we wonen hier niet voor niets, toch? Omdat het exclusief is. Als je het voor iedereen openstelt, raak je dat kwijt.'

'Dat hoeft helemaal niet,' zei Jamie.

'Hou nou toch op,' zei meneer Cross. 'Hoeveel heeft dit optrekje jou gekost?'

'Ach,' zei Jamie, duidelijk niet op zijn gemak. 'Daar gaat het toch helemaal...'

'Dat komt aardig in de buurt van een miljoen dollar, toch?' ging meneer Cross verder. Jamie zuchtte een keer en keek naar de graafmachine. 'En voor dat geld zou je waar voor je geld moeten krijgen, of het nou een gevoel van veiligheid is, ons soort mensen om je heen of exclusiviteit...'

'Of een vijver,' zei ik, net toen de graafmachine de kuil weer in was gedoken en nu piepend achteruit begon te rijden.

'Wat zei je?' vroeg meneer Cross, met een hand achter zijn oor.

'Niks,' zei ik. Jamie keek me lachend aan. 'Leuk u ontmoet te hebben.'

Hij gaf een knikje en richtte zich weer op Jamie toen ik ze groette en door de tuin terugliep. Halverwege stond ik even stil bij de kuil om erin te kunnen kijken. Hij was diep, lang en breed, veel groter dan ik, afgaande op Jamies beschrijving, had verwacht. Tussen planning en uitvoering kan een groot verschil zitten. Maar misschien gaat het er alleen maar om dat er een verschil ís.

5

Misschien kwam het door mijn gesprek met Cora of door de drukte van afgelopen week. Wat de reden ook was, bij het winkelcentrum aangekomen, liep ik naar de bushalte. Twee keer overstappen en veertig minuten later, stond ik bij Marshall op de stoep.

Hij woonde in Sandpiper Arms, een flatgebouw dat net achter het bos bij Jackson lag en bekendstond om de lage huurprijzen en het feit dat de flats gemeubileerd verhuurd werden. Ze waren allemaal in een andere pastelkleur geschilderd, van lichtroze en hemelsblauw tot heldergeel. De flat van Marshall was limekleurig, wat best oké was, alleen kreeg ik om een of andere reden altijd zin in Sprite als ik bij hem was.

Toen ik aanbelde werd er eerst niet opengedaan. Na nog twee keer bellen wilde ik gaan kijken hoe laat de bus terugging, maar toen zwaaide de deur open en stond Rogerson in de deuropening.

'Hoi,' zei ik. Hij knipperde een keer met zijn ogen, haalde een hand door zijn dikke dreadlocks en kneep zijn ogen dicht tegen de zon. 'Is Marshall thuis?'

'Slaapkamer,' zei hij en hij sjokte terug naar zijn eigen kamer. Ik kende Rogerson niet goed. Ik wist niet veel meer dan dat hij wiet verkocht en dat hij en Marshall in de keuken van Sopas, een Mexicaans restaurant in de stad, werkten. Er gingen geruchten dat hij in de bak had gezeten – iets met geweldpleging – maar hij was niet zo spraakzaam en was erg op zichzelf, dus Joost mocht weten wat er klopte van alle verhalen.

Ik ging naar binnen en deed de deur achter me dicht. Mijn ogen moesten even aan het donker wennen; Marshall en Rogerson hielden, net als mijn moeder, van het donker. Misschien had het ermee te maken dat ze altijd 's avonds werkten en daarom een aversie hadden tegen daglicht in het algemeen, en ochtendlicht in het bijzonder. Het stonk er naar rook toen ik door de gang liep, langs het keukentje waar het vol stond met pizzadozen en lege petflessen. In de woonkamer lag een of andere gozer languit op de bank met een kussen over zijn gezicht. Ik zag een stuk buik, bleek en spookachtig, onder zijn opgekropen T-shirt uit komen. Aan de andere kant van de kamer stond de tv aan; er was een programma bezig over snoekbaarsvissen, het geluid stond uit.

De deur van Marshalls kamer stond op een kiertje. 'Ja?' riep hij toen ik aanklopte.

'Ik ben het,' zei ik. Hij kuchte een keer, wat ik opvatte als toestemming om binnen te komen, en ik duwde de deur open.

Hij zat met ontbloot bovenlijf aan een eenvoudig bureautje een shaggie te draaien. Het raam stond op een kiertje. Zijn huid, bleek en vol met sproeten, gaf bijna licht in het beetje licht dat door het raam naar binnen kwam, zijn ribben en sleutelbeenderen waren duidelijk zichtbaar. Het was een mager mannetje, en helaas viel ik daarop.

'Kijk eens wie we daar hebben,' zei hij, en hij draaide zich naar me om. 'Da's lang geleden.'

Ik lachte, en ging tegenover hem op het onopgemaakte bed zitten, waar ik eerst plek moest maken. De kamer was één grote puinhoop van kleren, schoenen en tijdschriften, die overal lagen. Wat me opviel was dat er een doos met chocolaatjes op het bureau stond, nog ingepakt.

'Van wie heb je die gekregen?' vroeg ik. 'Voor Valentijnsdag?'

Hij stak het shaggie in zijn mond en ik had meteen spijt dat ik het had gevraagd. Wat kon mij het nou schelen of hij een ander had. 'Het is oktober.'

'Een verlaat Valentijnscadeau. Zou toch kunnen?' zei ik schouderophalend.

'Ik heb ze van mijn moeder gekregen. Wil je ze openmaken?' Ik schudde mijn hoofd terwijl hij achteroverleunde en rook uitblies. 'Alles goed?'

'Gaat wel. Ik ben eigenlijk op zoek naar Peyton. Weet jij waar ze uithangt?'

'Geen flauw idee.' Er ging ergens een telefoon, maar die stopte plotseling. 'Maar ik heb veel gewerkt de laatste tijd, en dus ben ik nergens geweest. Ik moet zo weg, ik moet de lunch draaien vandaag.'

'Oké,' zei ik knikkend. Ik leunde ook achterover en keek om me heen. Er viel een stilte. Ik kon mezelf opeens wel voor mijn kop slaan dat ik met zo'n stom smoesje hiernaartoe was gekomen. 'Ik moest ook maar weer eens gaan. Ik heb het hartstikke druk.'

'O ja joh?' zei hij langzaam, en hij ging met zijn ellebogen op zijn knieën geleund naar me toe gebogen zitten. 'Waarmee dan?'

Ik haalde mijn schouders op en wilde opstaan. 'Dat wil je niet weten.'

'Echt niet?' Hij hield me tegen door met zijn knieën tegen de mijne te gaan zitten. 'Laat maar horen.'

'Shoppen,' zei ik.

Hij trok zijn wenkbrauwen op. 'Je maakt een geintje,' zei hij. 'Je zit amper een week op Perkins Day en je bent al modebewust.'

'Hoe weet jij dat ik op Perkins Day zit?' vroeg ik.

Marshall haalde zijn schouders op en schoof een stukje naar achteren. 'Van horen zeggen,' zei hij.

'Dat zal wel, ja.'

'Inderdaad.' Hij keek me even aan, stak toen zijn handen uit en liet ze via mijn bovenbenen om mijn taille glijden. Hij legde zijn hoofd in mijn schoot en ik kroelde door zijn haar. Ik voelde hoe hij ontspande en er viel weer een stilte, maar nu was ik er blij om. Marshall en ik praatten nooit veel met elkaar, omdat woorden te veel kapot zouden kunnen maken. Het voelde echter vertrouwd om in stilte tegen elkaar aan te liggen. En het was fijn om iemand tegen me aan te voelen, ook al was het maar voor even.

Pas later, toen ik slaperig opgerold onder de dekens lag, dacht ik terug aan alles wat er was gebeurd sinds de laatste keer dat ik hier was geweest. Marshall kleedde zich aan om te gaan werken en zocht zijn riem, toen hij iets kouds op mijn schouder legde. Toen ik het pakte, bleek het de sleutel van Cora's huis te zijn, nog steeds aan zijn zilveren ketting. Hij moest uit mijn zak gevallen zijn. 'Daar kun je maar beter zuinig op zijn,' zei hij toen hij met zijn rug naar me toe over zijn schoenen gebogen zat. 'Als je ooit nog thuis wilt komen.'

Toen ik rechtop ging zitten en mijn hand eromheen vouwde, wilde ik hem uitleggen dat het huis van Cora mijn thuis niet was, en dat ik niet eens meer wist wat dat betekende; thuis. Maar ik wist dat het hem niet interesseerde, en bovendien trok hij net zijn Sopas-T-shirt aan en was hij klaar om te gaan. Dus zocht ik mijn eigen spullen bij elkaar, net als hij. Ik hoefde niet per se tegelijk met hem de deur uit te gaan, maar ik was niet van plan om alleen achter te blijven.

***

Ik was nooit goed geweest in winkelen, maar dat kwam vooral omdat ik er, net als voor parachutespringen of polo spelen, nooit het geld voor had gehad. Voordat mijn moeder mijn hulp nodig had bij Commercial, had ik zelf een paar baantjes gehad – in vieze hamburgertenten, achter de kassa van een goedkope drogist om shampoo en papieren zakdoekjes aan te slaan – maar dat geld had ik proberen te sparen. Toen al wist ik dat ik het ooit ergens anders voor nodig zou hebben dan voor lippenstift en kleren. Toen mijn moeder ertussenuit geknepen was, was er van mijn spaargeld niets overgebleven, terwijl ik het nu juist goed zou kunnen gebruiken.

Daarom was het ook zo raar om kleren te gaan kopen, zeker omdat ik tweehonderd dollar had gekregen waar ik niets voor had hoeven doen. Aan de andere kant kon ik ook niet eeuwig in dezelfde vier dingen blijven rondlopen. Bovendien was Cora al kwaad op me, en dat zou er niet beter op worden als ze zou zien dat ik het geld in mijn zak had gehouden. Dus dwong ik mezelf om winkel na winkel tussen smalle gangpaden te lopen, de keiharde muziek aan te horen, en door de rekken met uitverkoop te gaan, op zoek naar koopjes.

Het geld dat ik gekregen had was op geen stukken na genoeg om er hetzelfde uit te kunnen zien als de rest op Perkins, zelfs al zou ik dat willen. Niet dat dat het geval was, natuurlijk. Toch was me in de korte tijd dat ik er op school zat wel opgevallen dat het wel ironisch was hoe de meiden eruitzagen: dure kleding met een goedkope uitstraling. Spijkerbroeken van tweehonderd dollar met scheuren erin, kasjmier truien slordig om hun middel geknoopt, heel erg dure T-shirts die opzettelijk vaal en versleten waren gemaakt om ze er gedragen uit te laten zien. Mijn kleren die nog in het gele huis lagen, zouden, afgezien van de schimmel, perfect

zijn geweest. Ik moest echter goedkope nieuwe spullen kopen, en het verschil was overduidelijk. Je moest een hoop
geld neertellen om er armoedig uit te kunnen zien. Toch had
ik mijn garderobe na anderhalfuur behoorlijk uitgebreid. Ik
had twee spijkerbroeken, een trui, een sweater met capuchon
en een paar goedkope T-shirts – vijf stuks voor maar twintig
dollar – gekocht. Toch werd ik er niet vrolijk van te zien hoe
snel het geld uit mijn zak vloog. Ik werd zelfs bijna niet goed
toen ik door de hoge, brede gang naar de uitgang liep. Daarom viel mijn oog ook waarschijnlijk meteen op het bordje
met PERSONEEL GEZOCHT. Het hing als een niet te missen
baken op een stalletje waar ik naartoe werd gezogen.

Toen ik dichterbij kwam, zag ik dat er sieraden werden
verkocht en ik dacht dat er niemand stond, hoewel het eruitzag of er net nog iemand was geweest. Er stond een grote
smoothie met condens aan de buitenkant op de kassa en er
brandde wierook, waarvan de rook in grote kringen naar het
glazen dak opsteeg. De sieraden waren niet uitbundig maar
wel mooi. Er hingen rijen zilveren met turkooizen oorbellen, er stond een display met kralenkettingen en er stonden
een paar vierkante bakken met ringen van diverse afme-
tingen. Ik pakte er een uit; een grote met een rode steen,
en hield hem tegen het licht.

'O, nou zie ik je pas! Hallo!'

Ik sprong geschrokken op, en legde de ring meteen weer
terug toen de vrouw met het rode haar, bij wie Nathan ooit
die dozen had opgehaald – Harriet – tevoorschijn kwam
met een grote beker koffie in haar hand. Hoewel ze buiten
adem was, weerhield dat haar er niet van om te praten.

'Sorry!' zei ze naar adem snakkend, en ze zette de beker
naast de smoothie op de kassa. 'Ik probeer van mijn cafeïne-
verslaving af te komen, door...' ze stopte even om een keer
flink in te ademen, wat zo te horen ook wel nodig was,

'... over te stappen op smoothies. Gezond, hè? Maar toen kreeg ik hoofdpijn door het gebrek aan cafeïne en ik voelde dat ik op instorten stond en toen ben ik toch maar weer een shot gaan halen.' Ze haalde nog een keer diep adem en wuifde zichzelf met één hand wat koelte toe. 'Maar ik ben er weer. Eindelijk.'

Ik keek haar alleen maar aan, en wist niet goed wat ik moest zeggen, omdat ze nog steeds stond te hijgen. Nu ik haar van dichtbij zag, schatte ik haar midden dertig, iets ouder misschien, hoewel het moeilijk te zeggen was door haar sproeten, haar en kleding – lage spijkerbroek, suède klompen en een t-shirt met een Indiase afbeelding.

'Wacht eens even,' zei ze en ze wees naar me, waardoor er een heleboel armbanden langs haar arm gleden. 'Ken ik jou niet ergens van? Kom je hier vaker?'

Ik schudde mijn hoofd. 'Ik was laatst met Nate,' zei ik. 'Toen we die spullen kwamen ophalen.'

Ze knipte met haar vingers, de armbanden rinkelden ervan. 'Klopt. Toen hij zo toeterde. Jemig! Daar moet ik nog steeds van bijkomen.'

Ik lachte en wees naar de sieraden. 'Maak je dit allemaal zelf?'

'Ja. Ik ben een eenvrouwszaak. Vaak tot mijn verdriet.' Ze ging met een sprongetje op de hoge stoel bij de kassa zitten en pakte haar koffie. 'Die met die rode stenen, daar op de tweede rij, zijn net klaar. Iedereen zegt altijd dat mensen met rood haar geen rood kunnen dragen, maar dat is niet waar. Dat is een grote misvatting. En ik heb het jaren geloofd. Erg hè?'

Ik keek haar aan en vroeg me af of ze van een afstandje had gezien dat ik precies die ene ring in mijn hand had gehad. Ik knikte en keek er nog een keer naar.

'Wat een práchtige ketting heb je om,' zei ze opeens. Toen

ik zag dat ze er een klein beetje voorovergebogen naar stond te kijken, pakte ik hem instinctief vast.

'Het is gewoon een sleutel.'

'Kan wel zijn,' zei ze terwijl ze nog een slok koffie nam. 'Maar het contrast maakt het mooi. Een koperen sleutel aan een ragfijne ketting. Je zou verwachten dat het er vreemd en lomp zou uitzien, maar dat is niet zo. Het is mooi.'

Ik keek naar mijn ketting en dacht terug aan die keer dat ik er zo genoeg van had dat ik mijn sleutel nooit kon vinden, dat ik op zoek was gegaan naar een ketting die dun genoeg was om door het gat in de sleutel te passen, maar ook sterk genoeg. Het enige wat ik destijds belangrijk vond was dat ik hem niet zou kwijtraken, maar nu zag ik wat ze bedoelde. Best mooi en apart.

'Pardon,' riep een jongen met een baard en sandalen aan die bij het vitaminestalletje naast haar stond, 'maar ben je nou koffie aan het drinken?'

Harriet zette grote ogen naar me op. 'Nee hoor,' riep ze vrolijk terug over haar schouder. 'Het is kruidenthee.'

'Je loopt toch niet te liegen, hè?'

'Zou ik ooit tegen je liegen?'

'Ja,' zei hij.

Ze zuchtte. 'Oké dan. Het is koffie. Maar wel biologische fairtradekoffie.'

'De weddenschap was dat je helemaal geen koffie meer zou drinken. Ik krijg dus tien dollar van je.'

'Prima. Zet maar op mijn rekening,' antwoordde ze. Tegen mij voegde ze eraan toe: 'Jezus. Ik verlies altijd. Je zou toch denken dat ik moest stoppen met die stomme weddenschappen.'

Ik wist niet goed wat ik daarop moest zeggen, dus keek ik nog maar even naar de kettingen voor ik zei: 'Heb je nog steeds iemand nodig?'

'Nee,' zei ze. 'Sorry.'

Ik keek naar het bordje. 'Maar daar staat...'

'Nou, vooruit. Misschíén heb ik iemand nodig,' zei ze. Achter haar kuchte de vitaminejongen luidruchtig. Ze keek hem aan en zei toen, met tegenzin: 'Ja. Ik heb iemand nodig.'

'Mooi,' zei ik voorzichtig.

'Maar...' zei ze, terwijl ze een plumeau pakte en een display met armbanden afstofte, 'het is maar voor een paar uur. En de uren die ik je kan laten werken, zijn heel onregelmatig, want je moet je aan mij aanpassen, en ik werk niet op vaste tijden. Soms heb ik je heel veel nodig, soms bijna niet.'

'Dat is prima,' zei ik.

Ze legde de plumeau weg en keek me met samengeknepen ogen aan. 'Het is erg saai werk,' waarschuwde ze me. 'Je zit hier maar te zitten terwijl iedereen doorloopt. Het is een soort eenzame opsluiting.'

'Helemaal niet waar,' zei de Vitaminejongen. 'Doe toch eens normaal.'

'Dat moet wel lukken,' zei ik tegen haar terwijl ik hem aankeek.

'Zoals ik al zei: ik ben een eenvrouwsbedrijf,' voegde ze eraan toe. 'Ik heb dat bordje alleen maar opgehangen omdat... Ik weet eigenlijk niet waarom. Ik red het uitstekend in mijn eentje.'

Er werd weer flink gehoest in het stalletje met vitaminepillen. Ze draaide zich om en keek naar de jongen. 'Wil je soms een glaasje water?'

'Nee hoor,' antwoordde hij. 'Met míj is alles in orde.'

Ze keken elkaar even zonder iets te zeggen aan, met mij tussen hen in. Er speelde duidelijk iets tussen die twee, en dat kon ik er niet ook nog bij hebben. 'Weet je,' zei ik, 'laat maar. Bedankt voor de moeite.'

Ik liep weg en herpakte net mijn tassen, toen ik een ander

hoestje hoorde, gevolgd door de diepste zucht die ik tot dan toe had gehoord.

'Heb je ervaring in de detailhandel?' riep ze me na.

Ik liep terug. 'Ik heb achter de toonbank gestaan,' zei ik. 'En ik heb kassawerk gedaan.'

'Wat voor werk deed je hiervoor?'

'Ik bezorgde zoekgeraakte bagage voor luchtvaartmaatschappijen.'

Ze wilde nog iets anders vragen, maar toen ze dit hoorde, zweeg ze en ze keek me met grote ogen aan. 'Serieus?'

Ik knikte en ze bekeek me nog eens goed. Ik vroeg me af of ik wel wilde werken voor iemand die me met zoveel tegenzin aannam. Maar voor ik daar goed over kon nadenken, zei ze: 'Laat ik maar gewoon open kaart spelen. Ik geef dingen moeilijk uit handen. Ik weet dus niet of het wel zin heeft.'

'Geen probleem,' zei ik.

Toch merkte ik dat ze aarzelde. Alsof het nog twee kanten op kon.

'Jezus,' zei vitaminejongen uiteindelijk. 'Zeg nou maar gewoon dat ze is aangenomen!'

'Oké,' zei ze, en ze gooide haar handen in de lucht, alsof ze weer een weddenschap had verloren, een flinke deze keer. 'We moesten het maar proberen.'

'Top,' zei ik tegen haar. Vitaminejongen lachte naar me. Zij bleef echter op haar hoede toen ze me haar hand toestak. 'Harriet.'

'Ruby,' antwoordde ik. En toen was ik aangenomen.

* * *

Harriet had niets te veel gezegd. Ze was een vreselijke controlfreak, en dat kwam de volgende twee uur flink tot uiting, toen ze me inwerkte in de filosofie van haar sieraden en een uitgebreide uitleg van de kassa. Pas nadat ik beide had doorstaan – en een overhoring om te controleren of ik het allemaal had begrepen – en ze over mijn schouders meekeek toen ik vier verschillende klanten hielp, besloot ze eindelijk dat ze me alleen kon laten en ging ze koffie halen.

'Ik ben daar,' zei ze, en ze wees naar het koffietentje dat nog geen honderdvijftig meter verderop was. 'Gewoon hard roepen en ik kom terug.'

'Ik ga heus niet roepen, hoor,' verzekerde ik haar.

Ze keek weinig overtuigd toen ze wegliep en keek nog minstens twee keer achterom. Toen ze uit zicht was, ontspande ik me en liep nog een keer door alles wat ik geleerd had. Ik stond de displays af te stoffen, toen Vitaminejongen naar me toe kwam.

'Zo,' zei hij. 'Ben je er al klaar mee?'

'Ze is inderdaad best heftig,' gaf ik toe. 'Hoe gaat haar andere personeel daarmee om?'

'Niet,' antwoordde hij. 'Ik bedoel: er is niemand anders. Jij bent de eerste en de enige.'

Dat verklaarde een hoop. 'Dat meen je niet.'

Hij knikte plechtig. 'Ze heeft al heel lang iemand nodig, dus dit is een grote stap voor haar. Enorm, eigenlijk wel.' Hij graaide vervolgens in zijn zak en haalde er een handjevol pillen uit. 'Ik heet trouwens Reggie. Wil je gratis vitamine B-complex?'

Ik keek hem aan en schudde mijn hoofd. 'Ruby. En uh... nee, dank je.'

'Wat jij wilt,' zei hij. 'Hé, Nate! Werken die haaienkraakbeensupplementen een beetje? Hebben ze je leven al veranderd?'

Ik draaide me om. En ja hoor, Nate kwam op ons aflopen

met een doos in zijn handen. 'Nog niet,' antwoordde hij, terwijl hij een hand vrijmaakte om Reggie een high five te kunnen geven. 'Maar ik slik ze nog maar net.'

'Wel blijven volhouden hoor,' zei Reggie. 'Twee keer per dag, iedere dag. Dan heb je nergens meer last van. Ze zijn echt fantastisch.'

Nate knikte en keek vervolgens naar mij. 'Hoi,' zei hij.

'Hoi.'

'Ze werkt voor Harriet.' Reggie gaf hem een por.

'Dat lieg je,' zei Nate ongelovig. 'Heeft Harriet echt eindelijk iemand aangenomen?'

'Waarom is dat zo raar?' vroeg ik. 'Ze had toch een bordje hangen met PERSONEEL GEVRAAGD erop?'

'Dat hing er al een halfjaar, ja,' zei Nate, die de doos neerzette op de stoel achter mij.

'En er hebben honderden mensen gesolliciteerd,' voegde Reggie eraan toe. 'Ze had uiteraard een goede reden om nooit iemand aan te nemen. Te brutaal, stom kapsel, misschien wel allergisch voor de wierook...'

'Maar jou heeft ze toch ook aangenomen?' zei ik tegen Nate. 'Ja toch?'

'Onder dwang,' antwoordde hij, terwijl hij wat papieren uit de doos haalde.

'Daarom,' zei Reggie, die net een vitamine B-complexpil in zijn mond stak, 'is het zo'n wonder dat jij nu hier werkt.'

'Echt wel,' zei Nate. 'Ongelooflijk. Misschien heeft ze iets met rood haar?'

'Soort zoekt soort,' was Reggie het met hem eens, 'of misschien heeft ze zelf ook eindelijk in de gaten dat ze op instorten staat. Ik weet het niet hoor, maar heb je gezien hoeveel koffie ze drinkt?'

'Ik dacht dat ze was overgestapt op smoothies? Jullie hadden toch een weddenschap afgesloten?'

'Ze hield het niet vol,' zei Reggie. 'Ik krijg inmiddels al zeker duizend dollar van haar.'

'Waar zijn jullie mee bezig?' wilde Harriet weten, die terug kwam lopen met weer een grote beker koffie in haar hand. 'Neem ik eindelijk iemand aan en dan gaan jullie haar meteen staan afleiden?'

'Ik bood haar alleen wat vitamine B-complex aan,' zei Reggie. 'Ik dacht dat ze dat wel zou kunnen gebruiken.'

'Ontzettend grappig,' mopperde ze en ze liep naar Nate, die haar het papier wilde geven dat hij net uit de doos had gehaald.

'Weet je,' zei hij tegen haar toen ze haar blik erover liet gaan, 'ik vind het super dat je eindelijk toegeeft dat je wel wat hulp kunt gebruiken. Dat is de eerste stap op weg naar genezing.'

'Ik ben een eenvrouwszaak,' zei ze. 'Het is heel normaal dat ik veel uren maak. Vraag maar aan je vader.'

'Dat zou ik wel willen,' zei Nate, 'maar ik zie hem nooit. Hij is altijd aan het werk.'

Ze keek hem alleen maar aan, pakte een pen van de kassa, zette haar handtekening onderaan op het papier en gaf het hem terug. 'Zal ik nu een cheque uitschrijven, of kun je ook een rekening sturen?'

'We factureren het wel,' zei hij, terwijl hij het papier op-vouwde en in zijn zak stopte. 'Hoewel mijn vader tegen-woordig wel erg graag automatisch af laat schrijven.'

'Wat bedoel je daarmee?'

'We factureren en schrijven het meteen af. Je hebt er zelf geen omkijken meer naar,' legde Nate uit. 'Zal ik dat met-een voor je regelen? Ik heb de papieren in de auto liggen. Dan wordt je leven nóg makkelijker.'

'Nee,' zei Harriet rillend. 'Ik vind het al doodeng om jou iets te laten posten.'

Nate keek me aan alsof hij wilde zeggen: *Zie je nou wel?* 'Denk er maar even over na,' zei hij. 'Heb je nog iets nodig?'

'Genoeg, maar daar kun jij me niet bij helpen,' zei Harriet zuchtend. 'Ik bedoel dat ik mijn handen al vol heb aan Ruby. Ze moet nog leren hoe ze de displays moet rangschikken, hoe ze moet openen en afsluiten, hoe ze de voorraad op alfabetische volgorde en steensoort moet opbergen...'

'Nou,' zei Nate, 'volgens mij moet dat geen problemen opleveren.'

'Om nog maar te zwijgen,' ging ze verder, 'over de code van het cijferslot van het contante geld die iedere week veranderd moet worden, het afwisselen van de verschillende soorten wierook zodat de ene geur niet sneller opgaat dan de andere, en wat te doen bij rampen.'

'Bij rampen?' vroeg Reggie.

'Ja, het rampenplan,' zei Harriet.

Hij keek haar zonder iets te zeggen aan.

'Je gaat me toch niet vertellen dat jij geen plan hebt dat in werking treedt als er een terroristische aanval wordt gepleegd? Of als het winkelcentrum wordt getroffen door een tornado? En als je nou eens heel snel en efficiënt zou moeten evacueren?'

Reggie schudde langzaam zijn hoofd, met wijd opengesperde ogen, zonder iets te zeggen. 'Kun jij 's nachts slapen?' vroeg hij.

'Nee,' zei Harriet. 'Hoezo?'

Nate kwam naast me staan en fluisterde zachtjes in mijn oor: 'Succes. Je zult het nodig hebben.'

Ik knikte en hij liep zwaaiend naar Harriet en Reggie weg. Ik richtte me weer op de display en bereidde me voor op het terroristische plan van aanpak, maar ze pakte haar koffie en nam er bedachtzaam een slok van. 'Vertel eens,' zei ze. 'Nate en jij zijn dus vrienden?'

'Buren,' zei ik. Ze trok haar wenkbrauwen op en ik voegde eraan toe: 'We kennen elkaar pas een week. Ik rijd met hem mee naar school.'

'Aha.' Ze zette de beker terug op de kassa. 'Het is een prima knul. We lopen elkaar vaak te pesten, maar ik mag hem heel graag.'

Ik wist dat ik haar zou moeten bijvallen en moest zeggen dat ik hem ook heel leuk vond. Maar ik dacht dat als er iemand was die begreep waarom ik dat niet deed, het Harriet wel moest zijn. Werkzaamheden delegeren was niet haar sterkste kant; ik had dezelfde terughoudendheid, maar dan op persoonlijk gebied. Als ik op mezelf aangewezen zou zijn, zou ik ook een eenvrouwszaak zijn. Helaas was door toedoen van Nate het leed al geleden. Als ik er die eerste avond niet vandoor had proberen te gaan en een dag later met iemand anders was meegereden naar huis, zouden we nog steeds gewoon buren zijn die niets met elkaar te maken zouden hebben. En moest je nou eens zien. Ik kon niet meer doen of ik niemand kende, was niet toe aan vriendschap en vond het heel kleine beetje dat we elkaar kenden, eigenlijk al te veel.

* * *

Toen ik later die avond bij Cora aankwam, stond de oprit vol auto's en was de voordeur open, waardoor er licht op de stoep en het pad scheen. Toen ik dichterbij kwam, zag ik mensen in de keuken krioelen en hoorde ik muziek uit de achtertuin komen.

Ik wachtte tot de kust veilig was voor ik naar binnen ging en de deur achter me dichtdeed. Met mijn tassen in mijn handen liep ik vlug de trap op, en ik stond boven pas stil om te kijken wat er zich beneden allemaal afspeelde. In de keuken stond het vol met mensen die zich rond het kookeiland en de tafel hadden verzameld, door de openstaande tuindeuren liepen anderen binnen en buiten. Er stond eten dat erg lekker rook op het aanrecht – mijn maag knorde, ik had niet geluncht – en op de patio stonden wijnkoelers met ijs en drankjes erin. Dit was duidelijk geen spontane gebeurtenis waartoe op het laatste moment was besloten. Aan de andere kant was mijn komst ook niet echt gepland.

Terwijl ik dit stond te overdenken, hoorde ik rechts van me mensen praten. Ik zag dat de deur van Cora's slaapkamer openstond. Er stonden twee vrouwen met hun rug naar me toe voor de deur naar de badkamer. De ene was tenger, had blond haar in een paardenstaart en droeg een spijkerbroek en sweater. De andere was langer, droeg een zwarte jurk en laarzen en had een glas rode wijn in haar hand.

'… goed, wedden?' zei de blonde. 'Zodra je er niet meer de hele tijd aan loopt te denken, gebeurt het.'

'Denise,' zei de brunette. Ze schudde haar hoofd en nam een slok wijn. 'Daar heeft ze toch niks aan? Het lijkt nu net of het haar eigen schuld is, of zo.'

'Zo bedoelde ik het helemaal niet,' zei Denise. 'Ik wil alleen maar zeggen dat je nog tijd zat hebt. Het lijkt wel gisteren dat we ons druk liepen te maken als we een keer over tijd waren, weet je nog wel?'

De brunette keek haar boos aan. 'Weet je,' zei ze tegen wie ze het dan ook mochten hebben, 'je doet alles goed: je weet hoe je cyclus loopt, je temperatuurt. Ik kan me voorstellen dat je dan wanhopig wordt als het niet lukt. Maar je bent er nog maar net mee bezig, en er zijn zoveel manieren om zwanger te raken tegenwoordig. Dat weet je toch?'

Ik liep al weg van de deur omdat ik me realiseerde dat dit een wel heel erg persoonlijk gesprek was, toen de vrouwen opzij gingen en ik mijn zus uit haar badkamer zag komen, knikkend en haar ogen afvegend. Voordat ze me kon zien drukte ik mezelf tegen de muur bij de trap, en hield ik mijn adem in, terwijl ik verwerkte wat ik zojuist had gehoord. Wilde Cora een kínd? Het was duidelijk dat ze niet alleen van baan en huwelijkse staat was veranderd in de jaren die we apart hadden doorgebracht.

Ik hoorde ze nog steeds praten en het geluid werd steeds harder naarmate ze dichter bij de deur kwamen. Toen ze bijna bij me waren, liep ik de overloop weer op, alsof ik net de trap op was gelopen, en liep bijna tegen de blondine op.

'Oef,' zei ze naar adem snakkend, haar hand op haar borst. 'Je liet me schrikken, ik had je niet gezien.'

Ik keek naar Cora, die mij vorsend aankeek, alsof ze zich afvroeg wat ik allemaal had gehoord. Van dichtbij zag ik dat ze rode ogen had, ondanks de make-up die overduidelijk net was aangebracht om je iets anders te doen geloven. 'Dit is Ruby,' zei ze. 'Mijn zus. Ruby, dit zijn Denise en Charlotte.'

'Hoi,' zei ik. Ze stonden me allebei uitvoerig te bestuderen en ik vroeg me af hoeveel ze van ons verhaal af wisten.

'Wat leuk om je eindelijk te zien!' zei Denise, en ze zette een stralende lach op. 'Je kunt wel zien dat jullie familie zijn van elkaar!'

Charlotte sloeg haar ogen ten hemel. 'Let maar niet op Denise hoor,' zei ze tegen mij. 'Ze denkt dat ze altijd iets moet zeggen, ook al slaat het helemaal nergens op.'

'Hoezo slaat dat nergens op?' vroeg Denise.

'Omdat ze helemaal niet op elkaar lijken, misschien?' antwoordde Charlotte.

Denise keek me nog eens aan. 'Misschien niet qua haarkleur,' zei ze. 'Of qua huidskleur. Maar in het gezicht, rond de ogen... Dat zie je toch wel?'

'Nee,' zei Charlotte, en ze nam nog een slok wijn. Nadat ze hem had doorgeslikt, voegde ze eraan toe: 'Ik bedoel er verder niks mee, hoor.'

'Weet ik toch,' zei Cora, en ze leidde hen naar de trap. 'Ga lekker iets eten, dames. Jamie heeft genoeg vlees voor een weeshuis, en het wordt koud.'

'Kom je ook?' vroeg Charlotte toen Denise met dansende paardenstaart naar beneden liep.

'Ik kom er zo aan.'

Cora en ik stonden boven aan de trap te kijken hoe ze naar beneden liepen en al weer over iets anders aan het kibbelen waren toen ze in de keuken verdwenen. 'We waren huisgenoten op de universiteit,' zei ze tegen me. 'Ik dacht eerst dat ze elkaar niet konden uitstaan. Maar toen bleek het tegenovergestelde waar te zijn. Ze zijn al sinds hun vijf-de beste vriendinnen.'

'Dat meen je niet,' zei ik, en ik keek weer naar de keuken, waar ik Denise en Charlotte tussen de mensen door zag lopen, af en toe iemand groetend.

'Je weet wat ze zeggen: tegenpolen trekken elkaar aan.'

Ik knikte en we keken allebei een tijdje naar beneden. Ik zag Jamie in de achtertuin staan bij iets donkers, waarvan ik aannam dat het de vijver was.

'Maar vertel eens,' zei Cora opeens. 'Lekker geshopt?'

'Ja hoor,' zei ik. Toen duidelijk werd dat ze wel wat meer wilde weten, voegde ik eraan toe: 'Ik heb een paar goede dingen gescoord. En een baantje, trouwens.'

'Een baantje?'

Ik knikte. 'In een sieradenwinkeltje.'

'Is dat nou wel zo'n goed idee, Ruby?' vroeg ze met haar armen over elkaar geslagen tegen de balustrade leunend. 'Is het niet slimmer om je voorlopig op je schoolwerk te concentreren?'

'Het is maar voor hooguit vijftien uur per week,' zei ik. 'En ik heb altijd baantjes gehad.'

'Dat zal allemaal wel,' zei ze, 'maar op Perkins Day moet je veel harder werken dan op je oude school. Ik heb je gegevens ingezien. Als je wilt gaan studeren, moet je echt hard gaan werken aan betere cijfers.'

Studeren? dacht ik. 'Dat lukt wel met een baantje erbij,' zei ik.

'Maar het hoeft helemaal niet. Snap dat dan. Toen ik op de middelbare school zat, werkte ik dertig uur per week, omdat het niet anders kon. Jij hóéft niet te werken.'

'Het is ook geen dertig uur per week,' zei ik.

Ze keek me met samengeknepen ogen aan en maakte zo duidelijk dat ik haar niet begreep. 'Ruby, we willen dit graag voor je doen, oké? Maak het nou niet moeilijker dan het al is.'

Ik deed mijn mond open om te gaan zeggen dat ik er nooit om had gevraagd dat ze zich met mijn toekomst bemoeide, of om daar haar probleem van te maken. Dat ik bijna achttien was, en zeer goed in staat om mijn eigen beslissingen te nemen over wat ik wel en niet aankon. En dat ze na een week echt niet moest denken dat ze mijn moeder of mijn voogd was, wat er ook in mijn gegevens stond.

Maar net toen ik diep ademhaalde om het er allemaal uit te gooien, zag ik haar rode ogen en ik hield me in. We hadden allebei een lange dag gehad, en als ik er nu te diep op in zou gaan, zou hij nog veel langer worden.

'Oké,' zei ik. 'We hebben het er nog wel over. Maar niet nu, goed?'

Cora keek me verbaasd aan. Deze reactie had ze duidelijk niet verwacht, ook al had ik voorwaarden gesteld. 'Prima,' zei ze. Ze slikte een keer en keek weer naar het feestje beneden. 'Er is zat eten beneden, mocht je nog niet gegeten hebben. Sorry dat ik niet heb gezegd dat er een feestje was, maar het is momenteel nogal een gekkenhuis.'

'Geeft niks,' zei ik.

Ze keek me weer aan. 'Goed,' zei ze uiteindelijk. 'Ik moest maar eens naar beneden gaan. Kom maar... als je zin hebt.'

Ik knikte en ze liep langs me naar beneden. Halverwege keek ze omhoog en ik wist dat ze zich afvroeg waarom ik opeens met haar had ingestemd. Ik kon moeilijk zeggen dat ik alles had gehoord. Het ging mij niets aan. Maar toen ik naar mijn kamer liep, dacht ik wel aan wat Denise had gezegd, die ons op elkaar vond lijken. Misschien leken we wel meer op elkaar dan we dachten. We zaten allebei te wachten en te hopen op iets wat buiten onze macht lag: ik wilde graag alleen zijn, zij juist helemaal niet. Vreemd om zoiets tegenovergestelds gemeen te hebben. Maar het was in elk geval iets.

₊

'... dat acupunctuur echt werkt. Wat zeg je? Nee joh, je voelt er niks van. Echt niet.'

'... er klaar mee. Diezelfde avond besloot ik te kappen met blind dates. Arts of geen arts.'

'... maar 45.000 kilometer op de teller en er zit nog garantie op. Man, dat is een koopje!'

Ik was een minuut of twintig op het feestje, had mensen gegroet die mij groetten en was bezig aan mijn tweede bord vlees van de barbecue met koolsla en aardappelsalade. Hoewel de vrienden van Cora en Jamie me best aardig leken, vond ik het prima dat ik met niemand hoefde te praten, tot ik een stem hoorde die boven alle andere uit kwam.

'Roscoe!'

Jamie stond achter in de tuin, nog voorbij de vijver, in het donker te staren. Toen ik naar hem toe liep, kon ik voor het eerst eens goed naar de vijver kijken, waar tot mijn grote verrassing al water in zat; er hing een slang in. In het donker leek hij zelfs nog groter, en ik had geen idee hoe diep hij was; het leek oneindig.

'Wat is er aan de hand?' vroeg ik toen ik naast hem stond.

'Roscoe is pleite,' zei hij. 'Daar heeft hij nogal een handje van. Hij is niet zo dol op zoveel mensen om zich heen. Hij heeft er minder moeite mee dan met het brandalarm, maar toch.'

Ik keek in het donker om me heen, en keek toen langzaam naar de vijver. 'Hij kan toch wel zwemmen, hè?'

Jamie zette grote ogen op. 'Shit,' zei hij. 'Daar had ik nog niet bij stilgestaan.'

'Ik weet zeker dat hij er niet in ligt,' zei ik tegen hem, omdat ik ervan baalde dat ik erover was begonnen. Jamie liep naar de rand van de vijver om er met een bezorgde uitdrukking in te kijken. 'Het is zelfs zo...'

Toen hoorden we het allebei tegelijk: er werd duidelijk gekeft, op hoge toon en niet versluierd door water. Het kwam uit de richting van het hek. 'Goddank,' zei Jamie en hij draaide zich weer om. 'Roscoe! Kom maar, jongen.'

Er klonk nog meer geblaf, maar er was geen spoor van Roscoe. 'Ik vrees dat we hem moeten gaan halen,' zei Jamie zuchtend. 'Wacht even, ik...'

'Ik ga wel,' zei ik.

'Weet je het zeker?'

'Ja. Ga jij maar terug naar het feestje.'

Hij lachte dankbaar naar me. 'Top. Bedankt.'

Ik knikte, zette mijn bord bij een boom die in de buurt stond, en liep weg. Achter mij was het feest nog in volle gang, maar de stemmen en de muziek werden zachter naarmate ik verder de tuin in liep in de richting van de bomen die parallel stonden aan het hek. Nog geen week daarvoor had ik op dezelfde plek gelopen en dacht ik aan weglopen. Nu stond ik hier om datgene dat me toen tegenhield te gaan zoeken. Stomme hond.

'Roscoe,' riep ik terwijl ik gebukt onder de eerste boom door liep en de bladeren over mijn hoofd schuurden. 'Roscoe!'

Geen antwoord. Ik bleef staan om mijn ogen te laten wennen aan het donker en draaide me toen om naar het huis. De vijver, die ertussenin lag, leek nu nog groter, het licht van de patio weerscheen in het water. Ik hoorde nog meer geblaf, nu van dichterbij. Het klonk echter meer als gejank.

'Roscoe,' riep ik, in de hoop dat hij weer zou reageren, alsof het een spelletje was. Toen dat niet gebeurde, liep ik verder in de richting van het hek en ik riep hem nog een keer. Pas toen ik heel dichtbij was, hoorde ik dat er aan de andere kant ergens panisch werd gekrabd. 'Roscoe?'

Toen ik hem herhaaldelijk hoorde janken, ging ik sneller lopen in de richting van het hek, althans dat hoopte ik. Uiteindelijk voelde ik een scharnier en, een stukje verder, een gat. Heel klein, minuscuul bijna. Maar groot genoeg voor een kleine hond om zich erdoorheen te wringen als hij zijn best deed. Het eerste wat ik zag toen ik op mijn hurken ging zitten, was meneer Cross, die met zijn handen in zijn zij bij het zwembad stond. 'Ik weet dat je er bent,' zei hij om zich heen kijkend. 'Ik weet wat je met het vuilnis hebt uitgespookt. Kom nou maar gewoon tevoorschijn.'

O jee, dacht ik. Ik zag Roscoe achter een bloembak zitten. Meneer Cross had hem duidelijk nog niet gezien, en hij draaide zich weer om en keek de tuin in. 'Je zult toch een keer tevoorschijn moeten komen,' zei hij toen hij zich bukte om onder een ligstoel te kijken. 'En dan zul je wat beleven.'

Roscoe jankte bij wijze van antwoord. Meneer Cross draaide zich vliegensvlug om en zag hem meteen zitten. 'Aha!' zei hij. 'Hier komen, jij.'

Roscoe was echter niet zo stom als ik dacht. In plaats van te luisteren, ging hij er als een speer vandoor in de richting van het hek, en mij. Meneer Cross wilde hem in het voorbijgaan pakken, miste de eerste keer en trok hem vervolgens bij een achterpoot omhoog.

'Niet zo snel,' zei hij met gedempte stem terwijl Roscoe zich uit alle macht probeerde los te wringen. Meneer Cross pakte hem steviger beet en sloot zijn handen om zijn nek. 'Wij gaan eens even...'

'Roscoe!'

Ik schreeuwde zo hard, dat ik er zelf van schrok. Maar niet zo erg als meneer Cross, die de hond meteen losliet, rechtop ging staan en een stap naar achteren deed. We keken elkaar aan terwijl Roscoe op me afgerend kwam, zich onder het hek door wurmde en tussen mijn benen ging zitten. 'Hoi,' riep hij toen met vriendelijke stem. 'Leuk feestje, zo te horen.'

Ik zei niets en deed alleen een stap naar achter, om zo de afstand tussen ons te vergroten.

'Hij zit steeds in ons vuilnis,' riep hij, en hij haalde zijn schouders op alsof hij wilde zeggen: *Tja, wat doe je eraan?* Jamie en ik hebben het er al vaker over gehad. Het begint echt een probleem te worden.'

Ik wist dat er van me verwacht werd dat ik reageerde; maar ik stond daar maar, als een zombie. Ik kon alleen maar denken aan zijn hand, die zich om de nek van Roscoe sloot.

'Zou je aan Cora en Jamie willen vragen of ze hem aan jullie kant van het hek willen houden?' vroeg meneer Cross. Zijn spierwitte tanden lachten me tegemoet. 'Beter een goede buur, en zo.'

Nu knikte ik wel, voor ik me omdraaide en de poort achter me dichttrok. Meneer Cross stond met zijn handen in zijn zakken bij het zwembad naar me te lachen, de weerspiegeling van het water in zijn gezicht.

Ik liep onze tuin weer in en deed een poging om te verwerken wat ik zojuist had gezien en waarom me dat nou precies de stuipen op het lijf had gejaagd. Ik kon er mijn vinger niet op leggen, ook nog niet toen ik Roscoe langs de rand van de vijver zag lopen snuffelen. Maar ik pakte hem voor de zekerheid toch maar op en droeg hem het laatste stuk.

,

Toen we dichterbij kwamen, hoorde ik de muziek. Eerst alleen wat getokkel op een gitaar, maar toen kwam er een ander instrument bij, dat melodieuzer klonk. 'Oké,' zei iemand die boven het getokkel uit kwam. 'En dan nu een gouwe ouwe.'

Ik zette Roscoe op de grond, en liep naar de plek waar iedereen zich had verzameld. Toen een gozer in een leren jack die voor me stond een stap naar links deed, zag ik dat Jamie die woorden gesproken had. Hij zat op een keukenstoel gitaar te spelen en er zat een man met een banjo naast hem met zijn hoofd te knikken. Ze deden Led Zeppelins *Misty Mountain Hop*. Hij zong eigenlijk best goed, en hij speelde nog beter. Zo vreemd: mijn zwager bleef me verbazen, eerst met zijn ongelooflijke carrière, toen met zijn vijver en nu hier weer mee. Dat zou ik allemaal nooit geweten hebben als ik die eerste avond de poort had weten te vinden.

'Heb je het een beetje naar je zin?'

Ik draaide me om en zag Denise naast me staan, de vriendin van Cora. 'Ja,' zei ik. 'Ze hebben het groots aangepakt.'

'Dat doen ze altijd,' zei ze opgewekt en ze nam een slok van haar bier. 'Dat krijg je ervan als je zo verschrikkelijk sociaal bent. Dat trekt een hoop mensen aan.'

'Ja, Jamie heeft dat echt in zich, hè?'

'Nou, ik had het eigenlijk over Cora,' zei ze. Het liedje was afgelopen en iedereen barstte uit in een spontaan applaus.

'Maar hij ook wel hoor, je hebt gelijk.'

'Cora?' vroeg ik verbaasd.

Ze keek me duidelijk verrast aan. 'Nou eh... ja,' zei ze. 'Je kent haar toch? Ze is een echte moederkloek, die iedereen onder haar vleugels neemt. Zet haar in een kamer vol onbekenden, en binnen tien minuten kent ze iedereen.'

'Echt waar?' vroeg ik.

'Ja joh,' antwoordde ze. 'Cora is een echt mensenmens. Ze is empathisch. Ik zou mijn laatste relatiebreuk niet overleefd hebben zonder haar. En die daarvoor ook allemaal niet, nou ik erover nadenk.'

Ik stond dit op me in te laten werken terwijl Denise nog een slok bier nam en een jongen met een petje op groette die voorbijliep. 'Zo ken ik haar helemaal niet,' zei ik. 'Maar we hebben elkaar dan ook een hele tijd niet gezien.'

'Weet ik,' zei ze. Ze voegde er snel aan toe: 'Ze had het constant over jou toen we studeerden.'

'Is dat zo?'

'Hou op, schei uit. Ze had het nergens anders over,' zei ze meelevend. 'Ze...'

'Denise!' riep iemand. Ze draaide zich om en keek over de schouder van de jongen naast haar. 'Ik krijg dat nummer nog van je, weet je wel?'

'Klopt,' zei ze, en ze lachte verontschuldigend naar me. 'Wacht even. Ik ben zo terug...'

Ze liep weg, en ik vroeg me af wat ze had willen zeggen. Ik keek waar Cora was en zag haar uiteindelijk met Charlotte bij de keukendeur staan. Ze lachte en zag er veel blijer uit dan eerder die avond. Ze had haar haar in een staart gedaan, waardoor ze er nog jonger uitzag, en ze droeg een trui die haar een zachte uitstraling gaf. Ze had een glas wijn in haar hand. Ik was er blind van uitgegaan dat iedereen hier voor Jamie was, maar mijn zus zou natuurlijk best veranderd kunnen zijn in de jaren die we elkaar niet hadden gezien. 'Ze heeft nu haar eigen leven,' had mijn moeder keer op keer gezegd. Dit was dat leven dus, en ik vroeg me af hoe het moest zijn om echt opnieuw te beginnen door alle schepen achter je te verbranden. Misschien was het zelfs wel heel makkelijk geweest.

Makkelijk. Ik zag mezelf een week eerder thuiskomen in het verlaten gele huis na een lange werkdag bij Commercial. Hoe vaak had ik de afgelopen dagen zelf eigenlijk gedacht aan thuis of mijn oude school of wat dan ook van vroeger? Veel minder dan ik van plan was geweest. Ik was al die jaren zo boos geweest dat Cora me vergeten was en zonder mij met een schone lei was begonnen, en nu deed ik precies hetzelfde. Waar hing mijn moeder uit? Was het echt zo eenvoudig om, als je eenmaal was ontsnapt, er allemaal geen moer meer om geven?

Ik voelde me opeens erg moe en overdonderd door alle gebeurtenissen van afgelopen week. Toen ik de trap op liep, was ik blij dat ik beschutting kon zoeken in mijn kamer, ook al was het dan maar tijdelijk, zoals de rest.

Ik had gewoon slaap nodig, maakte ik mezelf wijs terwijl ik mijn schoenen uitschopte en me op bed liet vallen. Ik deed mijn ogen dicht, probeerde het gezang buiten te sluiten en dwong mezelf in het donker te blijven liggen.

Toen ik wakker werd, wist ik niet hoe lang ik had geslapen. Het konden net zo goed uren als minuten zijn geweest. Ik had een droge mond en mijn arm was verkrampt omdat ik verkeerd had gelegen. Toen ik me omdraaide en me uitrekte, wilde ik alleen maar terug naar mijn droom, waar ik me slechts van kon herinneren dat hij fijn was geweest, zoals alleen dingen die niet echt gebeuren dat kunnen zijn. Ik deed net mijn ogen dicht in een poging mijn droom weer op te pakken, toen ik buiten iemand hoorde lachen en klappen. Het feestje was dus nog niet afgelopen.

Toen ik op mijn balkon stond, zag ik dat er nog een stuk of twintig mensen waren. De banjospeler was weg, Jamie zat alleen te spelen, terwijl er om hem heen werd gekletst.

'Het is al laat,' zei Charlotte, die een trui over haar jurk had aangetrokken. Ze geeuwde met een hand voor haar mond. 'Het is morgen weer vroeg dag.'

'Het is morgen zondag,' zei Denise, die naast haar zat. 'Iedereen slaapt toch uit op zondag?'

'Nog één nummer,' zei Jamie. Hij keek om zich heen en keek achterom naar een plek buiten mijn gezichtsveld. 'Mag dat?' vroeg hij. 'Nog één nummer?'

'Kom op,' zei Denise smekend. 'Eentje nog.'

Jamie lachte en begon te spelen. Het was koud buiten, dat vond ik tenminste. Ik wilde net weer naar binnen gaan en onderdrukte een geeuw, toen het nummer dat hij speelde me ineens bekend voorkwam. Het leek aan me te trekken, niet heel sterk, maar wel volhoudend. Alsof de melodie alleen van mij was.

'I'm an old woman, named after my mother...'

Het was een zuivere, vaste stem, en ook deze kwam me bekend voor, maar slechts vaag. Hij leek op de stem die ik kende, maar was toch anders – mooier, zachter.

'My old man is another child that's grown old...'

Het was Cora. Cora, die met een prachtig stemgeluid de noten zong die we allebei zo vaak hadden gehoord van het liedje dat me meer dan wat ook aan mijn moeder deed denken. Ik dacht terug aan eerder die avond, toen ik nog vond dat we allebei ons verleden gewoon waren vergeten. Maar nu werd het een beetje eng om me opeens zo verbonden te voelen en zoveel herinneringen te hebben die niet te stoppen waren – wij allebei in nachtjapon, Cora die me stevig vastpakte, ik die lag te luisteren naar haar rustige en regelmatige ademhaling aan de andere kant van de donkere kamer.

Ik kreeg een brok in mijn keel, maar toen ik moest huilen wist ik niet voor wie mijn tranen bestemd waren. Voor Cora, voor mijn moeder, of misschien wel alleen voor mezelf.

6

Ik kon het niet wetenschappelijk aantonen, maar ik wist zeker dat Gervais Miller het irritantste mens op aarde was. Om te beginnen zijn stem. Die klonk monotoon, nasaal en zonder stembuiging vanaf de achterbank en verkondigde en observeerde van alles en nog wat. 'Je hebt klitten op je achterhoofd,' zei hij ooit tegen me, toen ik geen tijd had gehad om mijn haar te föhnen. Of die keer dat ik een t-shirt uit de was had gehaald: 'Je stinkt naar drogerdoekjes.' Pogingen hem te negeren door te doen alsof ik zat te leren, resulteerden slechts in commentaar op mijn academische vaardigheden, of liever gezegd het gebrek daaraan. 'Inleiding tot de statistiek? Ben jij zó dom?' Of: 'Had jij maar een ácht voor je proefwerk?' En zo kan ik nog wel even doorgaan.

Ik zou hem het liefst op zijn bek slaan. Iedere dag opnieuw. Maar dat kon uiteraard niet en daar waren twee redenen voor: ten eerste was hij nog maar een kind; ten tweede was het onmogelijk om hem goed te raken vanwege zijn buitenboordbeugel. (Het feit dat ik er kennelijk lang genoeg bij had stilgestaan om tot deze conclusie te komen, zou me eigenlijk hebben moeten verontrusten. Maar dat deed het niet.)

Als hij te ver ging draaide ik me om en keek ik hem vernietigend aan, wat meestal wel hielp. Hij hield dan de rest van de rit zijn mond, en soms zelfs de volgende dag ook nog. Na verloop van tijd echter keerde zijn irritante gedrag altijd erger dan ooit terug.

Tijdens meer rationele momenten probeerde ik begrip op te brengen voor Gervais. Het was vast niet makkelijk om een wonderkind, hyperintelligent maar tegelijkertijd de jongste van de hele school te zijn. Hij liep altijd alleen door de gang, zijn rugzak over zijn schouder, vreemd voorovergebogen lopend, alsof hij constant op het punt stond iemand een kopstoot te geven.

Omdat hij nog maar een kind was, en dus niet volwassen, moest hij bijvoorbeeld heel erg hard lachen als iemand een scheet liet of boerde. Hij vond het nóg grappiger als ze van hemzelf afkomstig waren. Zet hem 's ochtends met twee anderen in een kleine ruimte: succes verzekerd. Ik kan dus volstaan met te zeggen dat we altijd wisten wat hij had ontbeten, en zelfs nu het winter werd deed ik mijn raam vaak open, en Nate ook.

De maandagochtend na Cora's feestje echter, toen ik om halfacht in de auto stapte, voelde ik dat er iets was veranderd. Even later wist ik wat het was: de achterbank was leeg.

'Waar is Gervais?' vroeg ik.

'Naar de dokter,' antwoordde Nate.

Ik ging eens goed zitten voor een ritje zonder Gervais. Mijn opluchting moet wel heel erg opvallend zijn geweest, want even later zei Nate: 'Ach, hij valt best wel mee.'

'Ik neem aan dat je een geintje maakt?' vroeg ik.

'Nee,' zei hij, 'hoewel ik meteen toegeef dat hij niet de makkelijkste is.'

'Doe me een lol zeg,' zei ik geïrriteerd. 'Hij is afschuwelijk.'

'Zo erg is het nou ook weer niet.'

'Hij stinkt,' zei ik, en ik stak één vinger op. Toen, terwijl ik nummer twee opstak, zei ik: 'En hij is lomp. De doden draaien zich om in hun graf van zijn geboer. En als hij nog één keer iets zegt over mijn boeken of vakkenpakket, dan...'

Ongeveer op dat moment viel het me op dat Nate me zat

aan te kijken alsof ik gek was. Dus hield ik mijn mond maar en reden we in stilte verder.

'Jammer dat je zo over hem denkt,' zei hij na een tijdje. 'Want volgens mij mag hij jou wel.'

Ik keek hem alleen maar aan. 'Je hebt toch wel gehoord dat hij gisteren zei dat ik dik was?'

'Hij zei helemaal niet dat je dik was,' zei Nate. 'Hij vond je alleen mollig.'

'Dat is toch precies hetzelfde?'

'Je moet niet vergeten,' zei hij, 'dat Gervais pas twaalf is.'

'Geloof me: dat weet ik heus wel.'

'En,' ging hij verder, 'jongens van twaalf zijn nou niet bepaald gehaaid als het op de vrouwtjes aankomt.'

'"Gehaaid als het op de vrouwtjes aankomt"? Hoe oud ben jíj eigenlijk?'

Hij veranderde van rijbaan en minderde vaart voor een stoplicht. 'Hij zit je alleen maar te pesten,' zei hij langzaam, alsof ik niet helemaal goed was, 'omdát hij je leuk vindt.'

'Gervais vindt mij niet leuk,' zei ik een beetje harder.

'Wat jij wilt.' Het licht sprong op groen. 'Maar tegen Heather zei hij nooit iets, toen ze nog meereed.'

'Echt niet?'

'Nee. Hij zat alleen maar scheten te laten, zonder commentaar te leveren.'

'Heerlijk,' zei ik.

'Dat kun je wel zeggen, ja.' Nate schakelde terug voor het volgende stoplicht. 'Ik wil alleen maar zeggen dat hij niet goed weet hoe hij normaal tegen je moet doen en hoe hij vriendschappen moet sluiten. Dus zegt hij dat je naar bomen stinkt en mollig bent. Zo zijn kinderen nou eenmaal.'

Ik sloeg mijn ogen ten hemel en keek naar buiten. 'Waarom zou Gervais bevriend willen zijn met mij?'

'Waarom niet?'

'Omdat ik niet vriendelijk ben?' zei ik.

'Vind je?'

'Wilde jij soms iets anders beweren dan?'

'Ik zou je niet onvriendelijk willen noemen.'

'Ik wel,' zei ik.

'Echt?'

Ik knikte.

'Zo. Interessant.'

Het licht sprong op groen en we reden verder.

'Interessant?' zei ik. 'Wat bedoel je daarmee?'

Hij haalde zijn schouders op en veranderde van rijstrook. 'Zo zie ik je helemaal niet. Je bent misschien wel erg op jezelf, ja. En je bent absoluut op je hoede. Maar zeker niet onvriendelijk.'

'Misschien komt dat wel omdat je me niet kent,' zei ik.

'Zou kunnen,' zei hij instemmend. 'Maar als iemand onvriendelijk is, merk je dat meestal meteen. Net zoals je het meteen ruikt als iemand naar zweet stinkt. Dat kun je ook niet verbergen.'

Ik dacht hier even over na terwijl we de volgende stoplichten naderden. 'Dus toen je me voor het eerst zag, 's avonds bij het hek, vond je me vriendelijk?'

'Ik vond je niet ónvriendelijk,' zei hij.

'Ik deed anders helemaal niet aardig tegen je.'

'Je wilde weglopen. Ik vatte het niet persoonlijk op.'

'Ik heb je trouwens nooit bedankt.'

'Nou en?'

'Dat had ik wel moeten doen. Of ik had de volgende dag op zijn minst een beetje aardiger kunnen doen.'

Nate haalde zijn schouders op en zette zijn knipperlicht aan. 'Geeft toch niks.'

'Dat vind ik wel,' zei ik. 'Je hoeft echt niet tegen iedereen zo aardig te doen, hoor.'

'Dat is nou juist het probleem. Ik kan niet anders. Het is dwangmatig. Ik ben tegen iedereen vriendelijk.'

En dat was ook zo. En dat was me die avond bij het hek ook al meteen opgevallen, omdat dat ook iets was wat je niet kon verbergen. Misschien had ik Nate nog een keer moeten uitleggen wat ik bedoelde, dat ik mijn gedrag kon verklaren, maar hij boog zich al naar de radio en zette de lokale zender op waar hij 's ochtends altijd naar luisterde. De deejay, een meisje dat naar de naam Annabel luisterde, vertelde net hoe laat en hoe warm het was. Daarna zette ze een liedje op, een energiek, druk nummer. Nate zette de radio harder en we luisterden tot we op school waren.

Toen we uitstapten, liepen we samen naar het grasveld en vanaf daar liep ik, zoals altijd, alleen verder naar mijn kluisje terwijl hij doorliep naar het schoolgebouw. Na er een paar boeken uit te hebben gehaald en er een paar andere in gestopt te hebben, sloot ik het af en hing daarna mijn tas om mijn schouder. Aan de andere kant van het grasveld zag ik Nate lopen, op weg naar het eerste lesuur. Jake Bristol en twee anderen hingen buiten rond. Jake stak een hand op om Nate een high five te kunnen geven en de twee anderen stapten opzij om hem door te laten. Ik was zelf aan de late kant en had andere dingen aan mijn hoofd. Maar toch bleef ik staan kijken hoe Nate lachend naar binnen liep en zij hem lachend volgden, voor ik me omdraaide en wegliep.

***

'Even opletten, jongens,' zei mevrouw Conyers terwijl ze in haar handen klapte. 'Aan de slag. Jullie hebben een kwartier. Barst maar los.'

Het werd rumoerig in het lokaal, en nog rumoeriger toen een paar mensen opstonden en met hun schrijfblok in de aanslag begonnen rond te lopen. Na me door een omvangrijk proefwerk over *David Copperfield* geworsteld te hebben (tien persoonsbeschrijvingen, twee opstellen), wilde ik het liefst op een hoop storten. Maar we moesten elkaar interviewen voor het project 'mondeling beschrijven' waar mevrouw Conyers laatst die kaartjes voor had uitgedeeld. We moesten zien te achterhalen welke betekenissen die woorden voor iedereen afzonderlijk hadden. Een goed plan, ik kon namelijk wel wat hulp gebruiken, aangezien ikzelf zo langzamerhand niet meer wist wat ik van mijn eigen familie moest denken.

Ik woonde nu bijna twee weken bij Cora en ik begon langzaamaan een beetje te wennen. Het was overdreven om te zeggen dat het allemaal vlekkeloos verliep, maar we hadden een routine ontwikkeld en brachten begrip op voor elkaar. Wat mezelf betrof: ik had me erbij neergelegd dat het niet slim was om nu weg te gaan. Dus had ik mijn tas uitgepakt en eindelijk mijn schaarse bezittingen in die grote, lege kast gehangen en gelegd. Ik was er nog niet aan toe om mijn stempel op de rest van het huis te drukken – ik nam mijn rugzak altijd meteen mee naar boven en wachtte naast de droger tot mijn was klaar was, en vouwde alles dan meteen op. Het was een groot huis. Joost mocht weten wat je daar allemaal in kwijt kon raken.

Het was vreemd om opeens zoveel ruimte te hebben, zeker vergeleken met het gele huis. In plaats van een paar dagen met een zak pasta te doen en geld bij elkaar te sprokkelen voor boodschappen, had ik hier toegang tot een bomvolle voorraadkast en een vriezer waar alle denkbare gerechten in lagen. En dat stond nog los van het 'zakgeld' dat Jamie me altijd wilde toestoppen: twintig dollar lunchgeld, nog eens veertig voor schoolspullen. Misschien dat een ander dat geld klakkeloos zou aannemen, maar ik was nog steeds op mijn hoede omat ik niet wist wat er van me werd terugverwacht en weigerde eerst om het aan te nemen. Na verloop van tijd legde ik me erbij neer, hoewel het uitgeven ervan weer een heel ander verhaal was. Het gaf me gewoon een beter gevoel als ik het opspaarde. Je wist maar nooit hoe lang dit nog zou duren.

Cora had ook water bij de wijn gedaan. Na een hoop gepraat – en onder milde druk van Jamie – mocht ik in de vakantie voor Harriet werken en zouden we daarna wel verder zien of mijn schoolwerk eronder te lijden had. Ik moest in ruil daarvoor wel instemmen met minstens één therapiesessie, iets waar ik niet op zat te wachten. Ik kon het geld echter goed gebruiken, dus slikte ik een keer en legde me erbij neer. We gaven elkaar ter bevestiging een hand, over het kookeiland heen. Haar hand was klein en koud, maar ze had een ferme handdruk, en dat verbaasde me meer dan ik had verwacht.

Ik dacht vaak aan mijn moeder; meer zelfs dan toen ze net was weggegaan, wat eigenlijk best vreemd was. Het leek wel alsof het even duurde voor ik haar pas echt ging missen en ik mezelf dat toestond. Ik droomde 's nachts soms over haar, en als ik dan wakker werd, had ik het gevoel dat ze net door de kamer was gelopen en wist ik zeker dat ik haar kon ruiken. Andere keren, als ik nog half sliep, wist ik zeker dat ze op de rand van mijn bed zat en met één hand door mijn haar ging, zoals ze dat 's avonds laat of 's ochtends vroeg weleens had gedaan. Destijds irriteerde me dat altijd, en wilde ik dat ze zelf zou gaan slapen of me met rust zou laten. Maar nu, ook al wist ik donders goed dat het een droom was, bleef ik stilliggen en wilde ik dat het nooit zou ophouden.

Als ik dan wakker werd, probeerde ik dat beeld altijd vast te houden, maar dat lukte nooit. Ik zag alleen voor me hoe ze er de laatste keer had uitgezien, de dag voor ze vertrok. Ik was uit school gekomen en had haar voor de verandering alleen en wakker aangetroffen. Het ging toen al een tijdje niet zo goed, en ik verwachtte dat ze me wazig zou aankijken, zoals ze dat altijd deed na een paar biertjes, of verdrietig en geërgerd. Maar in plaats daarvan had ze verrast gereageerd, en ik wist nog dat ik toen dacht dat ze me vergeten was, of niet had verwacht dat ik nog zou thuiskomen. Alsof ik degene was die wegging, maar dat nog niet wist.

Bij daglicht was ik realistischer en vroeg ik me af of ze het gered had tot Florida, en of zij en Warner nog bij elkaar waren. Meestal was ik echter benieuwd of ze nog geprobeerd zou hebben om contact op te nemen met het gele huis, of moeite had gedaan om me op te sporen. Ik wist niet eens of ik wel met haar zou willen praten of haar zelfs wel zou willen zien.

Wat is familie? had ik die eerste dag opgeschreven, en toen ik het terugzocht, zag ik dat de rest van de pagina leeg was, op de definitie uit het woordenboek na: *Gezin als bestaand uit bij elkaar wonende leden, huisgezin van een bep. persoon.* Dertien woorden, waarvan één een afkorting. Was het maar zo makkelijk. Mevrouw Conyers riep iedereen tot de orde en zei dat we aan de slag moesten gaan, dus wendde ik me tot Olivia, omdat ik het haar als eerste wilde vragen. Ze wekte echter niet de indruk dat ze zin had om te praten, ze zat onderuitgezakt in haar stoel. Ze had rode ogen, en klemde een zakdoekje in haar ene hand, terwijl ze met de andere haar jas van Jackson High dicht om zich heen sloeg.

'En vergeet niet,' zei mevrouw Conyers, 'dat je niet hoeft

te vragen naar de letterlijke betekenis, maar naar wat het betekent voor degene aan wie je het vraagt. En het mag gerust persoonlijk worden.'

In ogenschouw genomen dat Olivia al niet bepaald open was als ze goed in haar vel zat, moest ik het misschien maar anders aanpakken. De enige andere optie echter was Heather Wainwright, die aan de andere kant naast me zat, en die ook nog niemand had. Ik had niet veel zin om met haar te praten.

'Nou, komt er nog wat van, of niet?'

Ik wendde me weer tot Olivia, die nog steeds voor zich uit zat te staren, alsof ze helemaal niets had gezegd. 'O,' zei ik, en ik keek vervolgens naar het zakdoekje in haar hand. Als reactie daarop verfrommelde ze het nog meer en stopte het dieper weg tussen haar vingers. 'Oké. Wat betekent familie voor jou?'

Ze slaakte een diepe zucht en wreef over haar neus. Om ons heen zat iedereen druk te praten, maar zij hield haar mond. Uiteindelijk vroeg ze: 'Ken je Micah Sullivan?'

'Wie?'

'Micah Sullivan,' herhaalde ze. 'Eindexamenjaar? Speelt football? Gaat met Rob Dufresne om?'

Pas toe ik die naam hoorde, begon het me te dagen dat ze het over Jackson High had. Rob Dufresne had in de tweede tegenover me gezeten bij biologie. 'Micah,' zei ik terwijl ik probeerde na te denken. Ik kon me mijn klasgenoten op Jackson al nauwelijks meer herinneren, ze leken nu al allemaal op elkaar. 'Is hij heel klein?'

'Nee,' zei ze bits. Ik haalde mijn schouders op en pakte mijn pen. Toen zei ze: 'Nou ja, hij is inderdaad niet héél erg groot.'

'Heeft hij een blauwe auto?'

Nu had ik haar aandacht. 'Ja,' zei ze langzaam, 'dat klopt.'

'Ik ken hem vaag.'

'Heb je hem op school ooit met een meisje gezien?'

Daar moest ik weer even over nadenken, maar ik zag steeds Rob Dufresne voor me, die lijkbleek werd toen we een kikker moesten ontleden. 'Niet dat ik weet,' zei ik. 'Maar het is zo'n grote school.'

Daar dacht ze even over na. Toen wendde ze zich tot me en zei: 'Dus je hebt hem nooit een hockeymeisje zien aflebberen; een blondje met een grote tattoo op haar onderrug? Minda of Marcy, of zoiets?'

Ik schudde mijn hoofd. Ze bekeek me aandachtig, alsof ze niet wist of ze dat wel moest geloven, en keek toen weer voor zich uit en trok haar jas nóg steviger om zich heen. 'Familie,' kondigde ze aan. 'Dat zijn de mensen die je niet kunt uitzoeken. Je krijgt ze, in tegenstelling tot degenen die je uitkiest.'

Omdat ik nog aan Micah en het hockeymeisje had zitten denken, moest ik me haasten om het op te schrijven. 'Mooi,' zei ik. 'En verder?'

'Je hebt er een bloedband mee,' ging ze op vlakke toon verder. 'Waardoor je ontzettend veel overeenkomsten hebt. Ziektes, genen, kleur van haar en ogen. Ze delen een stuk van jouw blauwdruk. Als je iets mankeert, is dat meestal terug te voeren tot hen.'

Ik schreef instemmend knikkend verder.

'Maar,' zei ze, 'ook al zit je met ze opgescheept, tegelijkertijd zitten zij dat ook met jou. Daarom zitten ze altijd vooraan bij doopfeesten en begrafenissen. Omdat ze er van begin tot eind bij zijn. Of je dat nou leuk vindt of niet.'

Of je dat nou leuk vindt of niet, schreef ik op. Ik keek naar wat ik allemaal had neergekrabbeld. Het was niet al te veel. Maar het begin was er. 'Oké,' zei ik. 'Nu die van jou.'

Op hetzelfde moment ging de bel en ontstond de gebruikelijke kakofonie van schuivende stoelen, rugzakken die open en dicht werden geritst, en luid gepraat. Mevrouw Conyers riep er nog bovenuit dat iedereen voor de volgende les minimaal vier definities moest hebben, dat dacht ik tenminste te horen. Olivia zat al te bellen. Toen ik mijn schrijfblok in mijn tas deed, zag ik hoe ze het zakdoekje in haar broekzak stopte en met haar hand door haar ingevlochten haar ging terwijl ze opstond.

'Melissa,' zei ik, toen ze wilde weglopen.

Ze bleef staan, keek me aan liet haar telefoon langzaam zakken. 'Wat zei je?'

'Die blonde met die tattoo. Ze heet Melissa West,' zei ik terwijl ik mijn tas pakte. 'Ze zit in de tweede en is een echte slet. Ze voetbalt trouwens, ze hockeyt niet.'

We werden nu aan alle kanten ingehaald door mensen die de klas uit liepen, maar Olivia stond aan de grond genageld en had niet in de gaten dat Heather Wainwright voorbijliep en naar haar rode ogen keek.

'Melissa West,' herhaalde ze.

Ik knikte.

'Bedankt.'

'Graag gedaan,' antwoordde ik. Daarna bracht ze langzaam haar telefoon weer naar haar oor en liep weg.

* * *

Toen ik 's middags het schoolgebouw uit liep, stond Jamie me op te wachten.

Hij leunde tegen zijn auto, die pal naast de hoofdingang stond, zijn armen voor zijn borst gekruist. Zodra ik hem zag, stond ik stil en ik bleef uit het zicht staan terwijl iedereen lachend en pratend om me heen liep. Misschien zag ik dingen die er niet waren, maar de laatste keer dat iemand me onverwacht kwam ophalen, kreeg ik niet zulk leuk nieuws te horen.

Pas toen ik voor mezelf op een rijtje wilde zetten wat ik allemaal verkeerd gedaan zou kunnen hebben, drong het tot me door dat er niets was. Ik had niets anders gedaan dan naar school gaan, bij Harriet werken en huiswerk maken. Ik was niet eens gaan stappen. Toch verroerde ik me niet, uit de macht der gewoonte of zo, tot bijna iedereen weg was en hij me zag staan.

'Hé!' riep hij, met opgestoken hand. Ik zwaaide terug en kneep hard in het hengsel van mijn rugzak toen ik naar hem toe liep. 'Moet je werken?'

Ik schudde mijn hoofd. 'Nee.'

'Mooi. Ik wil iets met je bespreken.'

Hij deed een stap opzij en hield het portier voor me open.

Toen ik zat, dwong ik mezelf om diep adem te halen terwijl hij om de auto heen liep en naast me kwam zitten. Hij startte de motor echter niet.

Opeens viel het kwartje. Hij ging zeggen dat ik het huis uit moest. Logisch. Net nu ik me een beetje op mijn gemak begon te voelen, hadden zij besloten dat ze genoeg van me hadden. Wat het nog erger maakte, was dat ik mijn adem inhield omdat ik me realiseerde dat ik dat helemaal niet wilde.

'Het zit namelijk zo...' begon Jamie, en mijn hart klopte in mijn keel, '... ik wil het met je hebben over studeren.'

Dat laatste woord – studeren – kwam heel raar bij me binnen. Hij zou net zo goed 'Bahrein' of 'cordon bleu' hebben kunnen zeggen, dat had ik net zomin zien aankomen.

'Je doet dit jaar eindexamen,' zei hij terwijl ik nog steeds met mijn ogen zat te knipperen en niet wist of ik opgelucht was of dat ik me nu écht zorgen moest gaan maken. 'En hoewel je niet zo'n beste tijd achter de rug hebt – waar je uiteraard niets aan kunt doen – ben je vorig jaar wel getest, en die uitslag was helemaal niet slecht. Ik ben net bij de decaan geweest. Het is dan misschien al november, maar hij denkt dat we je nog wel kunnen inschrijven, als we een beetje sjoemelen.'

'Ben je bij de decaan geweest?' vroeg ik.

'Ja,' antwoordde hij. Ik moet heel erg verbaasd hebben gekeken, want hij voegde eraan toe: 'Ik weet het, ik weet het. Dat had Cora eigenlijk moeten doen. Maar ze zit de hele week op de rechtbank, en bovendien leek het ons beter als...'

Ik keek hem tersluiks aan toen hij zijn zin niet afmaakte. 'Wat leek jullie beter?'

Hij keek gegeneerd. 'Dat ík het er beter met je over kon hebben. Omdat Cora je eerst nogal hard aanpakte over je werk en die therapie. Ze wil niet steeds de boeman zijn.'

Ik zag meteen iemand uit een tekenfilm voor me die handenwringend stond toe te kijken hoe een ander op de treinrails werd vastgebonden. 'Weet je,' zei ik, 'studeren past niet zo goed in mijn plannen.'

'Waarom niet?'

Daar zou ik een pasklaar antwoord op moeten hebben, maar dit was de eerste keer dat iemand ernaar vroeg. Iedereen ging altijd klakkeloos van hetzelfde uit als ik, namelijk dat een meisje als ik niet verder kwam dan de middelbare school, als ze die al afmaakte. 'Nou gewoon,' zei ik om tijd te rekken. 'Het heeft nooit echt prioriteit gehad.'

Jamie knikte begrijpend. 'Maar het is dus nog niet te laat,' zei hij.

'Volgens mij wel.'

'En als je nou eens ongelijk hebt?' vroeg hij. 'Ruby, luister. Ik snap dat je het nu niet wilt. Maar het is nog lang geen lente. Er kan in de tussentijd nog een hoop gebeuren. Je zou van gedachten kunnen veranderen bijvoorbeeld.'

Ik zei niks. Het parkeerterrein was inmiddels zo goed als leeg, op een paar meisjes met hockeysticks en sporttassen na die op de stoep zaten.

'Wat vind je hiervan?' zei hij. 'We sluiten een deal. Je schrijft je alsnog in. Dan kun je altijd nog iets anders beslissen. Je hebt dan in ieder geval de keuze.'

'Je gaat er alleen wel van uit dat ik ergens word aangenomen. Dat moet ik nog zien gebeuren.'

'Ik heb je dossier ingezien. Je bent helemaal geen slechte leerling.'

'Maar ik ben ook niet bepaald een groot licht.'

'Dat was ik ook niet,' zei hij. 'En nu ik toch zo eerlijk ben, kan ik je beter ook meteen maar vertellen dat ik het ook niet zag zitten om te gaan studeren. Toen ik van de middelbare school kwam, wilde ik naar New York verhuizen om in cafés gitaar te spelen en zo een platencontract krijgen.'

'Echt waar?'

'Echt waar.' Hij ging lachend met zijn hand over het stuur. 'Maar mijn ouders wilden daar niets van weten. Ik ging studeren, of ik nou wilde of niet. Dus ging ik naar de universiteit, maar ik was vast van plan om er niet lang te blijven. Mijn eerste college was computerprogramma's schrijven.'

'En de rest is geschiedenis,' zei ik.

'Nee, de rest gebeurt in het heden,' zei hij hoofdschuddend.

Ik hield mijn rugzak iets minder stevig vast, en liet hem op de grond zakken. Ik mocht Jamie heel erg graag. Zó graag, dat ik wilde dat ik open kaart met hem kon spelen en de echte reden kon vertellen waarom ik als de dood was om me in te schrijven. Door me in te schrijven zou ik me nog verder vastleggen, terwijl ik juist precies het tegenovergestelde wilde doen. Ja, ik had inderdaad besloten om nog even bij hen te blijven wonen, maar dat was alleen omdat ik geen keuze had. Als ik zou gaan studeren – met steun van hem en Cora – dan zou ik iemand iets verschuldigd zijn, en dat wilde ik per se niet.

Maar ik wist dat ik hem dat niet kon vertellen. Dus zei ik: 'Dus je hebt er nooit spijt van gehad? Dat je niet naar New York bent gegaan, zoals je wilde?'

Jamie zat achterovergeleund, zijn hoofd tegen de hoofd-steun. 'Soms wel. Vandaag nog. Ik worstel met een nieuwe re-clamecampagne waar ik grijze haren van krijg. Of als ieder-een loopt te zeuren op kantoor en ik denk dat ik gek word. Maar dat is slechts sporadisch. En als ik trouwens niet naar de universiteit was gegaan, zou ik je zus niet hebben leren ken-nen. En dan zou mijn leven er heel anders hebben uitgezien.'

'Dat zal wel,' zei ik. 'Hoe hebben jullie elkaar eigenlijk ontmoet?'

'Over de boeman gesproken.' Hij keek gniffelend naar het stuur en zei toen: 'Ze komt er nou niet bepaald goed van af, in het verhaal.'

Ik moest toegeven dat ik het nu toch wel erg interessant begon te vinden. 'Hoezo dan?'

'Omdat ze tegen me schreeuwde,' zei hij. Ik trok mijn wenkbrauwen op. 'Nou, oké dan. Volgens haar schreeuwde ze niet, maar was ze gewoon assertief. Maar ze verhief haar stem wel. Absoluut.'

'Maar waarom deed ze dat dan?'

'Omdat ik 's avonds buiten gitaar zat te spelen bij ons stu-dentenhuis. Cora wordt niet graag in haar slaap gestoord, dat weet je.' Ik knikte, maar dat wist ik helemaal niet. 'Dus ik zit 's avonds lekker een beetje te spelen tijdens mijn eer-ste week op de universiteit, en opeens gooit een meisje het raam open en geeft me de volle laag.'

'Dat zal wel.'

'Geloof mij nou maar. Ze ging compleet uit haar dak.

Bleef maar zeggen dat ik geen rekening hield met anderen en mensen uit hun slaap hield met mijn lawaai. Zo noemde ze het. Lawaai. En ik maar denken dat ik een artiest was, weet je wel?' Hij zat hoofdschuddend te lachen.

Ik zei: 'Ik vind anders wel dat je het heel licht opvat.'

'Ach,' zei hij. 'Dat was alleen die eerste avond. Toen kende ik haar nog niet.'

Ik zat zonder iets te zeggen naar het hengsel van mijn rugzak te kijken, dat ik door mijn vingers liet glijden.

'Wat ik bedoel te zeggen,' ging Jamie verder, 'is dat niets ideaal is, zeker niet in het begin. En een beetje spijt op zijn tijd is helemaal niet erg. Pas als je aan niets anders meer kunt denken en het niet kunt helpen, dan wordt het lastig.'

De meisjes op de stoep zaten ergens om te lachen, hun stemmen klonken gedempt door het dichte raam. 'Zoals je niet inschrijven voor de universiteit en dan willen dat je dat wel gedaan had?'

Hij lachte. 'Oké, subtiliteit is nooit mijn sterkste kant geweest. Maareh, hebben we een deal, of niet?'

'Zo zou ik het niet willen noemen,' zei ik. 'Het is meer zo dat ik instem met wat jij graag wilt.'

'Dat is niet waar,' zei hij. 'Je krijgt er ook iets voor terug.'

'Ja, ja,' zei ik. 'Een kans. Die ik anders nooit zou krijgen.'

'En dat niet alleen.'

'Wat dan nog meer?'

'Wacht maar af,' zei hij, terwijl hij vooroverboog om de motor te starten. 'Daar kom je snel genoeg achter.'

* * *

'Een vis?' zei ik. 'Denk je dat je grappig bent of zo?'

'Echt wel!' zei Jamie grinnikend. 'Hoe leuk is dat precies?'

Het leek me het beste om hier maar geen antwoord op te geven, en mijn aandacht weer te richten op het ronde aquarium dat tussen ons in stond, waarin witte koikarpers rondjes zwommen. Om ons heen stonden rijen aquaria, allemaal met vissen waarvan ik ook nog nooit gehoord had: *Carassius auratus auratus*, shubunkin en muskietenvisjes, plus nog heel veel koikarpers in andere kleuren: sommige één kleur, andere zwart of rood gespikkeld.

'Ik ga even iemand zoeken die kan kijken of het water in de vijver uitgebalanceerd is,' zei hij en hij haalde een plastic bakje uit zijn jaszak. 'Doe maar op je gemak, oké? Zoek maar een mooie uit.'

Een mooie, dacht ik, terwijl ik naar de vissen keek in het aquarium dat op de grond stond. Alsof je dat meteen kon zien aan hun gedrag of zo. Ik had nog nooit een vis gehad – of wat voor huisdier dan ook – maar ik had weleens gehoord dat ze zomaar doodgingen, zelfs als je ze in een schoon, goed aquarium hield. Wat zou er dan wel niet kunnen gebeuren als ze in een vijver zaten, blootgesteld aan de elementen en zo?

'Kan ik je ergens mee helpen?'

Ik draaide me om en wilde net 'nee' zeggen, toen ik geschrokken zag dat Heather Wainwright achter me stond. Ze had een spijkerbroek aan, een t-shirt waarop DONOVAN TUINARCHITECTUUR gedrukt stond, en ze had een trui om haar middel geknoopt. Ze was net zo verbaasd om mij te zien.

'Hoi,' zei ze. 'Ruby, toch?'

'Ja. Ik kijk alleen maar even.'

'Prima.' Ze kwam naast me staan en liet haar hand in het water glijden. De vissen kwamen onmiddellijk om haar heen zwemmen. Ze keek naar me, en zei: 'Ze worden helemaal gek als ze denken dat ze eten krijgen. Het zijn net schooiende honden.'

'Echt waar?'

'Ja.' Ze haalde haar hand uit het water en veegde hem af aan haar broek. Ik moest toegeven dat ik verbaasd was dat ze hier werkte. Ik had eerder verwacht dat ze in een kledingzaak of zo zou werken, dat ze iemand was die zich meer thuis voelde in het winkelcentrum. O nee, realiseerde ik me vrijwel meteen. Dat was ik zelf. Vreemd. 'Goudvissen zijn lang niet zo agressief. Maar koikarpers zijn veel mooier. Het is dus of het één, of het ander.'

'Mijn zwager heeft net een vijver laten aanleggen,' zei ik toen ze bukte om een slang in het aquarium goed te leggen. 'Hij wordt er volledig door in beslag genomen.'

'Een vijver is ook best wel gaaf,' zei ze. 'Hoe groot?'

'Groot.' Ik keek naar de kassen, waar Jamie naartoe was gelopen. 'Hij zal zo wel terugkomen. Ik moet een vis uitzoeken.'

'Eentje maar?'

'Mijn eigen vis,' zei ik, en daar moest ze om lachen. Ik had nooit kunnen bedenken dat ik hier met Heather Wainwright bij een aquarium zou staan. Of met wie dan ook. Wat me echter steeds meer begon op te vallen, was dat als ik me probeerde voor te stellen waar ik dan wél thuishoorde, ik daar geen idee van had. Eerst had ik gedacht dat het in mijn oude leven was, op Jackson, of in mijn oude slaapkamer. Maar ik had het gevoel dat mijn leven in het gele huis me begon te ontglippen, zonder dat ik het gevoel had dat ik hier wel op mijn plek was. Ik zat ergens halverwege.

'Je bent bevriend met Nate, toch?' vroeg Heather na een tijdje, terwijl ze weer aan de slang frummelde.

Ik keek haar aan. Het was iedereen op school schijnbaar opgevallen. Het was dus logisch dat zij het ook had gezien.

'We zijn buren,' zei ik. 'Mijn zus woont achter hem.'

Ze stopte een pluk haar achter haar oren. 'Je zult wel gehoord hebben dat hij mijn ex is,' zei ze.

'O ja?' zei ik.

'We zijn afgelopen herfst uit elkaar gegaan. Dat sloeg in als een bom.' Ze slaakte een zucht, en stak haar hand weer in het water. 'En toen raakte Rachel Webster zwanger. Niet dat ik dat nou zo leuk vond, maar het leidde de aandacht van ons af, in elk geval tijdelijk.'

'Perkins Day is een kleine school,' zei ik.

'Vertel mij wat.' Ze ging weer rechtop staan en veegde haar hand af aan haar broek. 'Hoe gaat het met hem?'

'Met Nate?' vroeg ik.

Ze knikte.

'Geen idee,' zei ik. 'Goed, denk ik. Zoals ik al zei, zo goed ken ik hem niet.'

Daar dacht ze even over na terwijl we allebei naar de rondzwemmende vissen keken, die eerst de ene kant, en daarna de andere kant op gingen. 'Ja,' zei ze uiteindelijk, 'Hij laat inderdaad niet snel het achterste van zijn tong zien.'

Dat bedoelde ik helemaal niet. Ik vond Nate juist een open boek, met zijn vriendelijke gedoe. Maar dat kon ik nu misschien maar beter niet zeggen, dus hield ik mijn mond.

'Weet je,' ging Heather in één adem verder. 'Ik... ik ben blij dat jullie vrienden zijn, Nate is superleuk.'

Deze reactie had ik niet verwacht – zoiets zei een ex-vriendin niet. Maar aan de andere kant was ze natuurlijk wel de koningin van het medeleven, afgaande op alle tijd die ze achter de HELP-tafel doorbracht. Logisch dat Nate op een aardig meisje zou vallen. Wat had ik dan verwacht?

'Nate komt om in de vrienden,' zei ik tegen haar. 'Eentje meer of minder maakt geen verschil.'

Heather keek me even aan. 'Misschien ook wel niet,' zei ze toen. 'Maar je weet maar nooit, hè?'

Wat wil ze nou eigenlijk zeggen? dacht ik, maar op hetzelfde moment gaf Jamie, die achter me stond, een klap op mijn schouder. 'Het water is prima,' zei hij. 'Heb je de perfecte vis al gevonden?'

'Hoe doe je dat eigenlijk, een vis uitzoeken?' vroeg ik aan Heather.

'Gewoon op je gevoel afgaan,' zei ze. 'Je moet de vis nemen die je het meest aanspreekt.'

Jamie knikte plechtig. 'Zie je wel,' zei hij tegen me. 'Laat de vissen maar spreken.'

'En je moet ook kijken welke er met je mee wil,' zei Heather. 'Dat is ook belangrijk.'

Uiteindelijk werd het een combinatie van die twee dingen – ik wees hem aan, Heather schepte hem uit het aquarium – toen ik mijn keuze maakte. Ik koos een kleine witte koikarper, die er behoorlijk gestrest uitzag in zijn plastic zak. Hij bleef maar rondjes zwemmen terwijl Jamie in totaal twintig shubunkins en goudvissen uitzocht. Hij kocht ook nog een paar koikarpers, maar geen witte, zodat ik de mijne altijd makkelijk zou kunnen herkennen.

'Hoe ga je hem noemen?' vroeg Jamie toen Heather zuurstof in de zakken spoot voor onderweg.

'Laten we eerst maar eens kijken of hij het überhaupt wel overleeft,' zei ik.

'Tuurlijk redt hij het,' antwoordde hij, alsof dat heel gewoon was.

Heather rekende met ons af en hielp de tassen mee naar de auto te dragen, waar ze ze zorgvuldig in kartonnen dozen op de achterbank zette.

'Je moet ze langzaam laten acclimatiseren,' legde ze uit, terwijl de vissen rondzwommen in hun tassen. Soms zag je hun koppen heel even tevoorschijn komen. 'Je moet de tassen een kwartiertje in het water zetten, zodat ze aan de temperatuur kunnen wennen. Dan moet je de zakken open-maken en er een beetje water uit de vijver in laten lopen. Na nog ongeveer een kwartier kun je ze uitzetten.'

'Ik moet ze dus laten wennen,' zei Jamie.

'De overgang vanuit het aquarium is heel erg groot voor ze,' antwoordde Heather, toen ze het achterportier dicht-gooide. 'Maar meestal komt het wel goed, hoor. Je moet je meer zorgen maken over reigers en watervogels. Die kun-nen behoorlijk wat schade aanrichten.'

'Bedankt voor alles,' zei Jamie tegen haar toen hij achter het stuur kroop.

'Graag gedaan,' zei ze. 'Ik zie je wel weer op school, Ruby.'

'Ja,' zei ik. 'Dat lijkt me wel.'

Terwijl Jamie achteruitreed, keek hij me aan en vroeg: 'Vriendin?'

'Nee,' zei ik. 'We zitten bij elkaar in de klas.'

Hij knikte zonder iets te zeggen en reed de straat op. Het was spitsuur, we hadden bijna alle stoplichten tegen en we reden naar huis zonder veel te zeggen. Omdat mijn vis in zijn eentje in een tas zat, hield ik hem op schoot. Ik voelde hem heen en weer schieten. 'De overgang is erg groot voor ze,' had Heather gezegd. Ik hield de tas op ooghoogte en be-keek mijn vis nog een keer. Ik was benieuwd of hij – en de rest – het een week zou volhouden, of dat ze misschien van-avond al het loodje zouden leggen.

Toch liep ik met Jamie de tuin in toen we thuis waren en ging ik op mijn hurken bij de vijver zitten om mijn tas erin te laten zakken. Ik bleef zitten kijken hoe hij een kwartier dobberde voor ik er een beetje water uit de vijver bij deed, zoals me was opgedragen. Toen ik mijn koikarper eindelijk bevrijdde, was het bijna helemaal donker buiten. Maar toch zag ik hem wegzwemmen, mijn vis, door de opening van de tas de grote vijver in. Ik ging ervan uit dat hij dat aarzelend zou doen, of misschien zelfs wel terug zou zwemmen, maar dat gebeurde niet. Hij zwom gewoon weg, vlug genoeg om snel te verdwijnen, de diepte in.

* * *

Toen Jamie iets naar boven riep, dacht ik eerst dat ik hem niet goed had verstaan.

'Ruby! Bezoek!'

Ik keek automatisch op mijn wekker – het was dinsdagmiddag, kwart voor zes – en daarna naar het huis van Nate. De zwembadverlichting brandde, en ik vroeg me af waarom hij langskwam. Maar Jamie zou dan zijn naam toch wel hebben gezegd?

'Ik kom eraan,' antwoordde ik, en ik liep de overloop op. 'Maar wie...?'

Toen had ik echter al over de balustrade naar beneden gekeken en zag ik Peyton staan, die Roscoe stond te aaien terwijl Jamie toekeek. Toen ze naar boven keek en mij zag staan, zette ze een brede glimlach op. 'Gevonden!'

Ik knikte. Ik wist dat ik blij zou moeten zijn om haar te zien – ze was per slot van rekening écht een vriendin, in tegenstelling tot Nate en Heather – maar toch voelde ik me erg ongemakkelijk. Ik had haar ook nooit meegenomen naar het gele huis, had altijd smoesjes verzonnen dat mijn moeder lag te slapen of dat het niet goed uitkwam. En nu stond ze opeens hier op de stoep. Of op de stoep – ze stond zelfs al binnen.

'Hé hoi,' zei ik, toen ik beneden was. 'Alles goed?'

'Dat had je niet verwacht hè?' zei ze giechelend. 'Je moest eens weten hoeveel moeite ik heb gedaan om jou op te sporen. Ik leek wel een speurhond!'

Jamie stond lachend naast haar en ik dwong mezelf om ook te lachen, zelfs toen me twee dingen opvielen: ze stonk naar rook en ze had knalrode ogen. Haar mascara hing ergens op haar knieën. Peyton had altijd veel te veel oogdruppels gebruikt, en dat deed ze duidelijk nog steeds. En bovendien, hoewel ze er ultraschattig uitzag – haar haar in twee lage staartjes, spijkerbroek en rood T-shirt met een appel erop, trui om haar middel geknoopt – kon je altijd meteen aan haar zien of ze stoned was, ook al deed ze nog zo haar best om het te verbergen. 'Hoe heb je me gevonden?' vroeg ik.

'Nou,' zei ze, en stak haar armen uit, handpalmen omhoog, om haar verhaal extra kracht bij te zetten, 'het ging zo. Je hebt me natuurlijk verteld dat je in Wildflower Ridge woonde, dus...'

'Heb ik dat gezegd?' Ik probeerde me te herinneren wanneer dat dan geweest moest zijn.

'Ja joh, toen je me belde, weet je nog wel?' zei ze. 'Dus ik dacht: hoe groot kan het daar nou helemaal zijn? Maar toen ik hier eenmaal rondreed, kwam ik erachter dat het giga groot was.'

Ik keek naar Jamie, die met een glimlach op zijn gezicht stond te luisteren. Hij had, hoopte ik, geen idee wat er aan de hand was.

'Maar goed,' ging ze verder, 'ik rij hier dus rond, compleet verdwaald, en ga langs de kant van de weg staan. En toen zag ik een ongelooflijk lekker ding zijn hond uitlaten. Dus ik doe mijn raam open en ik vraag of hij wist wie jij was.'

Ze hoefde niet verder te vertellen, ik wist precies wat er ging komen.

'En wat denk je!' zei ze handenklappend. 'Dus hij zegt hoe ik moet rijden. Aardige gozer trouwens. Hij heet...'

'Nate,' maakte ik haar zin af.

'Klopt!' Ze lachte weer, te hard. Er kwam me weer een walm rooklucht tegemoet. Ik had haar toch niet voor niets honderd keer uitgelegd dat ze pepermuntjes moest eten?

'En daar ben ik dan. Het is helemaal goed gekomen.'

'Ik zie het,' zei ik, terwijl ik tegelijkertijd de deur van de garage naar de keuken open en dicht hoorde gaan.

'Is er iemand thuis?' riep Cora. Roscoe dribbelde met gestrekte oren op het geluid van haar stem af. 'Waar zitten jullie?'

'Hier,' zei Jamie. Even later liep ze de hal binnen in haar werkkleding, de post in haar hand. 'Dit is Peyton, een vriendin van Ruby. En dit is Cora.'

'Dus jij bent de zus van Ruby?' vroeg Peyton. 'Wat gaaf!'

Cora bekeek haar van top tot teen – heel subtiel, maar ik zag het – en stak toen haar hand uit. 'Aangenaam.'

'Wat leuk,' zei Peyton, en ze gaf haar een hand. 'Hartstikke leuk.'

Mijn zus lachte beleefd. Haar uitdrukking veranderde nauwelijks, maar ik zag dat ze had gezien – en waarschijnlijk ook had geroken – wat Jamie ontgaan was. Net als bij Peytons moeder ontsnapte er weinig aan haar aandacht. 'Goed,' zei ze. 'Zal ik dan maar met het eten beginnen?'

'Goed idee,' zei Jamie. 'Peyton, eet je mee?'

'Nou,' zei ze, 'dat...'

'Ze kan niet,' zei ik snel. 'Dus, eh... ik geef haar even een rondleiding, als dat mag.'

'Tuurlijk,' zei Jamie. Naast hem stond Cora aandachtig naar Peyton te kijken, met samengeknepen ogen, terwijl ik Peyton gebaarde dat ze moest meelopen naar de keuken. 'Niet vergeten om de vijver te laten zien, hè!'

'De vijver?' vroeg Peyton, maar toen sleepte ik haar al mee naar buiten, het terras op. De deur klapte achter ons dicht. Ik liep eerst een paar meter bij het huis vandaan voor ik stopte en me naar haar omdraaide.

'Waar ben jij in godsnaam mee bezig?' vroeg ik.

Ze trok haar wenkbrauwen op. 'Wat bedoel je?'

'Peyton, je bent hartstikke stoned. En mijn zus zag het meteen.'

'Welnee,' zei ze nonchalant, en ze wuifde met haar hand. 'Ik heb oogdruppels gebruikt.'

Ik keek haar geërgerd aan en deed geen enkele moeite om het te verbergen. 'Je had beter weg kunnen blijven.'

Ze keek heel even gekwetst, maar al snel keek ze me pruilend aan. 'En jij had moeten bellen,' zei ze. 'Dat had je beloofd, weet je nog wel?'

Cora en Jamie stonden inmiddels bij het kookeiland naar ons te kijken. 'Ik wil me hier eerst een beetje thuis voelen,' zei ik, maar ze negeerde me en liep naar de vijver. Van opzij en met haar staartjes, leek ze net een klein meisje.

'Het is allemaal nogal ingewikkeld, snap dat dan.'

'Voor mij toch ook?' zei ze, en ze keek in het water. Toen ik naast haar kwam staan zag ik dat het veel te donker was om iets te kunnen zien, maar je kon de pomp wel horen, en in de verte de waterval. 'Er is een hoop gebeurd sinds je weg bent, hoor.'

Ik keek weer naar binnen. Jamie was weg, maar Cora stond er nog, en ze keek me strak aan. 'Wat dan?'

Peyton keek me schouderophalend aan. 'Gewoon...' zei ze zachtjes. 'Ik wilde alleen even met je praten, dat is alles.'

'Waarover?'

Ze haalde diep adem en liet hem weer ontsnappen toen Roscoe door het hondenluik naar buiten kwam en onze kant op dribbelde.

'Laat maar,' zei ze, en ze ging weer naar het water staan kijken. 'Ik mis je gewoon. We zagen elkaar iedere dag en opeens ben je weg. Dat is toch raar?'

'Je hebt gelijk,' zei ik. 'En neem maar van mij aan dat ik het liefst gisteren weer terug zou gaan. Maar dat kan niet. Ik woon nu hier, en dat blijft voorlopig nog wel zo.'

Ze keek peinzend naar de vijver en draaide haar hoofd toen langzaam in de richting van het huis, dat ze goed in zich opnam. 'Daar baal ik van,' zei ze.

'Ik ook.'

Peyton bleef uiteindelijk nog geen uur, net lang genoeg om het huis te zien, de laatste roddels van Jackson te vertellen en nog twee keer een uitnodiging van Jamie om te blijven eten af te slaan. Jamie kon er zo te zien met zijn verstand niet bij dat ik echt een vriendin van vlees en bloed had. Cora zag het echter heel anders, en daar kwam ik achter toen ik in mijn kamer kleren stond op te vouwen en ze in de deuropening stond.

'Nou,' zei ze. 'Vertel.'

Ik concentreerde me op het bij elkaar zoeken van mijn sokken toen ik zei: 'Er valt niet veel te vertellen.'

'Kennen jullie elkaar al lang?'

'Een jaar of zo,' zei ik schouderophalend. 'Hoezo?'

'Zomaar.' Ze stond tegen de deurpost geleund te kijken hoe ik mijn spijkerbroek opvouwde. 'Ik vond haar nogal... verstrooid. Helemaal niks voor jou.'

Ik stond op het punt om onder haar neus te wrijven dat ze helemaal niet kon weten wie wel of niet iets voor mij was, maar ik hield wijselijk mijn mond en vouwde verder.

'Maar goed,' zei ze. 'Het zou fijn zijn als je het in het vervolg zou kunnen laten weten als er iemand langskomt.'

Nou, er kwamen inderdaad heel wat mensen langs – eentje om precies te zijn! 'Ik wist helemaal niet dat ze zou komen,' zei ik. 'Ik wist niet eens dat ze wist waar ik woonde.'

Ze knikte. 'Oké. Onthoud het dan maar voor de volgende keer.'

De volgende keer? dacht ik. *Echt niet.* 'Prima,' zei ik.

Ik ging door met opvouwen en wachtte op wat er nog meer zou komen. Ik dacht dat ze nog wel even door zou gaan met het maken van toespelingen en een ruzie zou uitlokken die ik niet verdiend had en waar ik helemaal geen zin in had. Maar ze draaide zich om en liep naar haar eigen kamer. Even later hoorde ik hoe ze me welterusten wenste en ik gaf haar vriendelijk antwoord. Haar laatste woorden bleven ergens tussen ons in hangen.

7

Meestal werkte ik van drie tot zeven bij Harriet, zodat zij kon gaan lunchen en haar eigen dingen kon gaan doen. Het kwam er echter altijd op neer dat ze helemaal nergens naartoe ging en de hele tijd maar wat liep aan te rommelen en te tobben en zich er niet toe kon zetten om ook echt weg te gaan.

'Sorry,' zei ze dan verontschuldigend, terwijl ze een ketting recht hing die ik al twee keer zelf recht had gehangen. 'Weet je wat het is? Ik doe de dingen graag op mijn manier, snap je?'

Ik snapte het. Harriet had de winkel zelf gemaakt tot wat hij was, en was ermee begonnen toen ze van school kwam. Het was niet altijd makkelijk geweest, ze had het moeilijk gehad, had vaak water bij de artistieke wijn moeten doen en was bijna failliet gegaan. Toch had ze dapper doorgezet, zij tegen de rest van de wereld. Daarom had ze er volgens mij zoveel moeite mee dat we nu opeens met zijn tweeën waren.

Toch was haar neurotische gedrag vaak irritant – ze liep constant achter me aan, controleerde alles wat ik deed, om het vervolgens zelf opnieuw te doen, waardoor het vaak voorkwam dat ik mijn hele dienst niets had uitgevoerd – zodat ik me afvroeg waarom ze me eigenlijk had aangenomen. Op een dag, toen ik letterlijk urenlang alleen maar had staan afstoffen, durfde ik het eindelijk te vragen.

'Wil je dat echt weten?' vroeg ze. Ik knikte. 'Ik kom om in

het werk. Ik loop achter met de bestellingen en de boek-houding, en ik ben bekaf. Zonder cafeïne was ik allang dood geweest.'

'Laat me je dan helpen.'

'Ik doe mijn best.' Ze nam een slok van haar eeuwige kof-fie. 'Maar het valt niet mee. Ik heb het altijd alleen gedaan. Op die manier was ik overal zelf verantwoordelijk voor, ook als het niet goed ging. Ik ben bang dat als ik het loslaat...'

Ik wachtte tot ze haar zin afmaakte. Toen ze dat niet deed, maakt ik hem maar voor haar af. 'Dat je alles kwijt-raakt.'

Ze zette grote ogen op. 'Precies!' zei ze. 'Hoe wist je dat?'

Ik had geen zin om daarop in te gaan. 'Ik zei zomaar wat,' zei ik.

'Deze zaak is het enige wat ooit helemaal van mij is ge-weest,' zei ze. 'Ik ben als de dood dat er iets misgaat.'

'Dat zal allemaal wel,' zei ik, 'maar het aanvaarden van hulp wil niet zeggen dat je de touwtjes meteen ook uit han-den moet geven.'

Toen ik het mezelf hoorde zeggen, dacht ik dat ik mijn eigen raad ook weleens zou mogen opvolgen. Maar terug-denkend aan de afgelopen weken – mijn verblijf bij Cora en de afspraak die ik met Jamie had gemaakt over een even-tuele studie – realiseerde ik me dat ik dat misschien al wel gedaan had.

Harriet werd zo totaal door haar zaak in beslag genomen dat ze geen privéleven had. Overdag stond ze in haar win-keltje en 's avonds ging ze meteen naar huis, om tot diep in de nacht nieuwe sieraden te maken. Misschien wilde ze het ook wel niet anders. Maar er waren genoeg mensen die graag zouden zien dat ze het op een andere manier zou aan-pakken.

Reggie bijvoorbeeld, de jongen van de vitaminepillen. Als

hij iets te eten ging halen, vroeg hij altijd of hij iets voor haar mee moest nemen. Als er niets te doen was, liep hij naar de open ruimte tussen onze stands om even een luchtje te scheppen. Als Harriet zei dat ze moe was, kwam hij meteen met vitamine B-complex aanzetten; als ze nieste, stond hij met echinacea voor haar neus. Toen hij een keer kruidenthee en ginkgo biloba had gebracht, omdat ze klaagde dat ze niets meer kon onthouden, zei ze: 'Hij is zo ongelooflijk aardig. Ik snap niet waarom hij zoveel moeite voor me doet.'

'Hij ziet je wel zitten,' zei ik.

Ze keek me verbaasd aan. 'Wat zei je?'

'Hij ziet je wel zitten,' herhaalde ik. Dat was zo klaar als een klontje. 'Dat zie je zelf toch ook wel?'

'Reggie?' zei ze zo verbaasd, dat ze het duidelijk niet in de gaten had gehad. 'Welnee joh, we zijn gewoon vriendjes.'

'Hij heeft je ginkgo gegeven,' legde ik uit. 'Dat doen gewone vrienden niet.'

'Natuurlijk wel.'

'Kom op, Harriet.'

'Waar heb je het over? Ik bedoel, we zijn vrienden, en dat er iets meer zou zijn, is toch...' zei ze, terwijl ze stug door de kassabonnen bleef bladeren. Toen keek ze me plotseling aan en vervolgens keek ze naar Reggie, die een vrouw iets stond te vertellen over proteïnepoeder. 'Mijn god. Dat zal toch niet waar zijn?'

'Dus wel,' zei ik, en ik keek naar de ginkgo, die hij keurig op de kassa had gezet, met een briefje erop. Ondertekend met een smiley.

'Dat slaat nergens op,' zei ze blozend.

'Waarom niet? Hij is toch leuk?'

'Ik heb helemaal geen tijd voor een relatie,' zei ze terwijl ze nog een slok koffie nam. Ze keek nu behoedzaam naar de ginkgo, alsof het een tijdbom was in plaats van een supplement. 'Kerstmis staat voor de deur. Ik heb het nu hartstikke druk.'

'Het een hoeft het ander toch niet uit te sluiten?'

'Ik geloof er geen bal van,' zei ze hoofdschuddend.

'Waarom niet?'

'Omdat het nooit iets kan worden.' Ze trok de kassa open en gooide de kassabonnen erin. 'Ik heb nu uitsluitend tijd voor mezelf en de zaak. De rest leidt me alleen maar af.'

Ik wilde net gaan vertellen dat dat helemaal niet zo hoefde te zijn, omdat zij en Reggie al min of meer een relatie hadden. Ze waren vrienden, en ze zouden gewoon kunnen kijken of het meer kon worden. Maar ik vond dat ik begrip moest opbrengen voor haar situatie, ook al was ik het deze keer niet met haar eens. Ik was zelf toch ook vastbesloten geweest om een eenvrouwszaak te worden, al lukte dat de laatste tijd minder goed dan ik had gehoopt? Dat werd een paar dagen later nog eens onder mijn neus gewreven toen ik met Cora in de keuken mijn eigen ding zat te doen en ik opeens werd opgenomen in Jamies plannen voor de feestdagen.

'Wacht even,' zei Cora, die naar het shirt keek dat voor haar op tafel lag. 'Waar had je dit ook alweer voor nodig?'

'Voor de kerstkaart!' zei Jamie, en hij haalde nog zo'n shirt – van spijkerstof, met knoopjes; hetzelfde als dat van Cora – uit de tas die hij in zijn hand had, dat hij aan mij gaf. 'Je weet toch nog wel dat ik dit jaar een fotokaart wilde maken?'

'En nou wil jij dat we allemaal hetzelfde shirt aantrekken?' vroeg Cora toen hij nóg zo'n shirt uit de tas haalde en het voor zijn eigen borst hield. 'Je maakt een grapje, hoop ik?'

'Nee hoor,' zei Jamie. 'Het wordt te gek. O, en wacht even. Het leukste komt nog!'

Hij draaide zich om en liep op een drafje de gang in.

Cora en ik zaten elkaar alleen maar aan te kijken.

'Dezelfde shirts?' zei ik.

'Geen paniek,' antwoordde ze, hoewel ze zelf ook allesbehalve ontspannen overkwam. Ze keek nog een keer naar dat van haar. 'Nog niet, tenminste.'

'Moet je dit zien,' zei Jamie, die de keuken weer in kwam lopen. Hij hield iets achter zijn rug, wat hij nu met een zwierig gebaar liet zien. 'Voor Roscoe!'

Het was – jawel – een spijkerhemd. In hondenformaat. Met een rode vlinderdas erop genaaid. Ik zou blij moeten zijn dat het mijne dat in elk geval niet had, maar eerlijk gezegd was ik toen nog te erg geschrokken om dat te beseffen.

'Jamie,' zei Cora, toen hij onder de tafel kroop om met veel kabaal Roscoe te pakken, die kennelijk in coma lag, om hem in zijn outfit te hijsen. 'Hartstikke leuk, zo'n kerstkaart, maar vind je echt dat we er allemaal hetzelfde moeten uitzien?'

'Bij mij thuis droegen we altíjd hetzelfde,' klonk het gedempt onder de tafel. 'Mijn moeder breide voor ons allemaal dezelfde trui. En dan poseerden we met zijn allen, bij de trap of de open haard of zo. Ik zet de traditie dus gewoon voort.'

Ik keek naar Cora. Help, zei ik zonder geluid te maken, en ze stak knikkend haar hand op.

'Weet je,' zei ze toen Jamie eindelijk tevoorschijn kwam met Roscoe, die er niet erg blij uitzag en al aan zijn vlinderdas begon te knagen, 'we kunnen toch ook een gewone foto maken? Of alleen van Roscoe?'

Jamies gezicht betrok. 'Dus je wilt niet met z'n allen op een kaart?'

'Nou,' zei ze, terwijl ze naar me keek, 'ik vind... Ik denk dat Ruby en ik het niet gewend zijn. Bij ons thuis ging het er heel anders aan toe. Snap je?'

Dat was natuurlijk het understatement van de eeuw. Ik had slechts een paar herinneringen van toen mijn ouders nog bij elkaar waren, maar toen mijn vader was weggegaan, nam hij de feestvreugde van mijn moeder mee. Sinds die tijd zag ik vreselijk tegen de feestdagen op. Er werd altijd te veel gedronken, er was te weinig geld, en omdat het vakantie was, zat ik opgescheept met mijn moeder, mijn moeder en nog eens mijn moeder, weken achter elkaar. Er was niemand zo blij met het nieuwe jaar als ik. 'Maar,' zei Jamie, en hij keek naar Roscoe, die de vlinderdas helemaal had ondergekwijld en nu aan zijn mouw begonnen was, 'dat is nou juist de reden waarom ik het zo graag wilde doen.'

'Voor wie dan?'

'Voor jou,' zei hij. 'Ik bedoel natuurlijk: jullie. Ook voor Ruby. Omdat jullie het zo lang zonder hebben moeten doen.'

Ik wendde me weer tot Cora en wachtte af tot ze haar volgende wapen in de strijd gooide. Maar ze zat alleen maar naar haar man te kijken en ik zou zweren dat ze in tweestrijd stond. Shit.

'Weet je?' zei ze, terwijl Roscoe een stukje vlinderdas ophoestte. 'Je hebt helemaal gelijk.'

'Wát?' zei ik.

'Het wordt vast hartstikke leuk,' zei ze tegen me. 'En blauw staat je goed.'

Dat was echter een schrale troost; een week later poseerden we bij de vijver, Roscoe zat bij mij op schoot, terwijl Jamie met het statief en de zelfontspanner stond te hannesen. Cora, die in haar blauwe blouse naast me zat, bleef me steeds verontschuldigende blikken toewerpen, die ik vakkundig negeerde. 'Ik kan er ook niks aan doen,' zei ze binnensmonds terwijl Roscoe mijn gezicht probeerde af te likken, 'zo is hij nou eenmaal. Het huis, zijn beschermende aard, dit hele leven... Hij probeert me altijd te geven wat ik altijd heb moeten missen. Eigenlijk best heel erg lief.'

'Komt-ie!' zei Jamie, en hij rende naar zijn plek naast Cora. 'Zet je schrap. Eén, twee...'

Op 'drie' drukte de camera af, en daarna nog een keer. *Wie had dit ooit gedacht*, dacht ik toen ik de foto's later naast de onbeschreven enveloppen op het aanrecht zag liggen. FIJNE FEESTDAGEN GEWENST DOOR DE FAMILIE HUNTER!, stond erop gedrukt en als je de foto zag, leek het net of ik er echt bij hoorde, in mijn blauwe blouse.

Ik was niet de enige die zich ongemakkelijk voelde. On-geveer een week later, toen ik vóór het eerste lesuur bij mijn kluisje stond, merkte ik dat er iemand naast me kwam staan. Ik draaide me om, in de verwachting Nate aan te tref-fen – de enige die ik op school regelmatig sprak – maar tot mijn verbazing was het Olivia Davis.

'Je had gelijk,' zei ze. Geen 'Hoi' of 'Alles goed?'. Aan de andere kant: ze was niet aan het bellen, dus misschien ging het toch wel de goede kant op.

'Waarover?'

Ze beet op haar lip en keek even opzij toen er een aantal voetballers luid pratend voorbijliep. 'Ze heet Melissa. Het meisje waar mijn vriend mee vreemdging.'

'O,' zei ik, 'oké.'

'Al wekenlang, en niemand die iets tegen me zegt,' ging ze verder, met walging in haar stem. 'Ik heb zoveel vrienden op Jackson, ik zie ze allemaal regelmatig... maar toch, heel toevallig, is het nooit ter sprake gekomen. Denken ze dat ik gek ben, of zo?'

Ik wist niet goed hoe ik hierop moest reageren. 'Wat erg,' zei ik. 'Lekker kut.'

Olivia haalde haar schouders op en keek nog steeds de gang in. 'Maakt niet uit. Ik kan het maar beter weten, toch?'

'Absoluut,' stemde ik met haar in.

'Maar goed,' zei ze, ineens een stuk opgewekter en op zakelijke toon. 'Ik wilde je even bedanken. Voor de tip.'

'Graag gedaan.'

Haar telefoon ging, ik herkende het rollende geluid dat uit haar tas kwam inmiddels. Ze haalde hem eruit, keek wie er belde, maar klapte hem niet open. 'Ik sta niet graag bij iemand in het krijt,' zei ze tegen me. 'Laat me dus even weten wat je ervoor terug wilt hebben, oké?'

'Ik hoef er niks voor te hebben,' zei ik, terwijl haar telefoon weer ging. 'Ik heb je alleen een naam gegeven.'

'En? Dat telt ook, hoor.' Haar telefoon rinkelde nog een keer en nu klapte ze hem wel open. 'Blijf even hangen,' zei ze, en ze hield haar hand op het mondstuk. 'Ik hoor het wel.'

Ik knikte en ze draaide zich om en liep weg, druk in gesprek. Olivia stond dus niet graag bij iemand in het krijt. Ik ook niet. Sterker nog: ik vond niemand leuk, tenzij ze me een reden gaven om er anders over te denken. Zo had ik tenminste tot voor kort in elkaar gezeten. Maar de laatste tijd ging ik steeds meer denken dat niet alleen ik aan het veranderen was.

Later die week stapten Nate en ik uit bij school, Gervais was er zoals gewoonlijk op topsnelheid vandoor gegaan. We trokken inmiddels al veel minder aandacht – waarschijnlijk was er een nieuwe Rachel Webster of zo, over wie geroddeld kon worden – hoewel er nog steeds een paar mensen naar ons keken. 'Dus ik zeg tegen haar dat ze misschien, en alleen als ze dat zelf zou willen, mijn vader en mij wel zou kunnen inhuren om haar huis een beetje op orde te krijgen. Je weet namelijk niet wat je ziet. Er liggen overal stapels spullen – post, kranten, wasgoed. Stápels.'

'Bij Harriet?' vroeg ik. 'Echt waar? Op het werk is ze zo netjes.'

'Op haar werk wel, ja,' antwoordde hij. 'Maar verder...'

'Nate!'

Hij stond stil en draaide zich om naar een rode auto, waar een gozer in een leren jack en een zonnebril op naast stond. 'Robbie,' zei hij. 'Alles goed?'

'Dat kan ik beter aan jou vragen,' riep de jongen terug. 'Volgens de coach ben je er definitief mee gestopt. Terwijl je die beurs voor de universiteit zo goed als in je zak had, man. Wat is er aan de hand?'

Nate keek naar mij en hees vervolgens zijn rugzak hoger op. 'Ik heb het gewoon te druk,' zei hij, terwijl de jongen op ons kwam aflopen. 'Je weet wel.'

'Dat kan wel zijn, maar kom op joh,' antwoordde de jongen. 'We kunnen niet zonder jou! Ooit van loyaliteit gehoord?'

Ik hoorde Nate iets zeggen wat ik niet kon verstaan omdat ik doorliep. Dit ging mij duidelijk niets aan. Ik was bijna bij het grasveld, toen ik achteromkeek. Nate rondde het gesprek met de jongen in de leren jas al af.

Ik hoefde nog maar een klein stukje tot ik bij het grasveld was. Hetzelfde korte stukje dat ik elke dag alleen zou lopen, als het aan mij lag. Maar toen ik de stoep op liep, zag ik Olivia bij haar kluisje staan. Ze keek terughoudend, in een poging ongenaakbaar te lijken, van niets of niemand afhankelijk. Het was een merkwaardig gevoel, weten dat je bij iemand in het krijt stond, misschien zelfs wel ergens bij hoorde. Het werd nog vreemder als je je ervan bewust was, en wist dat je er steeds harder in werd meegesleurd, of je het nou leuk vond of niet. Alsof je bijvoorbeeld expres langzamer ging lopen, waardoor het niet opviel dat degene die een beetje buiten adem achter je aan kwam je toch kon inhalen, zodat je samen verder kon lopen.

* * *

Het was een foto van een groep mensen op een brede veranda. Zo te zien – de mannen hadden lange bakkenbaarden en kleding met drukke prints, de vrouwen droegen gebloemde jurken en hadden lang haar – was hij ergens in de jaren zeventig genomen. Op de achterste rijen stonden mensen lukraak naast elkaar, de eerste rij waren kinderen in kleermakerszit. Eén jongen stak zijn tong uit, twee meisjes hadden bloemen in hun haar. In het midden zat een meisje in een witte jurk op een stoel, geflankeerd door twee vrouwen van middelbare leeftijd.

Er stonden misschien in totaal wel vijftig mensen op de foto, sommigen leken op elkaar, anderen totaal niet. Een aantal mensen poseerde en keek lachend in de camera, terwijl anderen opzij keken of zaten te lachen, alsof ze niet wisten dat er een foto werd genomen. Ik kon me best voorstellen dat de fotograaf het had opgegeven om iedereen er goed op te krijgen en op hoop van zegen maar gewoon had afgedrukt.

Ik zag de foto op het kookeiland liggen toen ik beneden kwam. Ik pakte hem op en nam hem mee naar de keukentafel om hem tijdens mijn ontbijt te kunnen bekijken. Toen Jamie twintig minuten later beneden kwam, zou ik eigenlijk allang aan de krant en de horoscoop begonnen moeten zijn, maar ik zat hem nog steeds te bestuderen.

'Aha,' zei hij, terwijl hij naar het koffiezetapparaat liep. 'Je hebt de advertentie gevonden. Wat vind je ervan?'

'Is dit een advertentie?' vroeg ik. 'Waarvoor?'

Hij liep naar het kookeiland. 'Nou,' zei hij, en hij zocht in een stapel papieren, 'dat is niet de eigenlijke advertentie, maar dit.'

Hij legde een stuk papier voor mijn neus. Bovenaan stond de foto die ik al had gezien, met daaronder in ouderwets getypte letters: HET GAAT OM FAMILIE. Daaronder stond een andere foto, die in het heden genomen was, van een groepje twintigers op een soort footballveld. Ze droegen T-shirts en spijkerbroeken, sommigen hadden hun armen om elkaar heen geslagen, anderen stonden met hun handen in de lucht. Ze hadden duidelijk iets te vieren. HET GAAT OM VRIEN-DEN, stond eronder. De onderste foto was van een computer-scherm, helemaal gevuld met kleine fotootjes van lachende gezichten. Als je goed keek, zag je dat het dezelfde mensen waren die op de andere foto's stonden, op maat geknipt en naast elkaar gelegd. Daar stond onder: HET GAAT OM MENSEN MET ELKAAR IN CONTACT BRENGEN: UME.COM

'Het idee erachter,' zei Jamie, 'is dat we steeds individua-listischer worden – iedereen heeft zijn eigen telefoon, e-mail-adressen, enzovoort – en dat iedereen die dingen gebruikt om met elkaar in contact te komen. Vrienden, familie... ie-dereen maakt deel uit van een stuk van de gemeenschap waar hij of zij op terug kan vallen. En UME helpt daarbij.'

'Wauw,' zei ik.

'Ik geef duizenden dollars uit aan een reclamebureau,' zei hij, terwijl hij de doos cornflakes pakte die tussen ons in stond, 'en heb urenlang mijn tijd zitten verdoen in eindelo-ze vergaderingen, en jij komt niet verder dan "Wauw"?'

'Dat is nog altijd beter dan "ik vind het niks", zei Cora, die de keuken binnen kwam lopen, op de voet gevolgd door Roscoe. 'Toch?'

'Jouw zus,' zei Jamie zacht, 'vindt de campagne helemaal niks.'

'Dat is niet waar,' zei Cora tegen hem, terwijl ze de ijskast opentrok en er een pak wafels uit haalde en Roscoe snuffe-lend naar mij toe kwam. 'Ik heb alleen maar gezegd dat ik denk dat jouw familie het niet zo leuk vindt om landelijk in tijdschriften en bushokjes op een foto uit 1976 of zo ten-toongesteld te worden.'

Ik keek eerst naar de bovenste foto, en daarna naar Jamie. 'Is dit jouw familie?'

'Nou en of,' zei hij.

'En dat zijn ze nog niet eens allemaal,' voegde Cora eraan toe, terwijl ze twee wafels in de broodrooster deed. 'Niet te geloven, toch? Het is geen familie, het is een complete stam.'

'Mijn oma had vijf broers en zussen,' legde Jamie uit.

'Aha,' zei ik.

'Je had onze bruiloft eens moeten zien,' zei Cora. 'Ik had het gevoel dat ik onuitgenodigd op mijn eigen bruiloft was komen binnenvallen. Ik kende helemaal niemand.'

We waren ons alle drie bewust van de pijnlijke stilte die viel na deze woorden. Jamie keek tersluiks naar me, maar ik concentreerde me op de hap cornflakes die ik net had genomen, en zat zorgvuldig te kauwen toen Cora een rood hoofd kreeg en haar aandacht op de broodrooster vestigde. Het zou misschien makkelijker zijn geweest om te erkennen hoe vreemd deze situatie was, waardoor we zo van elkaar vervreemd waren. Mijn moeder en ik wisten niet eens dat Cora ging trouwen, laat staan dat we waren uitgenodigd voor de bruiloft. Maar dat deden we uiteraard niet. We zaten daar maar, tot de stilte werd doorbroken door het brandalarm dat ineens afging.

'Shit,' zei Jamie, toen een door merg en been gaand gepiep de ruimte vulde. Ik keek meteen naar Roscoe, wiens oren plat op zijn kop lagen. 'Wat brandt er aan?'

'Het is die verrekte broodrooster,' zei Cora. Ze trok hem open en wuifde met haar hand voor de opening. 'Dat doet hij altijd. Roscoe, lieverd, er is niks aan de hand.'

Maar het was al te laat. Hij vloog als een raket de keuken uit, zoals hij altijd deed. Op de een of andere manier was Roscoes angst voor apparaten alleen maar toegenomen. Hij was niet alleen bang voor de oven, maar voor alles wat piepte of dat zou kunnen gaan doen. Het brandalarm boezemde hem echter het meeste angst in. Hij zou inmiddels wel trillend tussen de schoenen in de kast bij mijn badkamer zitten, tegenwoordig zijn favoriete schuilplaats, wachtend tot het gevaar geweken was.

Jamie pakte de bezem en duwde op het resetknopje van het alarm, waardoor het gepiep eindelijk stopte. Hij klom van het aanrecht en ging weer zitten, gevolgd door Cora, die een beetje halfslachtig aan haar wafel begon.

'Misschien moesten we maar eens professionele hulp inschakelen,' zei ze na een tijdje.

'Ik ga hem geen antidepressiva geven,' zei Jamie tegen haar, waarna hij de voorpagina van de krant ging zitten bestuderen. 'Het kan me niet schelen hoe relaxed de teckel van Denise nu is.'

'Lola is een Maltezer leeuwtje,' zei Cora, 'en wie zegt dat hij antidepressiva voorgeschreven krijgt? Misschien is er wel een cursus die hij kan volgen.'

'We kunnen hem ook niet blijven vertroetelen,' zei Jamie. 'Het wordt alleen maar erger als je hem oppakt en hem geruststelt als hij zo uit zijn dak gaat.'

'Dus jij vindt dat we moeten toekijken hoe hij een trauma oploopt?'

'Natuurlijk niet,' zei Jamie.

Cora legde haar wafel neer, veegde haar mond af met een servet en zei: 'Er moet toch iets te doen zijn aan die angst en tegelijkertijd...'

'Cora,' zei Jamie, die de krant weglegde. 'Het is een hond, geen kind. Het gaat niet om eigenwaarde. Het is een pavlovreactie. Oké?'

Cora keek hem alleen maar aan. Daarna stond ze op, liep naar het aanrecht en kwakte haar bord in de gootsteen.

Jamie zuchtte toen ze de keuken uit liep, en haalde een hand over zijn gezicht terwijl ik de familiefoto nog eens bekeek. Ik betrapte mezelf erop dat ik hem weer aandachtig zat te bestuderen; al die verschillende gezichten, sommige lachend, andere niet, de vrouwen van middelbare leeftijd met hun koninklijke uitstraling, die recht in de camera keken. Aan de andere kant van de tafel zat Jamie naar de vijver te staren.

'Ik vind het wel een goede advertentie,' zei ik tegen hem. 'Hij is cool.'

'Dank je,' zei hij afgeleid.

'Sta jij er ook op?' vroeg ik.

Hij keek naar de foto terwijl hij opstond. 'Nee. Voor mijn tijd. Ik werd een paar jaar later pas geboren. Mijn moeder wel, in die witte jurk. Het was haar trouwdag.'

Toen hij de kamer uit liep, keek ik nog een keer naar de foto en naar het meisje in het midden. Het viel me op hoe sereen en gelukkig ze eruitzag, omgeven door al die mensen. Ik kon me niet voorstellen hoe het moest zijn om bij zoveel mensen te horen, om niet alleen ouders, broers en zussen te hebben, maar ook neven, nichten, ooms en tantes. Een heel geslacht dat je het jouwe kon noemen. Misschien was het wel te veel. Of juist niet. Hoe dan ook, één ding was zeker: of je het nou leuk vond of niet, je was nooit alleen.

* * *

Een kwartier later stond ik in de hal op Nate te wachten, toen de telefoon ging.

'Cora?' vroeg de beller, zonder te groeten.

'Nee,' zei ik, 'je spreekt...'

'O hé, Ruby. Hoi!' Het was erg opgewekte vrouwenstem.

'Met Denise, de kamergenote van Cora, je weet wel – van het feestje?'

'Hoi,' zei ik, en ik draaide me om naar Cora, die de trap af kwam lopen met haar aktetas.

'Hoe gaat het met je?' vroeg Denise. 'Alles goed op school? Het zal wel wennen zijn, hè? Maar volgens Cora is het niet de eerste keer. Ik heb zelf mijn hele leven op dezelfde plek gewoond, en dat is niet veel beter, want...'

'Ik geef Cora even,' zei ik, en ik stak haar de hoorn toe toen ze beneden was.

'Met wie spreek ik?' vroeg Cora toen ze hem van me aanpakte. 'Hé, hoi. Ja. Om negen uur.' Ze keek op en stopte een pluk haar achter haar oor. 'Doe ik.'

Ik liep naar het raam naast de deur, om te kijken of Nate er al was. Hij kwam eigenlijk nooit te laat, en als het een keer gebeurde, kwam het meestal door Gervais, die moeite had om 's morgens zijn bed uit te komen en vaak door zijn moeder naar de auto gesleept moest worden.

'Nee hoor, het gaat prima,' zei Cora. Ze liep door de hal. 'Er is alleen wat spanning. Ik bel je straks wel, goed? Lief dat je gebeld hebt. Ja. Doei.'

Er klonk een piepje toen ze ophing. Toen ik naar haar keek, zei ze: 'Over daarstraks, toen ik over de bruiloft begon... Het was niet mijn bedoeling om je je ongemakkelijk te laten voelen.'

'Er is niks aan de hand,' zei ik, toen de telefoon weer ging. Ze keek naar het nummer en nam toen op.

'Hé, Charlotte. Mag ik je zo terugbellen? Ik zit midden... Ja. Om negen uur. Dat hoop ik ook.' Ze knikte. 'Weet ik. Positief denken. Ik laat je weten hoe het gegaan is. Goed. Doei.'

Ze zuchtte toen ze ophing, ging op de onderste tree zitten en legde de telefoon naast zich. Toen ze me zag kijken, zei ze: 'Ik moet naar de dokter.'

'O,' zei ik. 'Wat heb je dan?'

'Dat weet ik niet,' antwoordde ze. Ze voegde er vlug aan toe: 'Ik bedoel, er is niks met mijn gezondheid, hoor. Ik ben gewoon gezond.'

Ik knikte, omdat ik niet wist wat ik moest zeggen.

'Ik...' Ze streek met twee handen haar rok glad. 'Ik probeer al een tijdje zwanger te worden, en het gebeurt alsmaar niet. Daarom hebben we een afspraak bij de specialist.'

'O,' zei ik nog maar een keer.

'Er is niks aan de hand hoor,' zei ze snel. 'Het komt in de beste families voor. Ik vond alleen dat je het moest weten, voor het geval de doktersassistente zou bellen, of zo. Ik wil niet dat je je ongerust maakt.'

Ik knikte weer en keek naar het raam. *Het zou erg fijn zijn als Nate nú komt*, dacht ik. Maar nee hoor. Stomme Gervais. Ik hoorde hoe Cora diep inademde.

'En nog even over daarstraks,' zei ze. 'Over de bruiloft. Ik... ik wil niet dat je denkt dat...'

'Laat maar,' zei ik nog een keer.

'... ik daar nog steeds boos om ben. Want dat is niet zo.'

Het duurde even voor ik dit verwerkt had. Het was alsof de zin in stukken uit elkaar was gevallen en ik ze nu weer aan elkaar moest plakken. 'Boos?' vroeg ik ten slotte. 'Waarover?'

'Dat mama en jij niet kwamen,' zei ze. Ze zuchtte nog een keer. 'Weet je, we hoeven het er ook helemaal niet meer over te hebben. Het is al zo lang geleden. Maar vanmorgen, toen ik over de bruiloft begon, zag je er nogal ongelukkig uit, en ik wist dat je je schuldig voelde. Dus dacht ik dat ik het maar beter uit de wereld kon helpen. Zoals ik al zei: ik ben niet boos meer.'

'Je hebt ons helemaal niet uitgenodigd,' zei ik.

Nu was het haar beurt om verbaasd te kijken. 'Ja, hoor,' zei ze langzaam, 'dat heb ik wel gedaan.'

'Nou, dan is de uitnodiging denk ik zoekgeraakt in de post, want...'

'Ik ben hem zelf naar mama gaan brengen, Ruby.'

'Niet waar.' Ik slikte en haalde diep adem. 'Je... je hebt mama in geen jaren gezien.'

'Dat is niet waar,' zei ze, alsof ik een verkeerde datum of zoiets onbelangrijks had gezegd. 'Ik ben de uitnodiging persoonlijk gaan brengen naar haar toenmalige werk, want ik wilde heel graag dat jij kwam.'

Er reden allerlei auto's langs de brievenbus, en ik wist dat het elk moment Nate kon zijn en ik weg moest. Maar op dat moment kon ik me niet eens bewegen. Ik stond met mijn rug tegen het raam, alsof iemand me heel hard had geduwd. 'Niet waar,' zei ik weer. 'Je bent gewoon verdwenen. Je ging studeren, en daarna hebben we nooit meer iets van je gehoord.'

Ze staarde naar haar rok. Toen zei ze zachtjes: 'Dat is niet waar.'

'Wel. Ik was er toch zelf bij?' Maar dat vond ik zelf ook niet echt overtuigend klinken, juist op het moment dat ik heel graag wilde dat ik gelijk had. 'Al had je maar één keer de moeite genomen om contact met ons op te nemen...'

'Natúúrlijk heb ik dat geprobeerd,' zei ze. 'Als je eens wist hoeveel moeite ik daarvoor heb gedaan...'

Ze stopte opeens met praten. Midden in een zin. In de stilte die volgde, reed er een rode BMW voorbij, daarna een blauw bestelbusje. Normale mensen, op weg naar een gewoon leven. 'Wacht eens,' zei ze na een tijdje. 'Dat moet je toch weten? Dat kan niet anders. Je gaat me toch niet vertellen dat ze...'

'Ik moet gaan,' zei ik, maar toen ik de deurklink vastpakte, hoorde ik haar opstaan en achter me aan komen.

'Ruby, kijk me eens aan,' zei ze, maar ik verroerde me niet en bleef naar een klein spleetje in de voordeur staan kijken, waar koude lucht door naar binnen kwam. 'Ik wilde maar één ding: jou vinden. Toen ik studeerde, en daarna... Ik wilde je daar zó graag weghalen.'

Natuurlijk stopte Nate uitgerekend nu voor de deur. Wat een timing. 'Je ging die dag het huis uit om te studeren,' zei ik terwijl ik me omdraaide, 'en je bent nooit meer teruggekomen. Je belde niet, schreef niet, kwam niet thuis in de vakanties...'

'Denk je echt dat het zo is gegaan?' wilde ze van me weten.

'Ik zou niet weten hoe anders.'

'Nou, dat zie je dan helemaal verkeerd,' zei ze. 'Denk nou eens na. Hoe vaak zijn jullie wel niet verhuisd? Elke keer naar een andere school, zij steeds ander werk, de telefoon die bijna altijd was afgesloten, of steeds op een andere naam stond? Heb je je dan nooit afgevraagd waarom ze altijd valse adressen doorgaf op school? Dacht je soms dat ze dat per ongeluk deed? Heb je enig idee hoe moeilijk ze het me maakte om je te vinden?'

'Je hebt er geen énkele moeite voor gedaan!' zei ik, maar mijn stem begaf het, klonk veel te hard en sloeg over en galmde door de hoge hal.

'Wel waar,' zei Cora. In de verte, buiten, hoorde ik een auto toeteren: Nate werd ongeduldig. 'Jarenlang zelfs. Ook toen ze wilde dat ik ermee stopte, omdat jij niets met me te maken wilde hebben. Ondanks het feit dat je nooit reageerde op mijn brieven en ingesproken berichten...'

Ik had een gortdroge keel, het deed pijn als ik wilde slikken.

'... ben ik het altijd blijven proberen, ik heb altijd contact gezocht, tot aan mijn bruiloft. Ze zwoer dat ze je de uitnodiging zou geven, zodat je zelf kon kiezen of je wel of niet wilde komen. Toen had ik al met een rechtszaak gedreigd, en daar zat ze niet op te wachten, dus heeft ze het beloofd. Ze heeft het belóófd, Ruby. Maar ze kon het niet. Ze ging gewoon weer verhuizen. Ze was als de dood om alleen te zijn, dat jij ook weg zou gaan, zodat ze je nooit de kans heeft gegeven. Pas toen ze wist dat je achttien werd en je zelf mocht kiezen, toen opeens wel. En wat deed ze toen?'

'Hou je mond,' zei ik.

'Toen ging ze bij jóú weg,' zei ze. 'Ze liet je alleen achter, in dat smerige huis, voordat jij dat bij haar kon doen.'

Ik voelde iets opwellen in mijn keel – een snik, een schreeuw – en onderdrukte het, terwijl mijn ogen zich met tranen vulden. Ik wilde per se niet huilen, want ik wilde niet dat ze zag dat ik kwetsbaar was. 'Je weet helemaal niet hoe het gegaan is,' zei ik.

'Dat weet ik wel, Ruby.' Haar stem was zacht. Verdrietig. Alsof ze medelijden met me had, wat ik nog wel het meest beschamende vond. 'Ik weet het juist heel erg goed.'

Nate toeterde weer, langer deze keer. 'Ik moet gaan,' zei ik, en ik trok de voordeur open.

'Wacht,' zei Cora, 'je kunt niet zo weggaan.'

Maar ik rende naar buiten en gooide de deur achter me dicht. Ik wilde niet meer praten. Ik wilde helemaal niets meer, behalve rust en alleen zijn om na te denken over wat er nou precies was gebeurd. Ik had al die jaren nergens zekerheid over gehad, behalve over mijn familiegeschiedenis. Dat was altijd duidelijk geweest. En nu wist ik dat óók niet meer zeker. Wat moet je doen als je hele leven bestaat uit twee mensen, die je allebei niet volledig kunt vertrouwen, en je toch één van de twee moet geloven?

Ik hoorde de voordeur weer opengaan. 'Ruby,' riep Cora. 'Wacht nou even. We kunnen toch zo niet uit elkaar gaan?'

Maar ook nu had ze weer geen gelijk. Weggaan was een makkie. Alleen was alles eromheen zo verdomd moeilijk.

₊

Ik was nog maar net ingestapt en had koud mijn gordel om, toen het begon.

'Wat is er met jóú aan de hand? Je ziet er verschrikkelijk uit.'

Ik negeerde Gervais en bleef stug voor me uit zitten kijken. Toch voelde ik dat Nate bezorgd naar me keek, dus zei ik: 'Er is niks aan de hand. Ga nou maar.'

Het duurde nog even, maar toen trapte hij het gaspedaal in en reden we weg.

Aanvankelijk probeerde ik alleen maar rustig adem te halen. *Het is niet waar*, zei ik steeds tegen mezelf, maar toch bleef het steeds terugkomen: het voortdurend verhuizen, het vervalsen van documenten – van adressen, telefoonaansluitingen – vanwege huisbazen en schuldeisers. Telefoons die bijna nooit waren aangesloten, de uitnodiging voor Cora's afstuderen waarvan mijn moeder zei dat die automatisch werd verzonden. 'We zijn met zijn tweetjes, lieverd. Alleen jij en ik.'

Ik slikte en bleef naar de bus kijken die vóór ons reed, waar met grote letters op stond: EEN SALADEFESTIJN! Ik concentreerde me op die twee woorden, ook toen er achter me een keiharde boer werd gelaten.

'Was dat nou echt nodig, Gervais?' zei Nate en hij drukte op de knop om zijn raam te openen. Terwijl het raampje omlaag ging, zei hij: 'Waar hebben we het nou net uitgebreid met je moeder over gehad?'

'Weet ik niet meer,' antwoordde Gervais giechelend.

''Zal ik je geheugen dan maar even opfrissen?' zei Nate.

'Je zou stoppen met boeren en scheten laten en je zou wat vriendelijker gaan doen. Want anders...'

'Want anders wat?'

We stonden stil voor een rood stoplicht en Nate draaide zich naar hem om, en leunde tussen onze stoelen. Hij was opeens zo dicht bij me, dat ik, ook al had ik wel iets anders aan mijn hoofd, de geur van zijn sweater opsnoof; er stond GA ZWEMMEN! op, en hij rook naar een mix van schone was, chloor en zwemwater. 'Want anders,' zei hij streng en serieus – zo klonk hij anders nooit – 'rijd je voortaan weer met McClellan mee.'

'Echt niet!' zei Gervais. 'De kinderen van McClellan zitten in de brúgklas. En bovendien moet ik dan een stuk verder lopen.'

Nate haalde zijn schouders op. 'Dan moet je maar eerder opstaan.'

'Ik sta níét eerder op,' piepte Gervais. 'Ik moet er al veel te vroeg uit!'

'Dan moet je kappen met dat vervelende gedrag,' zei Nate. Hij draaide zich weer om toen het groen werd.

Ik voelde even later dat Nate naar me zat te kijken. Ik dacht dat hij op een bedankje zat te wachten, omdat hij die ochtend naar mevrouw Miller was gegaan om het naar aanleiding van mijn commentaar met haar over Gervais te hebben, in een poging om het op te lossen. Maar ik had er opeens zo genoeg van om het goede doel van iedereen te zijn. En als je het dan toch niet kon laten, was dat jouw probleem, niet het mijne.

Toen we vijf minuten later het parkeerterrein op reden, was ik al uitgestapt voor we stilstonden, zelfs nog voor Gervais. Ik was al een hele rij auto's verder, toen Nate me riep. 'Ruby,' zei hij, 'wacht even.'

Maar dat deed ik deze keer niet. Ik liep gewoon door, en

ging nog sneller lopen. Tegen de tijd dat ik bij het grasveld was, was de bel nog niet gegaan, en liep iedereen kriskras door elkaar heen. Toen ik de deur van de toiletten zag, liep ik daar maar naartoe.

In het toilet stonden meisjes bij de wasbakken hun make-up bij te werken en te bellen, maar de toiletten zelf waren leeg, dus liep ik langs de meisjes naar de achterste wc en deed de deur op slot. Ik leunde er met gesloten ogen tegenaan.

Ik had Cora al jaren geleden opgegeven en ik was al die tijd boos geweest omdat ze me in de steek had gelaten. En als ik het nou eens mis had gehad? Als mijn moeder haar nou eens bij me weg had gehouden, het enige andere levende wezen om wie ik gaf? En als ze dat had gedaan, waarom dan?

'Toen ging ze bij jóú weg', had Cora gezegd, en die woorden waren me het meest bijgebleven. Ze sneden door het gebulder in mijn hoofd alsof er iemand in mijn oor stond te praten. Ik wilde niet dat het logisch was, dat ze op wat voor manier dan ook gelijk had gehad. Maar ik kon tegelijkertijd de logica niet ontkennen. Mijn moeder was door haar man en een van haar dochters in de steek gelaten, en dat vond ze wel genoeg. Dus had ze gedaan wat ze vond dat ze moest doen om ervoor te zorgen dat het niet nog een keer zou gebeuren. En dat kon ik best begrijpen, want ik was van plan om precies hetzelfde te doen.

De bel ging en de wc's raakten langzaam verlaten, de deur klapte steeds open en dicht als er weer iemand naar een lokaal liep. Toen was het eindelijk stil en waren de gangen leeg. Het enige geluid kwam van de wapperende vlag, buiten op het grasveld, dat ik kon horen door de hoge, half openstaande ramen in de tegenoverliggende muur.

Toen ik zeker wist dat ik alleen was, liep ik van de wc

naar de wasbak, en liet mijn tas op de grond vallen. Toen ik in de spiegel keek, zag ik dat Gervais gelijk had: ik zag er verschrikkelijk uit met mijn vlekkerige, rode gezicht. Ik greep naar de sleutel om mijn nek en keek hoe mijn vingers hem oppakten en zich er stevig omheen sloten.

'Ik zei toch dat ik eerst een pasje moest halen en me moest afmelden?' hoorde ik een stem op de gang. 'Omdat het hier net een gevangenis is. Rustig nou maar, ik kom er zo snel mogelijk aan.'

Ik keek naar buiten en zag nog net Olivia voorbijlopen door de overdekte passage op weg naar het parkeerterrein. Toen ik haar haar sleutels zag pakken, pakte ik mijn tas en vloog achter haar aan.

Ik haalde haar in bij een rij kluisjes, net toen ze haar telefoon dichtklapte en in haar achterzak stopte. 'Hé,' riep ik, en mijn stem galmde door de lege gang. 'Waar ga je naartoe?'

Toen ze zich omdraaide en mij zag, was ze op zijn zachtst gezegd op haar hoede. Ik kon haar dat ook niet echt kwalijk nemen, met mijn vlekkerige gezicht, compleet buiten adem. 'Ik moet mijn nichtje ophalen, hoezo?'

Ik kwam dichterbij en probeerde op adem te komen. 'Ik heb een lift nodig.'

'Waarheen?'

'Maakt niet uit.'

Ze trok haar wenkbrauwen op. 'Ik ga naar Jackson en daarna naar huis. Verder ga ik nergens heen. Ik moet voor het derde uur terug zijn.'

'Prima,' zei ik. 'Perfect zelfs.'

'Heb je een absentiepasje?'

Ik schudde mijn hoofd.

'Dus jij denkt dat ik je zomaar meeneem en het risico ga lopen gepakt te worden, omdat dat compleet tegen de regels is?'

'Ja,' zei ik.

Ze schudde haar hoofd; dat kon ik wel vergeten.

'Dan staan we wel weer quitte,' voegde ik eraan toe. 'Dan ben je me niets meer verschuldigd.'

'Dit staat niet in verhouding tot wat jij voor mij hebt gedaan,' zei ze. Ze keek me aan en ik stond op haar vonnis te wachten. Ze had gelijk; het was waarschijnlijk een stomme actie. Maar ik was er klaar mee. Met alles.

'Oké,' zei ze toen. 'Maar ik neem je niet van school mee. Loop naar de Quik Zip, dan pik ik je daar wel op.'

'Doe ik,' zei ik, en ik hing mijn tas aan mijn schouder. 'Zie ik je daar.'

8

Toen ik tien minuten later naast Olivia ging zitten, raakte mijn voet meteen iets, wat ik plattrapte. Ik zag dat het een popcornbeker was, zo een die je in de bioscoop koopt. Er lagen er nog zeker vier over de vloer te rollen.

'Ik werk bij Vista 10,' legde ze uit, terwijl haar motor pruttelde toen ze achteruitreed. 'Het betaalt hartstikke slecht, maar je krijgt zoveel gratis popcorn als je op kunt.'

'Oké,' zei ik. Nu ik erover nadacht, verklaarde het wel waarom het zo naar boter rook.

We draaiden de hoofdweg op, voegden in, en reden richting grote weg. Ik had zo vaak bij Jamie en Nate in de auto gezeten, dat ik bijna was vergeten hoe het was om in een gewone auto te zitten, dat wil zeggen in een auto die niet nieuw was en niet alle extra's had. Olivia's Toyota was gedeukt, de bekleding brokkelde af en zat vol vlekken, en er hing zo'n prismading aan haar achteruitkijkspiegel. Hij deed me denken aan de Subaru van mijn moeder, een herinnering die ik snel verdrong, en ik concentreerde me op de oprit naar de grote weg, die in de verte opdoemde.

'Wat is er aan de hand?' vroeg Olivia tijdens het invoegen, waarbij de uitlaat ratelde.

'Met wie?'

'Met jou.'

'Niks bijzonders,' zei ik, en ik legde mijn voeten op het dashboard. Ze keek bits naar mijn voeten, die ik maar weer liet vallen. 'Dus je vertrekt zomaar van school?' zei ze. 'Zoiets ja.'

We kwamen dichter bij Jackson en reden langs een afslag. De volgende moesten we hebben. 'Je weet toch wel dat je daar niet zomaar kunt gaan rondlopen hè?' zei ze. 'Het is er wel minder strak geregeld dan op Perkins, maar ze sturen je evengoed weg.'

'Ik ga daar niet rondhangen,' zei ik.

Toen we even later over de heuvel reden en we Jackson zagen liggen – groot, vormeloos, stacaravans op de achtergrond – voelde ik hoe ik ontspande. Na me zoveel weken nergens thuis te hebben gevoeld, was het fijn om iets bekends te zien. Olivia parkeerde voor de deur, bij een rij vale bankjes. Op het laatste bankje zat een dik donker meisje met kort haar en een bril. Toen ze ons zag, stond ze langzaam op en slofte onze kant op.

'O, kijk haar nou,' zei Olivia hardop, terwijl ze haar raampje opendraaide. 'Ik denk dat iemand beter had moeten luisteren toen er werd gezegd dat het geen goed idee was om anderhalve kilometer te gaan hardlopen.'

'Het komt niet door het hardlopen,' mopperde het meisje, dat het achterportier opentrok en heel voorzichtig ging zitten. 'Ik denk dat ik de griep krijg.'

'Iedereen zegt dat je het moet opbouwen,' ging Olivia verder. 'Maar jij denkt daar natuurlijk weer heel anders over. Jij gaat meteen lopen sprinten.'

'Hou je mond nou maar en geef me een Advil, als je zo vriendelijk zou willen zijn.'

Olivia keek geërgerd, en leunde naar mij om in het dashboardkastje te rommelen. Ze haalde er een potje pillen uit en gooide het over haar schouder. 'Dit is Laney trouwens.' Ze gooide het dashboardkastje dicht. 'Ze denkt dat ze een marathon kan lopen.'

'Het is maar vijf kilometer,' zei Laney, 'en een beetje steun zou erg fijn zijn.'

'Ik steun je ook heus wel,' zei Olivia. 'Zo erg zelfs, dat ik de enige ben die het je heeft afgeraden. Omdat je er heel misschien wel iets aan zou overhouden.'

Laney keek haar alleen maar aan terwijl ze twee Advils innam en het deksel terugdeed op het potje. 'Pijn hoort bij hardlopen,' zei ze. 'Het is een duursport.'

'Wat weet jij daar nou van!' Olivia wendde zich tot mij. 'Laatst zag ze zo'n belachelijke reclame op Tel Sell, waarin het ging over rupsen, vlinders en potentieel en hoe je fitnessdoelen voor jezelf moet stellen. En zij denkt dan meteen dat ze Lance Armstrong is.'

'Lance Armstrong is wielrenner,' legde Laney fijntjes uit. 'Daar kun je me helemaal niet mee vergelijken.'

Olivia schraapte haar keel, maar onthield zich van verder commentaar toen we dezelfde weg terug reden. Toen ze het knipperlicht aanzette om links af te slaan, vroeg ze: 'Vind je het goed als ik zo rijd? Het is niet ver om.'

'Die kant op is alleen maar bos,' antwoordde Laney.

'Heel even maar.'

Ik zag hoe ze in de achteruitkijkspiegel naar Laney keek, maar toen keerde ze de auto en reed pruttelend de heuvel op. Het parkeerterrein maakte plaats voor nog meer parkeerterreinen, die overgingen in kreupelhout. Een paar honderd meter verder vroeg ik of ze langzamer kon gaan rijden.

'Stop hier maar,' zei ik, toen we bij de open plek waren. Zoals ik al dacht stonden daar twee auto's geparkeerd, en ik zag Aaron, de ex van Peyton – een mollige jongen met een babyface die hij probeerde te verbloemen door in het zwart gekleed te gaan en nors te kijken – zittend op de motorkap van een van de auto's een sigaret roken. 'Bedankt voor de lift.'

Olivia keek eerst naar de auto's en toen naar mij. 'Weet je zeker dat je er hier uit wilt?'

'Ja,' zei ik.

'Hoe wil je ooit weer terugkomen?' vroeg ze sceptisch.

'Ik verzin wel iets,' zei ik. Ik stapte uit en pakte mijn rugzak. Ze zat me nog steeds aan te kijken, dus ik zei: 'Je hoeft je om mij geen zorgen te maken.'

'Ik maak me helemaal geen zorgen om je,' zei ze. 'Ik ken je niet eens.'

Toch bleef ze naar me kijken terwijl Laney het achterportier opende, langzaam uitstapte en op haar dooie gemak voorin ging zitten. Toen ze het portier dichttrok, zei Olivia: 'Ik kan je ook even thuis afzetten, als je wilt. Ik ben nu toch al te laat voor het derde uur, dankzij Laney.'

Ik schudde mijn hoofd. 'Nee hoor, het gaat wel. Ik zie je op school, oké?'

Ze knikte bedachtzaam toen ik op het dak van de auto sloeg en daarna naar de open plek liep. Aaron wierp me een zijdelingse blik toe, en ging toen rechtop zitten. 'Hé Ruby,' riep hij naar me, toen ik op hem afliep. 'Welkom terug.'

'Dank je,' zei ik, en ik ging naast hem op de motorkap zitten. Olivia stond nog steeds op dezelfde plek en zat me van achter het stuur aan te kijken. Maar toen reed ze weg en keerde ze met pruttelende motor om op de doodlopende weg. Heel even viel het licht op het prisma aan haar achteruitkijkspiegel en het begon te schitteren, en toen reed ze over de heuvel en verdween uit zicht. 'Het is fijn om weer terug te zijn.'

***

Ik kwam eigenlijk voor Peyton, die het tweede uur vrij was en het derde uur er vaak spijbelend aan vastplakte en dan meestal naar de open plek ging. Maar Aaron, die tijd zat had omdat hij van school was getrapt, beweerde dat hij haar nog niet had gezien, dus ging ik zitten wachten. Ik zat er al een paar uur.

'Hé.'

Ik voelde iets tegen mijn voet stoten. En nog een keer, harder. Toen ik mijn ogen opendeed, stond Aaron daar met een brandende joint in zijn hand, die hij me toestak. Ik probeerde me erop te concentreren, maar het beeld bleef wazig, eerst aan de ene kant, daarna aan de andere. 'Ik hoef niet,' zei ik.

'O, oké,' zei hij mat. Hij stak hem tussen zijn lippen en nam een grote hijs. Bij zijn zwarte overhemd en spijkerbroek stak zijn bleke huid zó wit af, dat hij licht leek te geven.

Ik leunde achterover en bonkte met mijn hoofd ergens tegenaan. Toen ik opzij keek, zag ik een bandenprofiel, glooiend metaal, en ik rook rubber. Het duurde echter nog even voor ik in de gaten had dat ik tegen een auto zat. Ik zat in het gras en overal om me heen waren bomen; toen ik opkeek, zag ik blauwe lucht. Ik zat dus nog steeds op de open plek, maar ik wist niet meer hoe ik op de grond was terechtgekomen.

Dat kwam mede omdat ik dronken was van de halve liter wodka die we samen soldaat hadden gemaakt. Ik kon me tenminste nog vaag zoiets herinneren – hij had de fles uit zijn zak gehaald, samen met een paar pakjes jus die iemand die ochtend uit de kantine had gejat bij het ontbijt. We schonken van allebei wat in lege koffiebekers met deksel, shaketen ze als een cocktail en proostten op de voorbank, de radio keihard. En herhaalden dit tot de jus op was. Toen dronken we de wodka puur. Met iedere slok die ik nam, brandde het minder in mijn keel.

'Jezus,' had hij gezegd, terwijl hij zijn mond afveegde en

de fles weer aan mij gaf. Het waaide, de bomen gingen heen en weer, en alles voelde ver weg maar toch ook dichtbij, precies goed eigenlijk. 'Sinds wanneer ben jij zo'n zuipschuit, Cooper?'

'Altijd al geweest,' zei ik. 'Het zit in mijn genen.'

Hij nam nog een grote hijs, en sputterde een beetje bij het inhaleren. Mijn hoofd voelde zwaar, instabiel. Hij blies de rook mijn richting uit. Ik sloot mijn ogen in een poging mezelf te verliezen in de rook. Ik wilde alleen maar alles vergeten, alles blokkeren wat ik die ochtend van Cora had gehoord over mijn moeder. En dat was een tijdlang, toen ik naast Aaron had zitten meezingen met de radio, gelukt. Nu merkte ik dat die gedachten de kop weer opstaken, dat ze weer op de loer lagen.

'Hé,' zei ik, terwijl ik mezelf dwong mijn ogen open te doen, 'geef mij eens een hijs.'

Hij gaf me de joint. Ik pakte hem een beetje klunzig aan, en hij viel tussen ons in het gras. 'Shit,' zei ik, toen ik iets heets voelde prikken op mijn huid. Toen ik hem tevoorschijn haalde, moest ik me concentreren op het naar mijn mond brengen en tussen mijn lippen krijgen van de peuk, voor ik een grote hijs kon nemen. Er kwam dichte rook uit, die langzaam naar mijn longen afdaalde, en toen ik hem daar voelde, leunde ik weer achterover, met mijn hoofd tegen de bumper. Mijn god, wat was dat lekker. Ik zweefde een beetje in de verte, al mijn zorgen trokken zich terug als een golf die weer richting zee gaat, en het zand schoon achterlaat. Ik had nog niet zo lang daarvoor in hetzelfde bos gelopen waar ik nu ook zat, en had me toen precies zo gevoeld: vrij en op mijn gemak, alle problemen nog op veilige afstand. Toen was ik ook niet alleen geweest, maar met Marshall.

Marshall. Ik deed mijn ogen open en tuurde naar mijn horloge tot het beeld scherp was. Daar had ik behoefte aan – iemand om tegenaan te kruipen, ook al was het maar voor even. Sandpiper Arms was maar een klein stukje lopen via het pad door het bos; dat hadden we zo vaak gedaan.

'Waar ga je heen?' vroeg Aaron met dikke stem toen ik ging staan, en bijna struikelde. 'Ik dacht dat we hier samen zouden blijven.'

'Ik ben zo weer terug,' zei ik tegen hem, en ik liep naar het pad. Tegen de tijd dat ik onder aan de trap bij het gebouw stond waar Marshall woonde, kon ik weer een beetje samenhangender denken, hoewel ik liep te zweten van de wandeling en hoofdpijn begon te krijgen. Ik nam even de tijd om mijn haar te fatsoeneren en er een beetje toonbaar uit te zien, voor ik op zijn voordeur afliep en aanbelde. Even later ging de deur op een kiertje open en keek Rogerson me aan.

'Hoi,' zei ik. Mijn stem klonk laag, alsof hij vloeibaar was. 'Is Marshall thuis?'

'Eh...' zei hij over zijn schouder kijkend, 'dat weet ik niet.'

'Het geeft niks als hij er niet is, hoor,' zei ik. 'Dan ga ik wel in zijn kamer zitten wachten.'

Hij keek me lang aan zonder iets te zeggen, en ik voelde hoe ik heen en weer stond te wiegen. Toen ging hij opzij om me door te laten. Het appartement was zoals gewoonlijk donker, toen ik van de gang naar de woonkamer liep. 'Weet je,' zei Rogerson, die achter me stond, 'ik denk dat hij voorlopig niet terugkomt.'

Dat kon me op dat moment al niets meer schelen. Ik wilde alleen nog maar op zijn bed ploffen, de lakens om me heen trekken en slapen, om eindelijk niet meer te hoeven denken aan alles wat er sinds die ochtend was gebeurd toen ik in mijn eigen kamer was ontwaakt. Ik wilde gewoon op een plek zijn waar ik me veilig voelde, met iemand in de buurt die ik kende, wie dan ook.

Toen ik de deur van zijn kamer opendeed, was het eerste wat ik zag de doos met chocolaatjes. Ik zag ze nog voor ik Peyton herkende, die ernaast zat, en er een in haar hand had. Ik keek als aan de grond genageld toe hoe ze hem bij Marshall in zijn mond stopte, die naast haar lag, zijn handen over zijn borst gevouwen. Het was een simpel gebaar, dat maar een paar seconden duurde, maar het was tegelijkertijd zo ontzettend intiem – de manier waarop zijn lippen zich om haar vingers sloten, hoe ze giechelde, haar roze vingers, vlak voordat ze haar hand terugtrok – dat ik er misselijk van werd, nog voor Marshall zijn hoofd omdraaide en me aankeek.

Ik had geen idéé wat ik verwachtte dat hij zou doen of zeggen, áls ik al iets verwachtte. Dat hij verbaasd zou zijn, of spijt zou hebben, of er verdrietig om zou zijn, denk ik. Maar zijn blik sprak boekdelen: het interesseerde hem geen moer.

'O, shit,' zei Peyton naar adem snakkend. 'O, Ruby, wat erg...'

'Mijn god,' zei ik, en ik liep wankelend achteruit de kamer uit. Ik sloeg mijn hand voor mijn mond terwijl ik me omdraaide en tegen de muur op liep toen ik de gang naar de voordeur door rende. Ik hoorde haar vaag roepen, maar dat negeerde ik en ik rende het daglicht weer in, en gleed met mijn hand over de trapleuning, op weg naar beneden.

'Ruby, wacht nou even,' schreeuwde Peyton. Haar voetstappen klonken hard op de trap toen ze achter me aan kwam. 'Jezus! Laat het me nou even uitleggen!'

'Uitleggen?' zei ik, terwijl ik me op mijn hakken omdraaide. 'Hoe wou je dit in godsnaam uitleggen?'

Ze stond met haar hand op haar hart stil bij de trapleuning, om op adem te komen. 'Ik wilde het vertellen toen ik laatst bij je was,' zei ze naar adem snakkend. 'Maar ik vond het zo moeilijk, en je ging er maar over door dat alles zo veranderd was, dus...'

Opeens viel het kwartje, en zag ik die avond weer voor me met Roscoe en Jamie, en Marshall die me mijn sleutel teruggaf, de laatste keer dat ik hem had gezien. 'Je hebt me natuurlijk verteld dat je in Wildflower Ridge woonde', had ze gezegd, maar ik wist zeker dat ik dat niet had gedaan. Zie je wel. Hij had het tegen haar gezegd.

'Kwam je daarom langs?' vroeg ik. 'Om te vertellen dat je het met mijn vriendje deed?'

'Zo heb je hem anders nog nooit genoemd!' beet ze me toe, en ze wees naar me. 'Nog nooit. Je zei dat jullie iets hadden, een overeenkomst hadden gesloten. Het leek me wel zo aardig om het je te komen vertellen.'

'Wat mij betreft hoef je nooit meer aardig tegen me te doen,' zei ik bits.

'Nee, natuurlijk niet,' antwoordde ze. Rogerson stond boven aan de trap in de deuropening naar ons te kijken. We stonden een scène te maken, en dat was wel het laatste waar hij behoefte aan had. 'Wat jou betreft hoef je helemaal niks. Geen vriendje, geen vrienden. Dat heb je altijd heel duidelijk gemaakt. En dat heb je nou toch gekregen? Niks? Waarom ben je dan toch verbaasd?'

Ik stond haar alleen maar aan te kijken. Mijn hoofd tolde, mijn mond was droog en ik kon alleen maar denken dat ik naar een plek wilde waar ik me veilig voelde, waar ik alleen kon zijn, en dat zo'n plek niet bestond. Mijn oude leven bestond niet meer, mijn nieuwe leven was zich nog volop aan het ontwikkelen en veranderde voortdurend. Ik kon nergens, maar dan ook echt nérgens op terugvallen. En waarom stond ik daar eigenlijk ook van te kijken?

Ik liep weg, naar het pad, maar toen ik het bos weer in liep, had ik moeite om op het pad te blijven. Ik bleef achter boomwortels haken, takken schuurden van alle kanten langs mijn gezicht. Ik was zó moe – van wat er vandaag was

gebeurd, van alles eigenlijk – en alle gebeurtenissen passeerden nog een keer de revue: Cora's gezicht in de hal bij
ons thuis, het prisma van Olivia dat in de zon glinsterde,
binnenlopen in dat vertrouwde appartement, ik had precies
geweten wat ik daar ging doen.

Toen ik weer struikelde probeerde ik overeind te blijven,
maar liet me toen toch vallen. Ik zakte eerst op mijn
knieën in het gebladerte en liet me daarna op mijn ellebogen vallen. In de verte zag ik de open plek en Aaron die
naar me stond te kijken, maar opeens leek het me een
goed idee, een heel goed idee zelfs, om even alleen te zijn.
Dus toen ik op de grond lag en de lucht boven me zag
draaien, probeerde ik me te concentreren op waar ik eerder die dag aan had gedacht, namelijk om met een schone
lei te beginnen en een nieuwe, frisse wereld binnen te
stappen. Misschien was het niet meer dan een wens, of
een droom. Maar het was op een bepaald moment zo echt
geweest, dat het tastbaar was. Alsof er iemand dichterbij
kwam en zijn armen om me heen sloeg, me optilde en die
rook naar iets waar ik helemaal van doordrongen raakte:
iets schoons en puurs, met een vleugje chloor. De geur
van zwemwater.

₊

Het eerste wat ik zag toen ik mijn ogen opende, was Roscoe.

Hij zat op de lege stoel naast me, voor het stuur, hijgend
naar voren te kijken. Terwijl ik probeerde om mijn blik
scherp te stellen, rook ik plotseling hondenadem – getver –
en draaide mijn maag zich om. *Shit*, dacht ik, en ik schoot
naar voren, op zoek naar de deurkruk. Net op tijd, gelukkig,
zag ik een lege papieren zak tussen mijn benen staan. Ik
had hem nog maar net te pakken en aan mijn mond gezet,

of ik kotste iets warms en brandends uit wat ik helemaal tot aan mijn oren voelde.

Mijn handen trilden toen ik de zak op de vloer zette en ik met bonkend hart achteroverleunde. Ik had het steenkoud, ook al droeg ik een sweater die me vreselijk bekend voorkwam. Toen ik naar buiten keek, zag ik dat we voor een kleine winkelpromenade geparkeerd stonden – ik zag een stomerij en een videotheek – en ik had geen idee hoe ik daar terecht was gekomen. Eigenlijk was, op de hond na, de luchtverfrisser die aan de achteruitkijkspiegel hing het enige wat ik herkende. Er stond op: UW ZORGEN ZIJN ONZE ZORGEN.

Nee hè? dacht ik, toen alle stukjes opeens op hun plek vielen. Ik keek naar de sweater met de GA ZWEMMEN!-opdruk, rook die geur van zwemwater weer, vaag en tegelijk heel sterk. Nate.

Opeens kefte Roscoe, en het geluid werd nog versterkt door de kleine ruimte waarin we zaten. Hij sprong tegen het raam aan de bestuurderskant op, met zijn nagels krassend en hevig kwispelend. Ik zat me net af te vragen of ik weer moest overgeven, toen ik een plof hoorde en er een golf frisse lucht van achteren naar binnen kwam.

Roscoe stuiterde meteen met rinkelende penningen naar de achterbank. Het duurde aanzienlijk langer voordat ik me had omgedraaid – jezus, wat had ik een koppijn – en scherp genoeg zag om te zien dat Nate een berg kleren van de stomerij in de kofferbak stond te laden. Toen hij opkeek en mij zag, zei hij: 'Hé, je bent weer bij bewustzijn. Mooi.'

Mooi? dacht ik, maar toen gooide hij de klep al dicht (au) en kroop achter het stuur. Toen hij zijn sleutels in het contact stak, keek hij naar de zak bij mijn voeten. 'Hoe gaat het? Heb je nog een nieuwe nodig?'

'Nóg een nieuwe?' zei ik. Mijn stem klonk droog, schor. 'Was dit... was dit niet de eerste dan?'

Hij keek me meelevend aan. 'Nee,' zei hij. 'Dit was niet de eerste, nee.'

Alsof dit nog onderstreept moest worden, protesteerde mijn maag hevig toen Nate achteruittreed. Ik probeerde hem in bedwang te houden, terwijl Roscoe tussen ons in kwam staan en met gesloten ogen met zijn kop in de richting van het raam ging staan, dat Nate had opengedraaid om frisse lucht binnen te laten.

'Hoe laat is het?' vroeg ik en ik deed mijn best om normaal te klinken en mijn misselijkheid te onderdrukken.

'Bijna vijf uur,' antwoordde Nate.

'Dat meen je niet.'

'Hoe laat dacht jij dan dat het was?'

Ik had eerlijk gezegd geen flauw idee. Ik was mijn besef van tijd kwijtgeraakt toen ik terugliep naar de open plek en alles begon te draaien. 'En...?' begon ik, maar ik wist eigenlijk niet wat ik wilde vragen. Of waar ik moest beginnen. 'En wat doet Roscoe hier?'

Nate keek naar de hond, die nog steeds met zijn oren in de wind stond. 'Hij moest om vier uur naar de dierenarts,' antwoordde hij. 'En aangezien Jamie en Cora allebei moesten werken, hebben ze mij ingehuurd. Toen ik hem ging ophalen en jij niet thuis was, dacht ik dat ik je maar beter kon gaan zoeken.

'O,' zei ik. Ik keek naar Roscoe, die dat meteen opvatte als een uitnodiging om mijn gezicht te likken. Ik duwde hem van me af en ging dichter bij het raam zitten. 'Maar hoe wist je...?'

'Van Olivia,' zei hij. Ik knipperde met mijn ogen en zag haar in een flits wegrijden. 'Zo heet ze toch? Dat meisje met dat ingevlochten haar?'

Ik knikte behoedzaam, nog steeds druk bezig om er chocola van te maken. 'Ik wist niet dat je haar kende.'

'Ik ken haar ook niet,' zei hij. 'Ze kwam vóór het vierde uur naar me toe en zei dat ze jou in het bos had afgezet – op je eigen verzoek, dat maakte ze heel erg duidelijk – en ze vond dat ik dat moest weten.'

'Hoezo?'

Hij haalde zijn schouders op. 'Ik denk dat ze dacht dat je wel een vriend kon gebruiken.'

Bij het horen van deze woorden kreeg ik een rood hoofd van schaamte. Alsof ik zo wanhopig was en gered moest worden, dat het al door anderen – vreemden – besproken moest worden. Het ergste wat me kon overkomen. 'Ik wás bij vrienden,' zei ik. 'Toevallig.'

'O ja joh?' Hij keek naar me. 'Nou, dan zullen ze wel onzichtbaar zijn geweest, want toen ik daar aankwam, was je alleen.'

Pardon? dacht ik. Dat kon niet. Aaron stond op de open plek en hij had gezien dat ik was gaan liggen. Nu ik erover nadacht: het was toen een uur of twaalf, en nu was het laat in de middag. Als het klopte wat Nate zei, hoe lang had ik daar dan gelegen, helemaal alleen en bewusteloos? 'Waarom ben je dan toch verbaasd?' hoorde ik Peyton zeggen, en er trok een rilling door mijn lijf. Ik sloeg mijn armen om me heen en keek uit het raam. De gebouwen zoefden voorbij, maar ik deed mijn best om er een te herkennen, alsof ik dan zou weten waar ik was, of zo.

'Weet je,' zei Nate. 'We vergeten wat er vandaag is gebeurd. Zand erover, oké? Ik breng je naar huis en er is niks aan de hand.'

Bij het horen van die woorden schoten mijn ogen vol warme tranen. Het was al moeilijk genoeg om je te generen en te schamen, maar op medelijden zat ik al helemáál niet te wachten. Uiteraard ging Nate ervan uit dat het zo eenvoudig was op te lossen. In zijn wereld was dat ook zo. In zijn wereld was hij een toffe gozer die zich om je bekommerde en ondertussen goede daden verrichtte en klusjes opknapte. In tegenstelling tot mij. Ik was bezoedeld, op, kapot. Ik zag in een flits hoe Marshall naar me achteromkeek, en mijn hoofd begon nog harder te bonken.

'Joh,' zei Nate, alsof hij me had horen denken, 'het komt wel goed.'

'Niet waar,' zei ik, en ik bleef naar buiten zitten kijken. 'Je weet helemaal niet wat er aan de hand is.'

'Leg het me dan uit.'

'Nee.' Ik slikte, en sloeg mijn armen dichter om me heen. 'Daar val ik jou niet mee lastig.'

'Kom op, Ruby, we zijn toch vrienden?'

'Hou daar nou eens mee op,' zei ik.

'Waarom?'

'Omdat we helemaal geen vrienden zijn,' antwoordde ik, en ik keek hem aan. 'We kennen elkaar niet eens. Je bent toevallig de achterbuurman met wie ik meerijd naar school. En daarom zouden we vrienden moeten zijn?'

'Prima.' Hij stak zijn handen omhoog. 'Dan zijn we geen vrienden.'

En toen vond ik mezelf weer een trut. We reden een tijdje in stilte, Roscoe zat hijgend tussen ons in. 'Weet je,' zei ik, 'bedankt voor alles. Maar... mijn leven lijkt totaal niet op dat van jou. Mijn leven is één grote puinhoop.'

'Daar hebben we allemaal last van,' zei hij zacht.

'Maar niet zo erg als ik,' zei ik tegen hem. Ik moest aan Olivia denken, die bij Engels haar handen in de lucht had gegooid en 'Laat ons delen in jouw pijn. We zitten op het puntje van onze stoel!' had geroepen. 'Weet je eigenlijk wel waarom ik bij Cora en Jamie ben komen wonen?'

Hij keek opzij. 'Nee,' zei hij toen.

'Omdat mijn moeder me in de steek heeft gelaten.' Ik

klonk gespannen, maar ik slikte een keer en ging verder. 'Een paar maanden geleden heeft ze haar spullen gepakt en is ze vertrokken, terwijl ik op school zat. Ik heb weken alleen gewoond, tot de huisbazen erachter kwamen en me aan de kinderbescherming hebben overgedragen. Die op hun beurt Cora weer hebben gebeld, die ik al tien jaar niet had gezien, omdat zij ging studeren en óók nooit meer iets van zich heeft laten horen.'

'Wat erg.' Wat een makkelijk antwoord.

'Daarom zeg ik het helemaal niet,' zei ik met een diepe zucht, en ik schudde mijn hoofd. 'Kun je je dat huis nog herinneren waar je mee naartoe bent gegaan? Daar woonde geen vriendin van me. Daar...'

'... woonde jij,' maakte hij mijn zin af. 'Dat weet ik.'

Ik keek hem stomverbaasd aan. 'Hoe kan dat nou?'

'Je droeg de sleutel om je nek,' zei hij zacht, en hij keek ernaar. 'Dat was nogal duidelijk.'

Ik knipperde met mijn ogen en voelde de schaamte weer. Ik had gedacht dat het gelukt was om het geheim te houden voor Nate, in elk geval tot ik eraan toe was om het te vertellen. Maar het was allang geen geheim meer.

We reden onze wijk in en toen Nate vaart begon te minderen, sprong Roscoe op mijn stoel en klauterde over me heen om met zijn snuit tegen het raam gedrukt te gaan staan. Zonder erbij na te denken wilde ik hem terugzetten, maar zodra ik hem aanraakte, zakte hij door zijn pootjes en ging op mijn schoot liggen, alsof dat de normaalste zaak van de wereld was. Voor een van ons in elk geval.

Toen Nate voor het huis van Cora parkeerde, zag ik dat het licht in de keuken brandde en dat zowel haar auto als die van Jamie op de oprit stond, terwijl het nog veel te vroeg was voor ook maar één van tweeën om thuis te zijn, laat staan dat ze allebei thuis waren. Geen goed teken. Ik ging rechtop zitten, veegde mijn haar uit mijn gezicht en probeerde mezelf te wapenen voor ik het portier opende.

'Zeg maar tegen ze dat hij zijn inentingen heeft gehad en dat volgens de dierenarts alles in orde is,' zei Nate, die op de achterbank naar de riem van Roscoe graaide. Bij het zien van zijn riem sprong Roscoe op en bewoog zich naar Nate, die hem vastklikte aan zijn halsband. 'En als ze nog geïnteresseerd zijn in een gedragstraining voor zijn angsten, weet hij wel een paar goeie therapeuten.'

'Oké,' zei ik. Hij gaf me de riem, die ik aanpakte. Met mijn andere hand pakte ik mijn rugzak en ik stapte uit. Roscoe kwam uiteraard enthousiast achter me aan en liep door tot de riem strak stond en hij me naar het huis trok. 'Bedankt.'

Nate knikte zonder iets te zeggen, en ik gooide het portier dicht. Toen ik echter de oprit op liep, hoorde ik het raampje omlaag gaan. Ik draaide me om en Nate riep: 'Doe ermee wat je wilt, maar vrienden laten je niet alleen in een bos liggen. Vrienden zijn degenen die je dan komen ophalen.'

Ik keek hem alleen maar aan. Roscoe trok aan de riem; hij wilde naar huis.

'Dat vind ik tenminste,' zei Nate. 'Tot morgen.'

Ik knikte; het raampje ging weer omhoog en hij reed weg.

Terwijl ik hem zag wegrijden, stond Roscoe nog steeds te trekken in een poging me mee naar huis te krijgen. Ik wilde instinctief de andere kant op, hoewel ik zo langzamerhand vaak genoeg in de steek was gelaten en zelf weg was gegaan om te weten dat dat allebei niks was, laat staan makkelijk, of iemand aan te raden. Toch had ik toen ik de oprit op liep in de richting van het felle licht pas in de gaten dat terugkomen veel moeilijker is dan weggaan.

* * *

'Waar heb jij verdomme gezeten?'

Ik had mezelf schrap gezet voor Cora, ik had verwacht dat zij me stond op te wachten toen ik binnenkwam. Alleen was Jamie de eerste die ik zag. En hij was behoorlijk over de zeik.

'Jamie,' hoorde ik Cora zeggen. Ze stond aan de andere kant van de hal in de deuropening naar de keuken. Roscoe, die toen ik hem had losgelaten als een pijl uit een boog naar binnen was gevlogen, liep al druk snuffelend rondjes te draaien rond haar voeten. 'Laat haar op z'n minst eerst even binnenkomen.'

'Heb je enig idee hoe ongerust we waren?' wilde Jamie weten.

'Het spijt me,' zei ik.

'Kan het je eigenlijk überhaupt wel iets schelen?' vroeg hij.

Ik keek naar mijn zus, die Roscoe had opgetild en nu naar me stond te kijken. Ze had rode ogen en had een zakdoek in haar hand, en pas toen zag ik dat zowel zij als Jamie nog dezelfde kleding droeg als die ochtend. Ik herinnerde me weer dat ze een afspraak bij de dokter had gehad.

'Ben je drónken?' vroeg Jamie. Ik keek in de spiegel naast de trap en zag eindelijk hoe ik eruitzag: vreselijk. Ik droeg de te grote sweater van Nate en stonk naar drank en wie weet naar wat nog meer. Ik zag er moe en bleek en zo herkenbaar uit, dat ik niet meer naar mezelf kon kijken en ik liet mezelf op de onderste trede achter me zakken. 'Is dit je dank? We nemen je in huis, sturen je naar de beste school en geven je alles wat je nodig hebt. En dan smeer jij 'm om te gaan zitten zúípen?'

Ik schudde mijn hoofd, een brok in mijn keel. Het was een vreselijk lange, afschuwelijke dag geweest, en het leek wel een eeuwigheid geleden dat ik hier met Cora ruzie had lopen maken.

'We hebben je het voordeel van de twijfel gegeven,' ging Jamie verder. 'We hebben je álles gegeven. En dan is dit jouw manier om ons te bedanken?'

'Jamie,' zei Cora weer, iets harder nu. 'Hou nou maar op.'

'We zitten hier echt niet op te wachten, weet je,' ging hij verder, terwijl hij dichterbij kwam. Ik trok mijn knieën op, in een poging mezelf kleiner te maken. Ik had het verdiend, dat wist ik ook wel, en ik wilde alleen maar dat het voorbij was. 'En je zus, die als een tijger heeft gevochten om je hier te krijgen, en volhield toen je zo stom was om tegen te stribbelen, zit hier al helemáál niet op te wachten.'

Ik voelde de tranen in mijn ogen branden, en ik zag alles weer wazig. Nu was ik daar blij en dankbaar voor. Maar voor de zekerheid sloeg ik toch een hand voor mijn ogen.

'Ik bedoel,' ging Jamie verder, en zijn stem galmde door de hal, tot aan het hoge plafond, 'wie doet er nou zoiets? Wie gaat er nou gewoon weg, zonder even te bellen, zonder te bedenken dat iemand anders weleens heel erg ongerust zou kunnen zijn? Wie doet dat nou?'

In de stilte die hier op volgde, zei niemand iets. Maar ik wist het antwoord wel. Beter dan wie dan ook in die kamer, wist ik precies wat voor iemand zoiets zou doen. Wat ik me echter tot dat moment niet had gerealiseerd, was dat het niet alleen mijn moeders schuld was. Ik had mezelf wijsgemaakt dat alles wat ik de weken daarvoor had gedaan, sinds ze was weggegaan, voortkwam uit het feit dat ik niet op haar wilde lijken. Maar het was vergeefs. Door mijn reactie van vanmorgen op wat Cora me had verteld – gewoon weglopen, dronken worden en alleen achtergelaten worden – wist ik dat ik precies op mijn moeder leek.

Het voelde bijna als een opluchting, deze specifieke waarheid. Ik wilde het hardop zeggen – tegen hem, tegen Cora, tegen Nate, tegen iedereen – zodat ze wisten dat ze zich de moeite konden besparen. Ik was niet meer te redden of te genezen. Wat had het nog voor zin, nu het patroon zich al herhaalde? Het was te laat.

Maar toen ik mijn hand voor mijn ogen weghaalde om dit tegen Jamie te zeggen, zag ik hem niet meer staan. Mijn uitzicht werd geblokkeerd door mijn zus, die tussen ons in was komen staan. Ze had één hand naar achteren uitgestrekt, naar mij. Door deze aanblik herinnerde ik me ontelbare avonden in een ander huis: wij met zijn tweetjes, keer op keer hetzelfde patroon, een patroon waarvan ik had gedacht dat het lang geleden doorbroken was, en nooit meer herhaald zou worden.

Misschien leek ik inderdaad wel op mijn moeder. Maar bij het zien van Cora's hand kon ik niet anders dan me afvragen of het mogelijk was dat ik dat nog kon veranderen, en dat ik daar nu waarschijnlijk de laatste kans voor kreeg. Wie zou het zeggen? Maar voor de zekerheid greep ik hem met beide handen aan.

9

Toen ik de volgende morgen beneden kwam, stond Jamie bij de vijver. Ik zag vanuit de keuken de adempluimen, hij zat op zijn hurken, zijn beker met koffie naast zich. Hij deed dat iedere ochtend, in weer en wind, ook als het vroor en er nog rijp op het gras zat. Hij controleerde altijd even hoe het ging met de kleine wereld die hij had geschapen, hij wilde weten of alles nog in orde was.

Het werd al kouder en de vissen bleven in de buurt van de bodem. Het zou niet lang meer duren voor ze helemaal uit het zicht zouden verdwijnen tussen de planten en stenen op de bodem, om het te kunnen uithouden tijdens de lange winter. 'Haal je ze niet binnen?' had ik aan hem gevraagd, toen hij me dat vertelde.

'Nee,' had hij geantwoord. 'Het is beter zo. Als het water bevriest, blijven ze uit de buurt van de oppervlakte, en ze blijven daar tot de lente.'

'En ze gaan niet dood?'

'Ik hoop het niet,' zei hij, en hij zette een lelie recht. 'Idealiter gaan ze min of meer... slapen. Ze kunnen niet tegen de kou, dus proberen ze het ook niet. En als het dan weer warmer wordt, worden ze weer actief.'

Ik vond dat toen maar een vreemd verhaal en een goede reden om me niet te veel te hechten aan mijn vis. Nu trok het me echter wel aan: gewoon verdwijnen, je gedeisd houden tot het veilig was om weer op te duiken. Ik wilde dat ik dat ook kon doen.

'Hij komt echt niet naar jou toe, hoor,' zei Cora vanaf de plek waar ze bij het kookeiland in een tijdschrift zat te bladeren. De kleding die ik de vorige dag had gedragen lag al gewassen en opgevouwen naast haar. Het enige wat eenvoudig te herstellen was geweest. 'Als je met hem wilt praten, zul je zelf de eerste stap moeten zetten.'

'Dat kan ik niet,' zei ik. Ik dacht terug aan hoe boos hij was geweest. 'Hij haat me.'

'Nee hoor,' zei ze terwijl ze een bladzijde omsloeg. 'Hij is gewoon teleurgesteld.'

Ik keek weer naar Jamie, die nu de stenen bij de waterval inspecteerde. 'Dat lijkt me in zijn geval nog veel erger.'

Ze keek op en lachte meelevend. 'Vertel mij wat.'

Het eerste wat ik die ochtend had gedaan toen ik wakker werd – nadat ik had geconstateerd dat ik nog steeds knallende koppijn had – was proberen de gebeurtenissen van de vorige dag in elkaar te passen. Ik wist nog dat ik ruzie had gehad met Cora, en ook de rit naar school en naar Jackson kon ik me nog herinneren. Maar vanaf de open plek werd alles wazig.

Een paar dingen waren echter kristalhelder. Hoe gek het was geweest om Jamie kwaad te zien bijvoorbeeld, en dan ook nog op mij. Of om een glimp op te vangen van mijn moeders gezicht, toen ik in de spiegel had gekeken. En hoe Cora, nadat ik haar hand had vastgepakt, me in stilte mee naar boven had genomen, me in mijn kamer had uitgekleed, had staan wachten terwijl ik onder de douche stond en me daarna in mijn pyjama had gehesen en me in bed had gelegd. Steeds als ik iets tegen haar wilde zeggen, had ze alleen maar met haar hoofd geschud. Het laatste wat ik me kon herinneren voordat ik in slaap viel, was dat ze op de rand van het bed zat, een donker silhouet in het licht van het raam achter haar. Hoe lang ze daar had gezeten wist ik niet, hoewel ik me vaag herinnerde dat ik meer dan eens mijn ogen had geopend en dat ik dan verbaasd was dat ze er nog steeds zat.

Nu ging achter me een deur open en kwam Jamie binnen met Roscoe in zijn kielzog. Ik keek naar hem, maar hij liep langs zonder oogcontact te maken en zette zijn beker in de gootsteen. 'Oké,' zei Cora, 'misschien is het slim als we...'

'Ik moet naar kantoor,' zei Jamie, en hij griste zijn sleutels van het aanrecht. 'Ik heb John beloofd dat we samen nog een keer naar de aanpassingen in de campagne zouden kijken.'

'Jamie,' zei ze, terwijl ze naar mij keek.

'Tot straks,' zei hij, hij gaf haar een kus op haar hoofd en liep de keuken uit, gevolgd door Roscoe. Even later hoorde ik de voordeur in het slot vallen.

Ik slikte en keek weer naar buiten. Van iemand anders zou ik dit niet als een belediging hebben opgevat, als ik het überhaupt al gemerkt zou hebben. Maar ik kende Jamie goed genoeg om te weten dat ik terechtgewezen werd.

Cora kwam tegenover me zitten. 'Joh,' zei ze. 'Het komt wel weer goed. Jullie komen er heus wel uit. Hij voelt zich nu gewoon gekwetst.'

'Dat was helemaal niet mijn bedoeling,' zei ik, en ik kreeg een brok in mijn keel. Ik geneerde me opeens, maar of dat nou kwam omdat ik huilde, of omdat ik huilde waar Cora bij was, wist ik niet.

'Dat weet ik toch.' Ze boog zich voorover en liet haar hand in de mijne glijden. 'Maar weet je, dit is voor hem ook nieuw. Bij hem thuis praat iedereen overal over. Je gaat niet weg om vervolgens dronken thuis te komen. Hij is heel anders dan wij.'

Dan wij. Grappig dat ik er tot voor kort – misschien wel

tot de avond ervoor – helemaal niet van overtuigd was geweest dat er een 'wij' was. Misschien konden dingen dus inderdaad veranderen. 'Het spijt me,' zei ik tegen haar. 'Echt.'

Ze knikte, ging rechtop zitten en liet mijn hand los. 'Dat is goed om te horen. Maar feit blijft dat we je vertrouwden en dat je dat vertrouwen hebt beschaamd. Dat heeft wel een paar consequenties.'

Nou gaan we het krijgen, dacht ik. Ik ging rechtop zitten en zette me schrap.

'Ten eerste,' begon ze, 'mag je voorlopig door de week 's avonds niet weg. Alleen om te werken. We hebben sterk overwogen om je ontslag te laten nemen, maar we hebben besloten om het tot de kerstvakantie aan te kijken, onder voorwaarde dat we het in januari nog een keer bekijken. Als we erachter komen dat je weer gespijbeld hebt, mag je niet meer werken. Punt.'

'Oké,' zei ik. Ik kon maar beter overal mee instemmen.

Cora slikte een keer en keek me toen lang aan.

'Ik weet dat er gisteren veel is gebeurd. Het was voor ons allebei erg emotioneel. Maar om dan meteen naar drugs te grijpen of te gaan drinken... dat is onaanvaardbaar. Het is een schending van de overeenkomst die we hebben getekend om jou hier in huis te krijgen, en als de rechtbank er ooit achter komt, moet je terug naar Poplar House. Het mag écht nooit meer gebeuren.' Ik dacht terug aan die ene nacht die ik daar had doorgebracht; de kriebelende pyjama, het smalle bedje, het huishoofd dat het rapport van de sheriff voorlas dat ik in stilte aanhoorde. Ik slikte een keer en zei toen: 'Dat beloof ik.'

'Ik meen het, Ruby,' zei ze. 'Toen ik je gisteren zo zag binnenkomen, toen...'

'Ik snap wat je bedoelt,' zei ik.

'Ik kan het me nog zo goed herinneren,' zei ze. Toen keek

ze me aan. 'Ik weet nog precies hoe het was, voor ons allebei. Doe dat jezelf niet meer aan. Alsjeblieft.'

'Het was een stomme actie,' zei ik. 'Maar... toen je dat van
mama vertelde, draaide ik helemaal door.'

Ze keek naar het zoutvaatje dat tussen ons in stond, en
schoof het heen en weer. 'Weet je, het komt erop neer dat
ze ons allebei heeft voorgelogen. Niet dat me dat nou zo
verbaast. Dat gezegd hebbende, zou ik het je heel graag
makkelijker gemaakt hebben, Ruby. Echt. Ik zou het nu
heel anders aanpakken, als ik het opnieuw mocht doen.'

Ik had geen zin om te vragen wat ze dan anders zou doen.
Gelukkig hoefde dat ook niet.

'Ik heb daar zo vaak en zoveel over nagedacht sinds ik
ben weggegaan. Had ik beter mijn best moeten doen om
contact te houden?' zei ze terwijl ze een paar krullen uit
haar gezicht veegde. 'Had ik je moeten meenemen en ergens een flatje huren voor ons tweeën?'

'Cora, je was achttien.'

'Dat weet ik. Maar ik wist toen al dat mama labiel was. En
het werd alleen maar erger,' zei ze. 'Ik had er ook nooit op
mogen vertrouwen dat ze jou met mij in contact zou brengen. Ik had best wat kunnen doen. Ik kom op mijn werk dagelijks in aanraking met kinderen uit gebroken gezinnen,
en nu kan ik er wel mee omgaan. Ik zou nu ook voor je kunnen zorgen. Ik zou willen dat ik toen wist wat ik nu...'

'Dat weet ik toch,' zei ik. 'Laat het nou maar gewoon los.
Het is voorbij.'

Ze beet op haar lip. 'Dat zou ik heel graag willen geloven,'
zei ze. 'Echt.'

Ik keek naar mijn zus en herinnerde me hoe ik als kind
altijd als een hondje achter haar aan liep, en steeds meer
naar haar toe trok naarmate mijn moeder meer afstand
nam. Het was erg vreemd om nu opnieuw mee te maken

dat ik afhankelijk van haar was. Terwijl ik dat zat te denken, schoot me opeens iets te binnen. 'Cora?'

'Ja?'

'Kun je je nog herinneren dat je het huis uit ging?'

Ze knikte.

'Voordat je wegging, ging je terug naar binnen om iets tegen mama te zeggen. Waar ging dat over?'

Ze blies uit en leunde achterover. 'Jeetje,' zei ze. 'Daar heb ik jaren niet meer aan gedacht.'

Ik wist niet goed waarom ik dat vroeg en of het wel belangrijk was. 'Ze heeft het daar nooit over gehad,' zei ik. 'Ik heb het me altijd afgevraagd.'

Cora was even in gedachten verzonken en ik vroeg me of ze nog zou antwoorden. Maar toen zei ze: 'Ik heb gezegd dat als ik er ooit achter zou komen dat ze je sloeg, ik de politie zou bellen. En dat ik je dan meteen zou komen halen.' Ze stopte een pluk haar achter haar oor. 'Dat dacht ik echt, Ruby. Ik wilde heel graag voor je zorgen.'

'Dat weet ik toch,' zei ik.

'En nu,' ging ze verder, 'krijg ik eindelijk de kans om het in te halen. Een beetje aan de late kant, dat weet ik ook wel, maar toch. Ik weet dat je hier helemaal niet wilt zijn, en dat het verre van ideaal is, maar... ik wil er gewoon voor je zijn. Mag dat alsjeblieft, Ruby?'

Het klonk zo passief, zo makkelijk, maar ik wist dat dat niet zo was. Ik moest weer aan Peyton denken, onder aan de trap, toen ze zei: 'Waarom ben je dan toch verbaasd?' en ik wist dat ze, ongeacht de situatie, gelijk had. Je zaait wat je oogst, maar je pakt ook wat je wílt pakken. De avond ervoor had ik haar mijn hand gereikt. Wie weet wat erin gestopt zou worden, als ik hem uitgestoken zou houden.

We zwegen even, en zaten in de stille keuken. Uiteindelijk zei ik: 'Hoe zou het met mama gaan?'

'Geen idee,' antwoordde ze. 'Goed, hoop ik,' voegde ze er zachter aan toe.

Dat zou iemand anders waarschijnlijk vreemd in de oren hebben geklonken. Maar mij niet, mijn moeder zou altijd aantrekkingskracht op ons blijven uitoefenen. Toen, nu, altijd. Hoe afstandelijk ze ook was, hoe erg ze zich ook misdroeg, hoe liefdeloos ze ook kon zijn, en hoe vaak ze ook misbruik maakte van de situatie, we bleven toch een band met haar houden. Het was net als die liedjes die ik als kind steeds hoorde: ik kende ze allemaal en ze hoorden bij me. Ik vond het nog steeds mooie liedjes, ook toen ik snapte waar ze over gingen en ik ontdekte dat ze eigenlijk heel verdrietig waren. Ze maakten me tot wie ik was; waren verweven met mijn bewustzijn en geheugen. Ik kon ze net zomin verdringen als ik mijn moeder kon verdringen. En Cora ook niet. Dit was wat we samen deelden, en waarom we zo geworden waren.

Nadat ze me de rest van mijn straf had meegedeeld – uit school meteen naar huis, instemmen met therapie – kneep Cora in mijn schouder en liep de keuken uit. Roscoe krabbelde op van de plek waar hij had liggen slapen in de deuropening en volgde haar naar boven. Ik bleef even alleen zitten en liep toen naar de vijver.

Je kon de vissen bijna niet zien, maar nadat ik een tijdje op mijn hurken had gezeten, zag ik die witte van mij uiteindelijk toch zwemmen bij een paar met mos bedekte stenen. Ik was net weer gaan staan, toen ik een deur hoorde dichtslaan. Ik draaide me om in de verwachting Cora aan te treffen, maar toen ik niemand zag staan, begreep ik dat het geluid bij Nate vandaan kwam. En inderdaad zag ik even later een blond hoofd aan de andere kant van het hek, en zag ik het weer verdwijnen.

Net als de avond daarvoor, toen ik met Roscoe op de oprit

stond, was mijn eerste reactie dat ik naar binnen wilde gaan. Ontlopen en ontkennen nu het nog kon. Maar Nate was wel degene die me uit dat bos had gehaald. Ik was zo verknipt geweest om te denken dat we daardoor nog geen vrienden waren. Maar wat waren we dan?

Ik liep naar binnen, pakte zijn sweater van het aanrecht, haalde een keer diep adem, en liep over het gazon naar het hek. De poort stond op een kiertje en ik zag Nate in het tuinhuisje bij het zwembad over een tafel gebogen staan. Ik glipte door de poort en liep om het zwembad naar hem toe. Hij vouwde een aantal tasjes open, die hij in rijen naast elkaar zette.

'Laat me raden,' zei ik. 'Je gaat er taartjes in stoppen.'

Hij sprong geschrokken op en draaide zich om. 'Je zit er niet ver naast,' zei hij, toen hij me zag. 'Het zijn cadeauverpakkingen.'

Ik liep naar de andere kant van de tafel. Het huisje zelf was een soort schuurtje en er stond bijna niets in. Het werd gebruikt voor hun bedrijfje; er stond een kledingrek met kleding van de stomerij, en ik herkende een van Harriets opbergdozen, die tegen de muur stond. Er stond ook een volle doos met UW ZORGEN ZIJN ONZE ZORGEN-luchtverfrissers naast de deur, waardoor het in plaats van naar dennen, naar geneesmiddel stonk. Ik stond zonder iets te zeggen toe te kijken hoe Nate net zoveel tasjes openvouwde als de tafel groot was. Toen pakte hij een doos die op de grond stond en stopte in elk tasje een in plastic verpakt voorwerp. *Plof, plof, plof.*

'Nog even over gisteren,' zei ik, terwijl hij doorwerkte.

'Je voelt je zo te zien een stuk beter.'

'Omschrijf "beter".'

'Nou,' zei hij, en hij keek naar me. 'Je staat weer rechtop en bent bij bewustzijn.'

'Een beetje triest dat dat al een vooruitgang is, vind je ook niet?' zei ik.

'Maar het is wel een vooruitgang,' zei hij. 'Toch?'

Ik trok een gezicht naar hem. Ik had sowieso al moeite met positiviteit, maar 's ochtends vroeg en met een kater was het bijna niet te doen.

'Dus,' zei ik, en ik hield hem de sweater voor, 'wilde ik deze even terugbrengen. Ik dacht dat je hem wel terug zou willen hebben.'

'Bedankt.' Hij nam hem aan en legde hem op een stoel die achter hem stond. 'Het is mijn lievelingstrui.'

'Dat dacht ik al,' zei ik. 'Zo ziet hij er ook uit.'

'Klopt.' Hij ging weer verder met de tasjes. 'Maar hij geeft dan ook goed weer hoe ik in het leven sta.'

Ik keek naar de sweater. Er stond GA ZWEMMEN! op. 'Dus zwemmen is een manier van leven voor je?'

'Je kunt beter zwemmen dan verdrinken, zeg ik altijd maar.'

Geen speld tussen te krijgen. 'Dat denk ik ook, ja.'

'Bovendien is die trui waarschijnlijk het enige wat ik van de universiteit te zien zal krijgen.'

'Je had toch een beurs?' vroeg ik. Ik herinnerde me de jongen op het parkeerterrein.

'Toen ik nog deel uitmaakte van het zwemteam wel, ja. Nu krijg ik alleen nog een beurs op basis van mijn cijfers, maar die zijn eerlijk gezegd een stuk minder goed dan mijn zwemkunsten.'

Ik dacht hier even over na terwijl hij aan de volgende rij tasjes begon. Hij bleef er maar spullen in stoppen. 'Waarom ben je er dan mee opgehouden?'

'Weet ik veel,' zei hij schouderophalend. 'Ik vond het superleuk toen we in Arizona woonden, maar nu... De lol is er een beetje vanaf. En bovendien heeft mijn vader me nodig in de zaak.'

'Toch best een heftige stap, om er helemaal mee te stoppen,' zei ik.

'Valt wel mee hoor,' antwoordde hij. Hij bukte om een andere doos te pakken. 'Was het erg vervelend, toen je gisteren thuiskwam?'

'Ja,' zei ik, enigszins verrast omdat hij zo plotseling van onderwerp veranderde. 'Jamie was woest.'

'Jamie?'

'Ik weet het. Gek hè?' Ik slikte en haalde diep adem. 'Ik wilde alleen maar even zeggen dat... dat ik het heel fijn vind, wat je voor me hebt gedaan. Ook al liet ik dat niet echt merken.'

'Die indruk had ik inderdaad niet, nee,' zei hij. *Plof, plof, plof.*

'Ik heb me als een bitch gedragen. Sorry.' Ik struikelde over mijn woorden, omdat ik veel te snel had gesproken. Ik zag dat hij me alleen maar aankeek. *Ik sta compleet voor schut*, dacht ik, en ik leidde de aandacht vlug van mezelf af. 'Wat stop je trouwens allemaal in die tasjes?'

'Chocoladehuisjes,' zei hij.

'Pardon?'

'Hier.' Hij gooide me er een toe. 'Kijk zelf maar. Je mag het wel houden.'

Het was inderdaad een piepklein huisje. Er zaten zelfs raampjes en een deurtje in. 'Wel een beetje vreemd, vind je ook niet?' zei ik.

'Valt wel mee. De klant heeft een bouwbedrijf. Ze zijn voor een open huis of zo.'

Ik stopte het huisje in mijn zak toen hij de doos, die bijna leeg was, op de grond liet vallen en een andere pakte. Er zaten brochures in. De voorkant werd bijna helemaal in beslag genomen door een lachende vrouw. BOUWBEDRIJF QUEEN, stond eronder. LAAT ONS UW KASTEEL BOUWEN! Nate liet in ieder tasje een brochure glijden, rij voor rij. Na een tijdje toegekeken te hebben, pakte ik zelf ook een stapeltje en begon mee te helpen.

'Weet je,' zei hij, nadat we een tijdje in stilte hadden staan werken, 'ik wilde je helemaal niet voor schut zetten gisteren, toen ik je kwam halen. Ik dacht alleen dat je hulp nodig had.'

'En dat was toch ook zo?' zei ik, blij dat ik me kon concentreren op de tasjes. Het had iets rustgevends en gestructureerds om in ieder tasje een brochure te stoppen. 'God weet wat er was gebeurd als je me niet was komen halen.'

Nate ging daar verder niet op in, en daar was ik heel blij om. In plaats daarvan vroeg hij: 'Mag ik je iets vragen?'

Ik keek hem aan en liet daarna weer een brochure in een tasje glijden. 'Tuurlijk.'

'Hoe was dat nou, om op jezelf te wonen?'

Ik was ervan uitgegaan dat hij iets over gisteren had willen weten, waarom ik zo had zitten zuipen of zo, of hoe ik over vriendschappen dacht. Dit had ik totaal niet zien aankomen. Waarschijnlijk gaf ik daarom ook eerlijk antwoord. 'In het begin was het best leuk,' zei ik. 'Het was zelfs een opluchting. Met mijn moeder onder één dak wonen was niet eenvoudig, zeker op het laatst niet.'

Hij knikte en gooide de doos op de grond om een andere te pakken, waar ijskastmagneten met het logo van het bouwbedrijf erop in zaten. Hij reikte hem aan en ik pakte er een handvol uit, die ik in de tasjes begon te stoppen. 'Maar het werd steeds lastiger. Ik kon de rekeningen niet betalen, en de elektriciteit werd steeds afgesloten...' Ik vroeg me af of ik mijn verhaal moest afmaken, maar toen ik opkeek, keek hij me geïnteresseerd aan, dus ging ik verder. 'Ik weet niet. Er kwam meer bij kijken dan ik van tevoren dacht, denk ik.'

'Dat geldt voor de meeste dingen,' zei hij.

Ik keek hem weer aan. 'Klopt,' zei ik, terwijl ik keek hoe hij de magneten in de tasjes gooide, een voor een.

'Nate!' klonk het buiten. De vader van Nate stond in de deuropening van het huis, de telefoon aan zijn oor. 'Zijn die tasjes klaar?'

'Ja,' riep Nate over zijn schouder, en hij bukte om nog een doos te pakken. 'Bijna.'

'Ze moeten ze nú hebben,' zei meneer Cross. 'Uiterlijk om tien uur, hadden we afgesproken. Opschieten!'

Nate graaide in de doos, die vol zat met afzonderlijk verpakte offerkaarsjes in diverse kleuren, en begon ze in recordtempo te verdelen. Ik hielp hem daarbij. 'Dank je,' zei hij terwijl we langs de rijen vlogen. 'We hebben het nogal druk.'

'Graag gedaan,' zei ik. 'En trouwens, dat had je nog te goed.'

'Nee hoor,' antwoordde hij.

'Natuurlijk wel. Je hebt me gisteren gered.'

'Nou,' zei hij, 'de rollen zullen heus wel een keer omdraaien.'

'Hoe dan?'

'Dat zien we dan wel weer,' zei hij, en hij keek me aan. 'We hebben alle tijd van de wereld, toch?'

'Nate!' brulde meneer Cross, die het hier duidelijk niet mee eens was. 'Wat ben je verdomme aan het doen?'

'Ik kom eraan,' zei Nate, en hij begon de tasjes in de lege dozen te zetten. Ik wilde hem helpen, maar hij zei: 'Laat maar joh, het lukt wel. Maar toch bedankt.'

'Zeker weten?'

'Nate!'

Hij keek eerst over zijn schouder naar zijn vader, die nog steeds in de deuropening stond, en daarna naar mij. 'Echt. Bedankt voor je hulp.'

Ik knikte en deed een stap opzij toen hij de laatste tasjes in een doos deed en de dozen op elkaar stapelde. Ik liep achter hem aan naar buiten. 'Hè hè, eindelijk,' zei meneer Cross toen we de patio op liepen. 'Hoe moeilijk kan het zijn...' Hij stopte abrupt toen hij mij zag. 'O,' zei hij een stuk vriendelijker, 'ik wist niet dat je bezoek had.'

'Dit is Ruby,' zei Nate, en hij liep met de dozen naar zijn vader.

'Dat weet ik toch,' zei meneer Cross, en hij lachte naar me. Ik deed een poging om terug te lachen, ook al voelde ik me helemaal niet meer op mijn gemak. Ik herinnerde me nog hoe hij tegen Roscoe had gedaan. 'Hoe gaat het met je zwager? Ik hoor allerlei geruchten dat hij binnenkort naar de beurs gaat met zijn bedrijf. Klopt dat?'

'O,' zei ik, 'geen idee.'

'We moeten gaan,' zei Nate. 'Als ze ze voor tien uur willen hebben.'

'Prima.' Maar meneer Cross bleef op dezelfde plek naar me staan lachen toen ik weer om het zwembad heen liep naar het hek. Ik zag Nate achter hem naar binnen gaan. Hij beantwoordde mijn blik, maar toen ik zwaaiend mijn hand opstak, liep hij de gang in en verdween uit zicht. 'Doe voorzichtig,' zei meneer Cross, die zijn hand naar me opstak. Hij dacht dat ik naar hem zwaaide. 'En kom gerust langs als je zin hebt.'

Ik knikte, nog steeds niet op mijn gemak. Ik liep naar het hek en wurmde me erdoorheen. Toen ik het gazon overstak, herinnerde ik me het huisje dat Nate me had gegeven, en ik haalde het uit mijn zak om het nog eens te bekijken. Het was een perfect huisje, authentiek en in plastic verpakking met een mooie strik eromheen. Toch kreeg ik er zo de kriebels van – waarom wist ik niet – dat ik het snel weer wegstopte.

* * *

'Mooi,' zei ik, terwijl ik de dop van mijn pen haalde. 'Wat betekent familie voor jullie?'

'Elkaar niet spreken,' antwoordde Harriet meteen.

'Spreken jullie elkaar niet?' vroeg Reggie.

'Nee.'

Hij keek haar alleen maar aan.

'Wat nou? Wat had jij dan willen zeggen?'

'Weet ik veel,' zei hij. 'Troost, misschien? Geschiedenis? Het ontstaan van nieuw leven?'

'Voor jou, ja,' zei ze tegen hem. 'Voor mij betekent familie elkaar doodzwijgen. Bij ons is er altijd wel iemand die niet met een ander praat.'

'Echt?' vroeg ik.

'Wij zijn mensen die passief in de aanval gaan,' legde ze uit, en ze nam een slok van haar koffie. 'Met zwijgen als wapen. Momenteel praat ik niet tegen twee zussen en een broer.'

'Hoeveel broers en zussen heb je?' vroeg ik.

'We zijn met zijn zevenen.'

'Dat,' zei Reggie, 'is toch dieptriest?'

'Breek me de bek niet open,' zei Harriet. 'Het was altijd dringen bij de badkamer.'

'Ik heb het over niet met elkaar praten,' zei Reggie.

'O.' Harriet sprong op de kruk die bij de kassa stond, en sloeg haar benen over elkaar. 'Misschien wel, ja. Maar je telefoonrekening gaat er wel lekker van omlaag.'

Hij keek haar afkeurend aan. 'Het is niet om te lachen. Het is heel belangrijk dat je blijft communiceren.'

'Bij jou thuis misschien,' antwoordde ze. 'Bij ons is zwijgen goud. En heel normaal.'

'Ik ben van mening,' zei Reggie, die een pot vitamine A-pillen pakte en hem peinzend van de ene hand in de andere overpakte, 'dat familie de bron is van alle menselijke energie. De plek waar het leven ontstaat.'

Harriet keek hem aandachtig aan, de koffie in haar hand. 'Wat deden jouw ouders ook alweer voor de kost?'

'Mijn vader is verzekeringsagent. Mijn moeder geeft les op de basisschool.'

'Lekker burgerlijk!'

'Ja, hè?' zei hij lachend. 'En ik ben het zwarte schaap van de familie.'

'Ik ook!' zei Harriet. 'Er werd van mij verwacht dat ik geneeskunde ging studeren. Mijn vader is chirurg. Toen ik stopte met school vanwege de sieraden, werden ze helemaal gek. Ze hebben maanden niet tegen me gesproken.'

'Wat moet dat erg zijn geweest.'

Hier dacht ze even over na. 'Viel wel mee, hoor. Het was eigenlijk wel goed voor me. Mijn familie is zó groot, en iedereen heeft overal een mening over die ongevraagd wordt verkondigd, dat ik nog nooit iets helemaal alleen had gedaan, zonder hulp of inbreng van een ander. Het werkte bevrijdend.'

Bevrijdend, schreef ik op. Reggie zei: 'Dat verklaart een heleboel.'

Joh, dacht ik.

'Waar slaat dat nou weer op?' vroeg Harriet.

'Laat maar,' zei hij. 'Maar wanneer wordt het zwijgen dan doorbroken? Wanneer besluiten jullie weer tegen elkaar te praten?'

Harriet dacht hier even over na terwijl ze een slok koffie nam. 'Jeetje,' zei ze. 'Ik denk dat als iemand anders iets doet wat nog erger is, en je wel wat hulp kunt gebruiken. Dan maak je het goed met iemand, terwijl je ruzie krijgt met de ander.'

'Het is dus een vicieuze cirkel,' zei ik.

'Dat denk ik wel, ja.' Ze nam nog een slok. 'Je vindt elkaar en stoot elkaar weer af. Draait het daar uiteindelijk niet om?'

'Nee,' zei Reggie. 'Alleen bij jou thuis.'

Daar moesten ze allebei erg om lachen. Ik keek naar wat ik had opgeschreven. *Niet met elkaar praten, troost, bron van leven* en *bevrijdend.* Meer niet. Dit project ging langer duren dan ik dacht.

'Klanten,' zei Harriet opeens, en ze knikte naar een jongen en een meisje die diep in gesprek kwamen aanlopen.

'... mis met een trui met een Perzische kat erop?' vroeg de jongen, die aan de mollige kant was en zo te zien zelf zijn haar had geknipt.

'Niks, als ze zevenentachtig is en Betty heet, tenminste,' zei het meisje. Ze had lang, krullend haar in een staart, had cowboylaarzen aan, een knalrood jurkje en een korte, dikke parka, met wanten die aan een touwtje uit de mouwen kwamen. 'Denk nou eens na. Wat wil je zeggen met zo'n outfit?'

'Weet ik veel,' zei de jongen toen ze dichterbij kwamen. 'Ik mag haar heel graag, dus...'

'Dan koop je dus geen trui voor haar,' zei het meisje. 'Dan koop je iets van sieraden. Dat kun je toch zelf ook wel bedenken?'

Ik legde de plumeau weg die ik in mijn handen had gehad, en rechtte mijn schouders toen ze op het kraampje afliepen. Het meisje liet haar blik al over de displays gaan. 'Hoi,' zei ik tegen de jongen, die er van dichtbij nog jonger en suffer uitzag. Zijn T-shirt – met de opdruk: *armageddonbeurs '06: ben jij klaar voor het einde der tijden?* – hielp ook niet echt. 'Kan ik jullie ergens mee helpen?'

'We moeten iets hebben waar de romantiek vanaf spat,' zei het meisje, dat een ring pakte en er vluchtig naar keek voor ze hem weer teruglegde. Toen ze zich vooroverboog, waardoor het licht op haar gezicht viel, zag ik dat het vol zat met vage littekentjes. 'Een ring is te heftig, volgens mij. Maar oorbellen zeggen niet genoeg.'

'Oorbellen kunnen helemaal niet praten,' mompelde de jongen terwijl hij de wierook opsnoof. Hij nieste, en voegde eraan toe: 'Het zijn voorwerpen zonder ziel.'

'En jij bent een hopeloos geval,' zei ze tegen hem, en ze ging naar de kettingen staan kijken. 'Mag ik die van jou eens zien?'

Ik keek geschrokken naar het meisje, dat naar mij stond te kijken. 'Wat bedoel je?'

Ze knikte naar mijn nek. 'Jouw ketting. Heb je die ook?'

'Eh...' zei ik, terwijl ik hem vastpakte. 'Niet echt. Maar we hebben wel iets wat erop lijkt...'

'Ik vind die sleutel wel gaaf,' zei het meisje, dat naar me toe kwam lopen. 'Hij is anders dan anders. En hij heeft heel veel betekenissen.'

'Moet ik haar een sléútel geven?' vroeg de jongen.

'Je moet haar een gelegenheid geven,' zei het meisje, dat weer naar mijn ketting keek. 'En dat doe je met een sleutel. Een sleutel staat voor een open deur, een kans. Snap je?'

Ik had mijn sleutel nog nooit zo bekeken. Maar omdat ik graag iets wilde verkopen, zei ik: 'Klopt. Helemaal. Je zou hier wel een ketting kunnen kopen, en er dan zelf een sleutel aan hangen.'

'Precies!' zei het meisje, en ze wees naar de sleutelboer verderop. 'Perfect.'

'Je moet een niet al te dunne nemen,' zei ik. 'Maar hij moet ook niet te dik zijn. Je moet er een nemen die sterk, maar toch fijn is.'

Het meisje knikte. 'Precies,' zei ze. 'Dat dacht ik zelf ook al.'

Tien minuten en vijftien dollar later zag ik ze, hij met het tasje in zijn hand, naar de sleutelboer lopen, waar het meisje uitlegde wat ze wilden hebben. Ik keek toe hoe de verkoopster een aantal sleutels liet zien.

'Goed gedaan,' zei Harriet, die naast me kwam staan. 'Je

hebt toch nog iets verkocht, terwijl we niet hadden wat ze zochten.'

'Ze heeft het zelf verzonnen,' zei ik. 'Ik heb alleen met haar meegedacht.'

'En dat heb je uitstekend gedaan.'

Ik keek weer naar de sleutelboer, waar ik het meisje een sleuteltje zag pakken. De jongen en de verkoopster keken toe. Er liepen mensen tussen ons in, jachtig en gehaast, maar ik wrong me in allerlei bochten om het te kunnen zien. Harriet ook. We zagen hoe ze de sleutel voorzichtig door de sluiting van de ketting haalde, en hem aan de ketting hing. Hij bungelde en draaide even, voor ze haar hand eromheen sloot, en hij aan onze blik onttrokken werd.

* * *

Toen ik 's middags bijna thuis was, zag ik de vogel.

Aanvankelijk was het slechts een schaduw die overvloog, en heel even het licht verduisterde. Pas toen hij voorbij de bomen was, zag ik hem in volle omvang. Hij was gigantisch, lang en grijs, met een enorme spanwijdte. Hij leek te groot om te kunnen vliegen.

Heel even stond ik daar maar, en zag ik zijn schaduw over de straat glijden. Pas toen ik verder liep, viel het kwartje.

'Je moet je meer zorgen maken over reigers en watervogels,' had Heather gezegd. 'Die kunnen behoorlijk wat schade aanrichten.'

Echt niet, dacht ik, maar ik ging wel sneller lopen toen ik het huis van Cora zag. Eerst liep ik op een drafje, maar al snel rende ik. Het was koud buiten – de kou prikte in mijn longen en ik wist dat het er belachelijk moest uitzien, maar ik rende door, hijgend. Ik vloog door de tuin van de buren en langs de garage van Cora naar de achtertuin.

Je kon de vogel niet missen, hij stond in het ondiepe gedeelte, zijn vleugels nog een beetje uitgeklapt, omdat hij net was geland. Van een afstandje zag ik dat het een schitterend beest was, dat beschenen werd door de ondergaande zon, zijn silhouet weerspiegelend in het wateroppervlak. Maar toen stak hij zijn enorme snavel in het water.

'Hou op!' gilde ik, en mijn stem droeg ver, heel ver. 'Hou op!'

De vogel keek op, en spreidde zijn vleugels nog iets verder uit, waardoor het leek of hij een stukje boven de vijver zweefde. Maar hij bleef staan waar hij stond.

Een tijdlang gebeurde er niets. De vogel stond met gestrekte vleugels in de vijver, en ik stond er vlakbij naar te kijken. Ik voelde mijn hart in mijn oren kloppen. Ik hoorde auto's voorbijrijden op straat, en ergens in de buurt een portier dichtslaan. Maar om ons heen was het stil.

Ik wist dat de vogel ieder moment de vijver weer in kon duiken om er een vis uit te halen, misschien zelfs de mijne wel. En misschien had hij dat inmiddels al gedaan ook.

'Ga weg!' schreeuwde ik, een beetje harder deze keer, en ik liep wat verder naar hem toe. 'Hup! Wegwezen jij!'

Aanvankelijk verroerde hij zich niet. Maar toen, eerst nauwelijks waarneembaar, kwam hij een stukje uit het water, en toen nog een stukje, steeds hoger. Hij scheerde rakelings over me heen, zijn enorme vleugels uitgeslagen, en vloog steeds verder de avondlucht in. Het was zo verbazingwekkend en onwerkelijk, dat je nauwelijks kon geloven dat het echt gebeurde. En misschien zou ik ook gedacht hebben dat het een droom was als Jamie het niet ook had gezien.

Ik had pas in de gaten dat hij met zijn handen in zijn zakken achter me naar boven stond te kijken, toen ik me omdraaide om naar de wegvliegende vogel te kijken, die steeds hoger ging vliegen.

'Het was een reiger,' zei ik tegen hem. Ik was vergeten dat we niet met elkaar praatten. 'Hij stond in de vijver.'

Hij knikte. 'Ik zag het, ja.'

Ik slikte een keer, en sloeg mijn armen kruiselings voor mijn borst. Mijn hart ging zó tekeer, dat ik me afvroeg of hij het kon horen. 'Het spijt me van laatst,' zei ik. 'Ik vind het echt heel, heel erg.'

Het was even stil. 'Het is al goed,' zei hij uiteindelijk. Hij legde een hand op mijn schouder, en we keken samen hoe de vogel over het dak vloog en verdween.

10

'Wil je met of zonder boter?'

'Maakt niet uit,' zei ik.

Olivia keek me aan over de toonbank, liep naar het apparaat waar de boter uit kwam, hield de zak met popcorn eronder en pompte een paar keer. 'Dan ben je nu officieel mijn favoriete klant,' zei ze. 'In tegenstelling tot negenennegentig procent van de bioscoopgangers.'

'Dat zal wel.'

'De meeste mensen,' zei ze, terwijl ze de zak dichtkneep, hem ondersteboven hield, schudde, en hem daarna weer openmaakte om er nog wat boter bij te doen, 'hebben een uitgesproken voorkeur als het op boter aankomt. Er zijn er die helemaal geen boter willen – als de popcorn niet kurkdroog is, worden ze gek. Anderen willen juist zóveel boter, dat het vet bijna door de zak heen komt.'

Ik trok een vies gezicht. 'Jakkes.'

Ze haalde haar schouders op. 'Ik heb er geen mening over. Tenzij je zo'n mafkees bent die de boter er laagje voor laagje overheen wilt, wat uren duurt. In dat geval heb ik een hekel aan je.'

Ik lachte en pakte de popcorn, die ze naar me toe schoof. 'Dank je,' zei ik, en ik wilde mijn portemonnee pakken. 'Hoeveel krijg...'

'Laat maar zitten,' zei ze.

'Weet je het zeker?'

'Als je de boter er laag voor laag overheen had gewild, had

246

ik je laten betalen. Maar dit was een makkie. Dus het is goed zo.'

Ze kwam achter de toonbank vandaan en ik liep achter haar aan door de lobby van Vista 10 – die bijna helemaal uitgestorven was, op een paar kinderen na die aan het gamen waren bij de toiletten – naar de kassa. Ze trok de deur open, dook naar binnen en draaide het bordje dat voor het raam hing om, zodat OPEN de andere kant op wees, en haalde een stapel papier van een stoel, waarna ze gebaarde dat ik er moest gaan zitten. 'Weet je het zeker?' vroeg ik, terwijl ik om me heen keek. 'Vindt je baas dat wel goed?'

'Mijn vader is hier de baas,' zei ze. 'Bovendien sta ik hier op zaterdagochtend tegen mijn zin de kleuterdienst te draaien. Het meisje dat vandaag zou werken, is niet komen opdagen. Ik heb hem dus volledig in de tang.'

'De kleuter...?' begon ik, maar ik hield mijn mond toen ik een vrouw zag komen aanlopen met een stuk of vijf kinderen die allemaal nog op de basisschool zaten. Er liepen er een paar voor haar uit, en een paar anderen drentelden achter haar aan. Een van de kinderen had een spelcomputer bij zich en keek totaal niet waar hij liep, maar hij wist toch te voorkomen dat hij over de stoep struikelde, wat ik een hele prestatie vond. De vrouw, zo te zien halverwege de veertig, droeg een lange groene trui en had een heel grote tas bij zich. Ze stopte bij de kassa en tuurde naar binnen.

'Mam,' zei een van de kinderen, terwijl ze aan de arm van haar moeder rukte, 'ik wil M&M's.'

'Geen snoep,' mompelde de vrouw, en ze ging verder met het bekijken van de filmladder.

'Maar je hebt het beloofd!' zei het meisje nog net niet jammerend. Een van de andere kinderen, een jongetje dat jonger was dan zij, was aan de andere kant naast haar komen staan en begon nu ook aan haar arm te trekken. Ik zag dat de vrouw afwezig over zijn hoofd aaide toen hij aan haar been ging hangen.

'Yes!' gilde het kind met de spelcomputer, en hij sprong op en neer. 'Ik ben bij level vijf met de kersen!'

Olivia keek me snel aan, en drukte toen voorovergebogen het knopje van haar microfoon in. 'Zegt u het maar,' zei ze.

'Eh, ja,' zei de vrouw, die nog steeds naar de filmladder stond te kijken. 'Ik wil graag graag vijf kinderen en een volwassene voor *Pretzel Dog Twee.*

Olivia tikte iets in op haar kassa. 'Dat is dan zesendertig dollar alstublieft.'

'Zesendertig?' zei de vrouw, die eindelijk naar ons keek. Het meisje stond weer aan haar arm te trekken. 'Heb je het kindertarief gerekend? Weet je het zeker?'

'Ja.'

'Wat een hoop geld voor een film!'

'Ik weet er alles van,' zei Olivia, en ze drukte een aantal keer op het apparaat dat de kaartjes uitprintte. Ze legde haar hand op de kaartjes terwijl de vrouw haar portemonnee uit haar tas haalde en er eindeloos lang over deed om er twee briefjes van twintig uit te halen. Toen Olivia de kaartjes en het wisselgeld naar haar toe schoof, zei ze: 'Veel plezier.'

De vrouw gromde iets bij wijze van antwoord, gooide haar tas over haar schouder en liep de bioscoop in, gevolgd door haar kinderen. Olivia zuchtte een keer, ging rechtop zitten en vouwde haar handen op haar hoofd terwijl er kort na elkaar twee busjes voor de deur parkeerden.

'"Ik weet er alles van,"' zei ik, en ik dacht aan mijn moeder, die met haar klembord bij ontelbaar veel mensen op de stoep had gestaan. 'Dat zei mijn moeder ook altijd.'

'Empathie werkt altijd,' zei Olivia. 'En die vrouw had nog gelijk ook. Het ís ook een hoop geld. Maar we moeten het vooral hebben van de gereduceerde tarieven, en bovendien smokkelt ze van alles te eten mee voor die blagen, dus...'

Ik keek achterom naar de foyer, waar de vrouw en haar kroost net een zaal in liepen. 'Zou je denken?'

'Zag je niet hoe groot die tas was? Doe me een lol, zeg.' Ze bukte om wat van mijn popcorn te pakken, die ik nog helemaal niet had aangeraakt. Dat was haar kennelijk ook opgevallen, want ze vroeg: 'Is het niet goed? Heb ik er te veel boter bij gedaan?'

Ik schudde nee en keek ernaar. 'Nee hoor, hij is prima.'

'Ik dacht al. Niet opeens kieskeurig worden hè!'

De mensen stapten inmiddels uit de busjes, haalden stoelzakken leeg en schoven de achterdeuren open. Olivia keek zuchtend op haar horloge. 'Ik kwam hier eigenlijk niet om popcorn te halen,' zei ik. 'Ik wilde... ik wilde je bedanken.'

'Dat had je toch al gedaan?' zei ze.

'Niet waar,' verbeterde ik haar, 'ik heb het alleen maar gepróbéérd – twee keer zelfs – maar je liet het niet toe. En ik begrijp eerlijk gezegd niet zo goed waarom niet.'

Ze graaide weer in de popcorn en pakte een handvol. 'Nou,' zei ze, 'zo moeilijk is het anders niet, hoor. Jij hebt iets voor mij gedaan, en ik voor jou. We staan quitte. Punt.'

Dat was makkelijker gezegd dan gedaan, en ik dacht hierover na terwijl ze kaartjes verkocht, nog meer gezanik aan moest horen over de prijzen en een vrouw met een peuter de toiletten wees. Tegen de tijd dat het weer wat rustiger was, waren we een kwartier verder en had ik mijn popcorn voor de helft op.

'Ik wil alleen maar even zeggen,' zei ik, 'dat ik niet zo ben.'

'Wat bedoel je?' vroeg ze, en ze legde het papiergeld netjes in de kassa.

'Ik ben niet iemand die van school spijbelt om dronken te kunnen worden. Ik zat toen totaal niet lekker in mijn vel, en...'

'Ruby.' Ze klonk vinnig, zodat ik naar haar luisterde. 'Je hoeft het niet uit te leggen, oké?' Ik snap het heus wel.'

'Echt?'

'Ik vond het echt zwaar shit om naar een andere school te gaan,' zei ze achterovergeleund. 'Ik miste Jackson vreselijk. Nog steeds trouwens – zo erg zelfs, dat ik een jaar later nog geen enkele moeite heb gedaan om me thuis te voelen op Perkins. Ik ken er niemand.'

'Ik ook niet,' zei ik.

'Wel waar,' zei ze. 'Je bent bevriend met Nate Cross.'

'Nou, bevriend is een groot woord,' zei ik.

Ze trok haar wenkbrauwen op. 'Die gozer heeft twintig kilometer gereden om je ergens uit het bos te vissen.'

'Ook alleen maar omdat jij dat had gevraagd,' zei ik.

'Echt niet,' zei ze bits. 'Ik heb alleen maar gezegd waar je was.'

'Da's toch hetzelfde?'

'Ik dacht het niet,' zei ze, terwijl ze nog wat popcorn pakte. 'Er zit een groot verschil tussen informatie krijgen en er ook iets mee doen. Ik heb hem verteld waar jij uithing, vooral omdat ik me verantwoordelijk voelde voor het feit dat ik jou daar had achtergelaten bij die loser. Maar wie reed erheen? Nate. Ik hoop dus dat je een beetje dankbaarheid hebt getoond.'

'Nou nee, niet echt,' zei ik zacht

'Nee?' Ze leek oprecht verbaasd. 'Maar...' ze rekte het woord zo lang mogelijk uit, 'waarom dan niet?'

Ik keek naar mijn popcorn, en begon al te voelen dat ik er te veel van had gegeten. 'Ik heb nogal moeite met het accepteren van hulp,' zei ik. 'Daar moet ik wat aan doen.'

'Dat snap ik dan nog wel,' zei ze.

'Serieus?'

Ze haalde haar schouders op. 'Het gaat mij ook niet bepaald makkelijk af, zeker niet als ik er volgens mezelf niet op zit te wachten.'

'Dat bedoel ik.'

'Maar,' ging ze verder, niet van plan om het erbij te laten zitten, 'je lag wél straalbezopen in dat bos. Je had dus duidelijk hulp nodig, dus wees blij dat hij dat ook vond, ook al dacht je daar zelf heel anders over.'

Er kwam een grote groep mensen op de kassa af. Een heleboel kinderen, met hun ouders. Ze kwamen als een zootje ongeregeld vanaf het parkeerterrein aan de overkant naar ons toe.

'Ik wil het heel graag goedmaken met hem,' zei ik tegen Olivia. 'Omdat ik wil veranderen, weet je wel. Maar dat is niet makkelijk.'

'Hou maar op,' zei ze, en ze pakte nog een handje popcorn. 'Ik weet er alles van.'

***

Iedereen heeft iets waar hij of zij niet zo goed in is. Iets wat je altijd op je knieën krijgt, ook al doe je er nog zo je best voor en ben je verder overal goed in. Voor de een is dat de liefde. Voor een ander geld of alcohol. Het mijne was nog veel erger: statistiek.

Ik wist zeker dat ik daardoor niet zou kunnen gaan studeren. Niet mijn veelbewogen achtergrond, of dat ik me maanden te laat had ingeschreven, of zelfs niet dat ik onlangs pas had besloten dat ik het misschien toch wel wilde, lag daaraan ten grondslag. Ik was ervan overtuigd dat het alleen statistiek was, met haar regeltjes en formules, wat mijn gemiddelde, en mij ook, flink omlaaghaalde.

Ik begon er altijd vol goede moed aan, en probeerde mezelf ervan te overtuigen dat die dag de dag was waarop ik het opeens zou snappen, waardoor alles zou veranderen. Het was echter altijd hetzelfde liedje: na een paar bladzijden met oefenopgaven, zat ik steevast in een wak. Als het echt heel erg was, legde ik mijn hoofd op mijn boek en ging ik liggen overdenken wat ik dan met de rest van mijn leven moest doen.

'Zo hé,' hoorde ik iemand zeggen. Het klonk enigszins gedempt door mijn haar en mijn arm, die ik om mijn hoofd had geslagen om te voorkomen dat mijn hersenen eruit zouden sijpelen. 'Gaat het?'

Ik tilde mijn hoofd op, in de verwachting dat het Jamie was. Maar het was Nate, die met een berg kleren van de stomerij in zijn handen stond. Roscoe liep opgewonden aan zijn voeten te snuffelen.

'Nee,' antwoordde ik, terwijl hij de hal in liep en de kast openmaakte. Jamie was druk bezig met de nieuwe advertentiecampagne en Cora liep achter met haar zaken, en daarom hadden ze een heleboel dingen uitbesteed aan UW ZORGEN, hoewel het de eerste keer was dat Nate op zaterdagochtend binnenkwam terwijl ik thuis was. Ik hoorde hem nu met deuren gooien toen hij de kleding ophing. 'Ik lag over mijn toekomst na te denken.'

'Is het zo erg?' zei hij, en hij hurkte om Roscoe te aaien, die tegen hem op sprong en zijn gezicht begon te likken.

'Als ik statistiek niet haal wel, ja,' zei ik. 'En daar ziet het wel naar uit.'

'Echt niet.' Hij ging rechtop staan, veegde zijn handen af aan zijn spijkerbroek en ging tegen het aanrecht geleund staan. 'Hoe kan dat nou, als je de beste statistiekleraar kent die er is?'

'Jij?' vroeg ik met opgetrokken wenkbrauwen. 'Echt waar?'

'O, nee. Ik niet,' zei hij rillend. 'Ik kan veel, maar statistiek hoort daar niet bij. Ik heb het zelf met mijn hakken over de sloot gehaald.'

'Je hebt het in elk geval gehaald.'

'Ja, maar dat heb ik alleen aan Gervais te danken.'

Ik zag hem meteen voor me, dat kleine, stinkende mannetje. 'Bedankt,' zei ik. 'Maar zo wanhopig ben ik nou ook weer niet.'

'Die indruk wekte je anders wel, toen ik hier binnenkwam.' Hij liep naar me toe en ging tegenover me zitten. Hij trok mijn boek naar zich toe, sloeg een paar bladzijden om en keek er huiverig naar. 'Ik word al misselijk als ik ernaar kijk,' zei hij. 'Ik bedoel: hoe simpel zijn standaarddeviaties? En waarom snap ik er dan toch niks van?'

Ik keek hem alleen maar aan. 'Standaardwát?'

'Jij moet echt naar Gervais.' Hij schoof het boek terug. 'En vlug ook.'

'Dat is wel het laatste waar ik behoefte aan heb,' zei ik, en ik ging met opgetrokken benen zitten. 'Ik ga Gervais echt niet om een gunst vragen, hoor. Laat staan dat ik bij hem in het krijt wil staan. Ik zou geen leven meer hebben.'

'Ach, da's waar ook,' zei Nate. 'Dat was ik vergeten. Dat je dat had.'

'Dat ik wát had?'

'Nou, dat je nooit "dank je wel" wilt hoeven zeggen,' zei hij. 'Jij denkt dat je het in je eentje ook wel redt, toch?'

'Nou,' zei ik. Als je het zo bekeek, was het niet iets om trots op te zijn. 'Als je bedoelt dat ik niet graag afhankelijk ben van anderen, dan klopt dat, ja. Daar heb je gelijk in.'

'Maar,' zei hij, en hij bukte weer om Roscoe te aaien, die bij zijn voeten was gaan liggen, 'je bent mij nog wél iets schuldig.'

Ook hier was ik het niet een-twee-drie mee eens. 'Wat wil je nou eigenlijk zeggen?'

Hij haalde zijn schouders op. 'Ik kom om in het werk. Ik moet bijvoorbeeld een heleboel taartjes versieren.'

'En...?'

'En daar kan ik wel wat hulp bij gebruiken,' zei hij. 'Dus mocht je zin hebben om de rekening te vereffenen...'

'Heeft dat werk iets met Gervais te maken?' vroeg ik.

'Nee.'

Ik dacht er heel even over na. 'Oké,' zei ik toen, en ik sloeg mijn boek dicht. 'Ik ga mee.'

***

'Voor we hier naar binnen gaan,' zei Nate toen ik achter hem aan liep naar de voordeur van een klein huis, waar een vlag met een watermeloen erop aan de gevel wapperde, 'moet ik je waarschuwen voor de stank.'

'Waarom stinkt het dan?' vroeg ik, maar hij had de deur al geopend, waardoor mijn vraag in een groot uitroepteken veranderde. *Mijn god*, dacht ik, toen de walm me van alle kanten omgaf. Het was een soort smog; je kon erdoorheen lopen en je bleef het ruiken.

'Geen paniek,' zei Nate, en hij liep door de woonkamer, langs een bankstel waar een lappendeken in heldere kleuren overheen lag, naar een zonnige keuken. 'Het went na verloop van tijd vanzelf. Zo meteen ruik je het niet eens meer.'

'Maar wat is het voor geur?'

Ik kreeg mijn antwoord toen ik in de gang stond – Nate was doorgelopen naar de keuken. Het begon met een gevoel, dat al snel uitgroeide tot het griezelige besef dat ik in de gaten werd gehouden.

Toen ik de kat zag die op de trap zat – een dikke cyperse

met groene ogen – die me verveeld zat aan te kijken, zag ik een grijze onder de kapstok zitten, eentje die opgerold op de bank lag en een langharige witte, die uitgestrekt op het Perzische tapijt ervóór lag. Ze zaten overal. Ik vond Nate op de afgesloten veranda aan de achterkant van het huis, waar vijf kennels op een rij stonden. Op iedere kennel zat een polaroid van een kat geplakt, en daaronder stonden hun namen: Razzy, Cesar, Blu, Margie en Lyle.

'Is dit een asiel of zo?' vroeg ik.

'Sabrina vangt katten op die niet geplaatst kunnen worden,' zei hij, terwijl hij twee kennels oppakte en ze meenam naar de woonkamer. 'Oude, zieke beesten en zo. Die niemand wil hebben, zeg maar.' Hij pakte een polaroid van een magere, grijskleurige kat – die kennelijk Razzy heette – en keek vervolgens de kamer rond. 'Zie jij deze toevallig ergens?'

We keken allebei om ons heen, en zagen diverse katten, maar geen grijze. 'Ik ga wel even boven kijken,' zei Nate. 'Kun jij vast kijken of je die andere ziet? Die van de foto's op de kennels.'

Hij liep de kamer uit, en ging op een drafje naar boven. Ik hoorde hem even later fluiten en rondlopen, het plafond kraakte ervan. Ik bekeek het rijtje kennels en polaroids en zag er eentje zitten, een zwarte kat met gele ogen – Lyle – die me op een stoel zat aan te kijken. Toen ik de kennel oppakte, klapte de foto om, en zag ik dat er een gele Post-it op de achterkant zat.

Lyle wordt onderzocht en er zal bloed worden afgenomen om te kijken of de medicatie voor zijn kanker aanslaat. Als dokter Loomis van mening is dat de medicijnen niet helpen, wil je dan vragen of hij me mobiel belt, zodat we kunnen bespreken of we nog iets voor hem kunnen doen, of dat ik het hem gewoon zo comfortabel mogelijk moet maken.

'Arme stakker,' zei ik, terwijl ik de kennel voor hem op de grond zette, met het deurtje open. 'Spring er maar lekker in, oké?'

Dat had ik gedacht. Sterker nog, toen ik hem wilde pakken, haalde hij zijn klauw uit. Ik liet de kennel los, die met open deur op de grond viel, die ertegenaan klapte. Ik keek naar mijn hand en zag de krassen al zitten. Er kwamen druppels bloed uit. 'Klein loeder,' zei ik. Hij keek me alleen maar aan, alsof hij niet bewogen had.

'O nee, hè,' zei Nate, die met onder iedere arm een kat naar beneden kwam. 'Wilde je Lyle oppakken?'

'Je zei toch dat dat moest?' zei ik.

'Ik zei dat je moest kijken of je hem ergens zag,' zei hij. 'Niet dat je ruzie moest maken. Zeker niet met hem – het is een rotbeest. Laat eens zien?'

Hij pakte mijn hand en bekeek de krassen. Zijn handpalm was warm en lag tegen de onderkant van mijn pols, en toen hij voorovergebogen stond, zag ik de verschillende kleuren van zijn haar, van spierwit en gelig, tot bijna bruin.

'Sorry,' zei hij. 'Ik had je moeten waarschuwen.'

'Joh, er is niks aan de hand. Het is maar een krasje.'

Hij keek me aan en ik moest blozen. Ik was me er opeens heel erg van bewust hoe dichtbij hij was. Ik keek over zijn schouder en zag Lyle kijken. Zijn pupillen werden eerst groter en trokken zich daarna weer samen.

Uiteindelijk kostte het Nate ruim twintig minuten om Lyle in de kennel en in de auto te krijgen, waar ik met de rest op hem zat te wachten. Toen hij eindelijk achter het stuur kroop, zag ik dat zijn handen onder de krassen zaten.

'Krijg je ook gevarentoeslag?' vroeg ik, toen hij de motor startte.

'Ik hou er geen littekens aan over,' zei hij. 'En trouwens,

dat arme beest kan er ook niets aan doen. Hij heeft geen enkele reden om graag naar de dierenarts te gaan.'

Ik keek naar hem toen we wegreden. Achter ons zat er al een te miauwen. 'Weet je,' zei ik, 'ik zal jou wel nooit begrijpen.'

Nate trok geamuseerd zijn wenkbrauwen op. 'Hoezo niet?'

'Dat positieve gedoe – "nee hoor, de kat kan er niks aan doen dat hij me heeft gekrabd". Waar komt dat toch vandaan?'

'Wat moet ik anders?' vroeg hij. 'Moet ik soms aan iedereen een hekel hebben?'

'Helemaal niet,' zei ik terwijl ik hem aankeek. 'Maar je hoeft toch ook niet altijd iedereen het voordeel van de twijfel te geven?'

'En je hoeft ook niet altijd van het ergste uit te gaan. Niet iedereen is tegen je.'

'Dat denk jij,' voegde ik eraan toe.

'Weet je,' zei hij, 'het gaat erom dat je nooit iets zeker weet. Je hebt altijd een keuze. Je moet er of maar het beste van hopen, of uitgaan van het ergste.'

'En als je uitgaat van het ergste, kan het alleen maar meevallen,' zei ik.

'Oké, maar wie wil er nou zo leven?'

Ik haalde mijn schouders op. 'Mensen die niet door gestoorde katten toegetakeld willen worden.'

'Aha! Maar jij bent wél toegetakeld door een gestoorde kat,' zei hij, en hij wees naar mijn hand. 'Jij bent dus duidelijk niet zo iemand. Al zou je het willen.'

Na de dierenarts – Lyle krabde hem, de specialist, en een vrouw in de wachtkamer die er niets mee te maken had – lieten we de katten weer los in hun natuurlijke omgeving bij Sabrina. Vanaf daar gingen we naar de stomerij (waar we bergen pakken en overhemden ophaalden), de apotheek (ik schrok ervan hoeveel mensen antidepressiva slikten, maar dat moesten ze zelf maar weten), en One World, een biologische supermarkt, om een bestelling op te halen, die bestond uit een speciale glutenvrije taart, zonder tarwe en eieren erin verwerkt, waar met grote letters op stond 40! GE-FELICITEERD, MARLA!

'Veertig jaar zonder tarwe en eieren?' zei ik, terwijl we ermee naar een groot huis met pilaren liepen. 'Die heeft vast geen leuk leven.'

'En vlees eten doet ze ook al niet,' zei hij tegen me, ondertussen in een grote bos naar de sleutel zoekend. Toen hij hem gevonden had, stak hij hem in het slot en duwde de deur open. 'Of conserven. Zelfs haar shampoo is organisch.'

'Dus jij koopt haar shampoo?'

'We doen al haar boodschappen. Ze is altijd onderweg. De keuken is deze kant op.'

Ik liep achter hem aan door het huis, groot en ontzettend rommelig. Er lag een stapel post op het kookeiland, een stapel oud papier bij de achterdeur, en het lampje op het antwoordapparaat knipperde onafgebroken, om aan te geven dat het bandje vol was.

'Nou zeg,' zei ik, 'van iemand die zo goed op haar eten let, had ik wel een netter huis verwacht.'

'Ze was ook altijd heel netjes, tot ze ging scheiden,' zei Nate, die de taart van me aanpakte en in de ijskast zette. 'Maar daarna is het bergafwaarts gegaan.'

'Vandaar die antidepressiva,' zei ik, toen hij een potje pillen uit de tas van de apotheek haalde en op het aanrecht zette.

'Zou je denken?'

Ik keek naar de ijskast, waar een heleboel foto's op geplakt zaten van Hollywoodsterren in bikini. Er hing een papiertje boven waar met zwarte stift op geschreven stond:

EERST DENKEN, DAN ETEN! 'Nou,' zei ik, 'ze is behoorlijk gedreven.'

'Dat zal inderdaad wel, ja,' zei Nate, terwijl hij naar de ijskast keek. 'Ik heb haar nog nooit gezien.'

'Echt niet?'

'Nee,' zei hij. 'Zo werken wij nou eenmaal. Onze klanten hoeven ons niet te zien. Als wij ons werk goed doen, nemen wij hun dingen uit handen.'

'Toch,' zei ik, 'zul je moeten toegeven dat je een heleboel van ze weet. Kijk alleen maar hoeveel je al uit de keuken kunt afleiden.'

'Misschien wel, ja. Maar dat wil nog niet zeggen dat je iemand ook echt kent. Je ziet maar een klein stukje van hoe ze zijn.' Hij pakte de sleutelbos van het aanrecht. 'Kom. We moeten nog vier adressen afwerken voor we klaar zijn.'

Ik moest toegeven dat het hard werken was, in elk geval harder dan ik had gedacht. Toch was het wel leuk om te doen. Misschien omdat het me een beetje deed denken aan mijn werk voor Commercial, we gingen ook bij mensen langs om iets weg te brengen, en vaak moesten we ook iets ophalen. Bovendien was de blik die je in andermans leven kon werpen wel leuk; je zag wat er aan hun kapstok hing, wat er in de garage stond, welke strips ze op hun ijskast hadden geplakt. Hoe verschillend iedereen ook mocht zijn, sommige dingen deden ze allemaal hetzelfde.

Het laatste adres was een hoge flat met appartementen en een chique, steriele lobby. Toen ik er met Nate doorheen liep met de laatste spullen van de stomerij, hoorde ik onze galmende voetstappen om ons heen echoën.

'Wat is het verhaal achter deze bewoner?' vroeg ik toen we in de lift stapten. Ik keek op het kaartje van de stomerij om te zien van wie de kleding was. 'Wie is P. Collins?'

'Een mysterie,' zei Nate.

'O ja? Vertel.'

'Dat zie je zo vanzelf wel.'

Op de zevende verdieping liepen we een lange gang in, met allemaal dezelfde deuren. Nate liep tot halverwege, pakte de sleutelbos en maakte de deur open waar hij voor stond. 'Na jou,' zei hij.

Toen ik naar binnen ging, was de stilte het eerste wat me opviel. Het was niet zomaar een leeg huis, het voelde bijna hol aan, ook al was het appartement volledig gemeubileerd met chique, moderne meubels. Het zag er zo perfect uit, dat het uit een tijdschrift leek te komen.

'Wauw,' zei ik, toen Nate de kleding van me aannam en in een slaapkamer aan de rechterkant verdween. Ik liep naar de ramen, die over de hele stad en nog veel verder uitkeken; het leek wel of ik op het dak van de wereld stond. 'Ongelooflijk.'

'Ja, hè,' zei hij, toen hij de woonkamer weer in liep. 'Daarom is het ook zo vreemd dat de eigenaar er nooit is.'

'En die spullen van de stomerij dan?' vroeg ik.

'Dat is dan ook het enige,' zei hij. 'En het is maar een dekbedovertrek. Dat halen we zo'n beetje eens per maand op.'

Ik liep naar de keuken en keek om me heen. Er zat niks op de ijskast, en lag niks op het aanrecht, op een flessendop na, die op zijn kop lag. 'Aha,' zei ik, 'ze drinken cola.'

'Die dop is van mij,' zei Nate. 'Die heb ik daar laatst expres laten liggen, om te zien of iemand hem zou verplaatsen of weg zou gooien.'

'En hij ligt er dus nog steeds?'

'Gek, hè?' Hij liep terug naar de ramen en trok een glazen deur open. Ik voelde meteen frisse lucht naar binnen stromen. 'Ik denk dat iemand het appartement verhuurt, of dat het van een of ander bedrijf is. Voor hooggeplaatst bezoek of zo.'

Ik liep naar de woonkamer en bekeek de inhoud van een lage boekenkast die bij de bank stond. Er stonden enkele romans in, een reisgids voor Mexico, en een paar boeken met mooie huizen. 'Ik weet het niet hoor,' zei ik. 'Volgens mij wonen hier gewoon mensen.'

'Als dat zo is, heb ik medelijden met ze,' zei hij tegen de deurpost geleund. 'Er hangen niet eens foto's.'

'Foto's?'

'Je weet wel, van familie, of vrienden. Een teken van leven, snap je?'

Ik moest aan mijn eigen kamer denken bij Cora – daar hing ook niks aan de muur, ik had amper mijn spullen uitgepakt. Wat zou iemand denken die daar binnenkwam en mijn spullen zag? Die zou niet veel aanknopingspunten hebben.

Nate was naar buiten gelopen en stond nu op het kleine balkon in de verte te kijken. Toen ik naast hem kwam staan, keek hij naar mijn hand, die nog steeds een wirwar van krassen was. 'Och, dat was ik helemaal vergeten,' zei hij, terwijl hij een tubetje uit zijn zak haalde. 'Daar heb ik iets voor gekocht bij One World.'

BOYDS ZALF, stond er in rode letters op de tube. Toen hij het dopje eraf haalde, vroeg ik: 'Wat is het voor spul?'

'Het is een wondzalf, maar dan honderd procent natuurlijk,' legde hij uit. Toen ik hem sceptisch aankeek, voegde hij eraan toe: 'Marla zweert erbij.'

'O, dat verandert de zaak. Ga vooral je gang.' Hij gebaarde dat ik mijn hand moest uitsteken. Toen ik dat gedaan had, kneep hij er een beetje van het spul op, dat hij voorzichtig uitsmeerde. Het brandde eerst een beetje, daarna werd het koud, maar het voelde wel prettig aan. Nu hij weer zo dicht bij me stond, was mijn eerste reactie dat ik mijn hand wilde terugtrekken, zoals ik al eerder had gedaan. Maar ik dwong mezelf zo te blijven staan en me te ontspannen terwijl hij over mijn hand wreef.

'Klaar,' zei hij na een tijdje, toen het helemaal was ingetrokken. 'Morgen is het genezen.'

'Optimist.'

'Tja, je kunt er natuurlijk ook van uitgaan dat je hand eraf valt,' zei hij. 'Maar zo denk ik zelf liever niet.'

Ik moest hier wel om lachen, ook al wilde ik dat niet. Toen ik naar hem keek, met de zon die hem van achteren bescheen, moest ik denken aan de avond dat ik hem voor het eerst had gezien, toen ik over het hek hing. Ik kon toen niet zien hoe hij eruitzag, maar nu zag ik het des te beter, in het volle daglicht. Hij was heel anders dan ik aanvankelijk dacht of had verwacht, en ik vroeg me af of hij dat ook van mij vond.

Toen hij me later die dag thuis afzette, trof ik Cora achter het fornuis aan, die in de grote pan stond te kijken waar ze in roerde. 'Hé,' riep ze, toen Roscoe naar me toe kwam rennen om me te begroeten. 'Ik wist niet dat je vandaag moest werken.'

'Dat hoefde ik ook niet,' zei ik.

'Waar was je dan naartoe?'

'Overal en nergens,' zei ik geeuwend. Ze keek me vragend aan, en ik vroeg me af waarom ik haar niet gewoon vertelde wat ik had gedaan. Maar op de een of andere manier wilde ik dat nog even voor mezelf houden. 'Kan ik je ergens mee helpen?'

'Nee hoor, het lukt wel. We gaan over een halfuur eten, oké?'

Ik knikte, en ging naar mijn kamer. Ik zette mijn tas weg en ging op het balkon naar het huis van Nate staan kijken. Een paar minuten later zag ik hem met wat spullen naar het tuinhuis bij het zwembad lopen. Hij was nog steeds aan het werk.

Toen ik weer binnen was, schopte ik mijn schoenen uit en ging languit met mijn ogen dicht op bed liggen. Toen ik bijna in slaap viel, hoorde ik het gerinkel van penningen naast mijn bed. *Cora heeft de oven zeker aangezet,* dacht ik, en ik wachtte tot Roscoe naar mijn kast zou lopen, waar hij normaal gesproken in kroop tot het gevaar was geweken. Maar hij ging naast het bed naar me zitten kijken.

Ik keek hem even aan en zei toen zuchtend: 'Nou vooruit. Kom maar.'

Hij aarzelde geen seconde en sprong meteen op bed. Hij draaide eerst een paar keer rond voor hij met zijn kop op mijn buik naast me kwam liggen. Toen ik hem wilde aaien, zag ik de krassen die Lyle had toegebracht weer, en ik streelde er met mijn vingers overheen, op dezelfde manier als Nate had gedaan. Dat bleef ik de hele avond doen – tijdens het eten, voor ik naar bed ging – ik bleef eraan zitten, zoals ik dat eerder met de sleutel om mijn nek had gedaan, alsof ik uit mijn hoofd wilde leren hoe de krassen aanvoelden. En misschien wilde ik dat ook wel, want Nate had gelijk: de volgende ochtend waren ze weg.

11

'Ik wil alleen maar zeggen,' zei Olivia, terwijl ze een slok van haar smoothie nam, 'dat het er voor een buitenstaander uitziet alsof jullie iets hebben.'

'Nou, dan heeft die buitenstaander het verkeerd gezien,' zei ik. 'En al zou het zo zijn, dan zou het nog niemand iets aangaan.'

'Nou, en er zijn ook zóveel mensen in jullie geïnteresseerd. En mij interesseert het ook niet, hoor.'

'Waarom vraag je het dan?'

Ze keek me zonder iets te zeggen aan, pakte haar telefoon, klapte hem open en drukte op een paar toetsen. Officieel waren Olivia en ik nooit bevriend geraakt. Maar toch was het ergens tussen die keer dat ze me een lift had gegeven en toen bij de kassa gebeurd. Ik kon anders ook niet verklaren waarom ze met zoveel gemak mijn privéleven in dook.

'Ik heb niks met Nate,' zei ik, voor de tweede keer sinds we waren gaan lunchen. Dat had ik trouwens ook helemaal niet verwacht, dat we samen zouden eten – laat staan dat ik het normaal zou vinden dat ze vooroverboog om wat van mijn chips te pakken. 'We kunnen gewoon goed met elkaar opschieten.'

'Een tijdje terug,' zei ze, en ze stak de chips in haar mond, 'durfde je dat zelfs nog niet toe te geven.'

'En?'

'Dus,' zei ze, terwijl haar telefoon opeens ging, 'wie weet waar je over een week of twee allemaal mee op de proppen komt? Dan ben je misschien wel verloofd, zonder het te vertellen.'

'We gaan ons echt niet verloven,' zei ik. 'Alsjeblieft zeg.'

'Zeg nooit nooit,' zei ze schouderophalend. Haar telefoon ging weer. 'Er kan van alles gebeuren.'

'Hij is niet eens in de buurt,' zei ik.

'Klopt, maar hij staat wel bij de sculptuur naar je te kijken.'

Ik draaide me om om te kunnen kijken. Ze had gelijk; Nate stond achter ons met Jake Bristol te praten. Toen hij ons zag kijken, zwaaide hij. Ik zwaaide terug en wendde me weer tot Olivia, die me uitdrukkingsloos zat aan te kijken, terwijl haar telefoon nog steeds ging.

'Ga je hem nog opnemen?' vroeg ik.

'Mag ik?'

'Wou je soms beweren dat ík hier de dienst uitmaak?'

Nee,' zei ze. 'Maar ik wil absoluut niet lomp of ongemanierd overkomen, door twee gesprekken tegelijk te voeren.' Dat waren mijn woorden. Ik had dat tegen haar gezegd toen ik het zat was dat ze me constant onderbrak omdat ze werd gebeld. Toen ik daarover nadacht, vond ik dat ergens ook wel iets wat vriendinnen deden. 'Of denk je er nu ineens anders over?'

'Zolang hij maar niet meer overgaat,' zei ik.

Ze slaakte een zucht, alsof het heel veel moeite kostte, klapte hem open en zette hem aan haar oor. 'Hoi. Nee joh, ik zit gewoon te lunchen met Ruby. Wat zeg je? Ja, dat heeft ze inderdaad gezegd,' zei ze, terwijl ze me aankeek. 'Weet ik veel, ze is nogal wispelturig. Ik wíl het niet eens snappen.'

Ik sloeg mijn ogen ten hemel, en keek over mijn schouder naar Nate. Hij stond nog steeds met Jake te praten en zag me nu niet kijken, maar toen ik om me heen keek, zag ik wel iemand anders naar me kijken. Gervais.

Hij zat alleen onder een boom, zijn rugzak naast zich,

met een pakje melk in zijn hand. Hij zat bedachtzaam ergens op te kauwen, en zat mij ondertussen strak aan te kijken. Wat best eng was, vond ik. Maar Gervais gedroeg zich de laatste tijd sowieso vreemd. Of liever gezegd: nog vreemder.

Ik was inmiddels zo gewend aan zijn irritante gedrag in de auto, dat het me niet eens meer opviel. Eigenlijk was Gervais echt letterlijk naar de achtergrond verschoven sinds Nate en ik wat beter bevriend waren geraakt. Daarom viel het me waarschijnlijk eerst niet op dat hij aan het veranderen was. Maar Nate wel.

'Hoe kun je nou niet gezien hebben dat hij zijn haar tegenwoordig kamt?' had hij me een paar dagen eerder gevraagd, nadat Gervais was uitgestapt en we samen over het parkeerterrein liepen. 'En hij heeft geen beugel meer.'

'Omdat ik me, blijkbaar in tegenstelling tot anderen, niet zoveel met Gervais bezighoud?'

'En dan nog kun je het bijna niet missen,' antwoordde hij. 'Hij heeft een totaal ander voorkomen.'

'Met de klemtoon op "komen",' zei ik. 'Ik heb kunnen voorkómen dat ik keek.'

'Hij stinkt ook niet meer zo,' voegde Nate eraan toe. 'Hij stoot aanzienlijk minder giftige gassen uit.'

'Waarom hebben we het ook alweer over hem?' vroeg ik.

'Dat weet ik niet,' zei hij schouderophalend. 'Als iemand een verandering ondergaat die nogal moeilijk te missen is, is het heel normaal dat je het daarover hebt. 'Of niet soms?'

Ik hield me echter totaal niet met Gervais bezig. Al zou hij een totale make-over krijgen en opeens naar viooltjes ruiken, dan nog zou het me geen moer kunnen schelen. Maar nu ik hem eens goed bekeek vanaf de andere kant van het grasveld, moest ik toegeven dat Nate gelijk had – hij zag er inderdaad anders uit. Zijn haar was gekamd en was een stuk minder vet, en zonder die buitenboordbeugel zag hij er totaal anders uit. Toen hij me zag kijken, kromp hij ineen, keek meteen naar de grond en dronk zijn pakje melk leeg. *Wat een vreemd mannetje*, dacht ik.

'... nee, dat denk ik niet,' zei Olivia, die nog een slok van haar smoothie nam. 'Omdat je van een paar schoenen niet harder gaat lopen, Laney. Dat proberen ze je wijs te maken. Wat zeg je? Natuurlijk zeggen ze dat. Daar worden ze voor betaald!'

'Wie?' vroeg Nate, die naast me op het bankje kwam zitten. Olivia, die naar Laney zat te luisteren, keek me met opgetrokken wenkbrauwen aan.

'Geen idee,' antwoordde ik. 'Zoals je ziet, heeft ze het niet tegen mij, maar zit ze te bellen.'

'Aha,' zei hij. 'Dat is eigenlijk best onbeschoft.'

'Dat vind jij dus ook?'

Olivia negeerde ons, en pakte nog wat van mijn chips. Daarna hield ze Nate de zak voor, die er ook een handjevol uit pakte en in zijn mond stopte. 'Dat zijn mijn chips,' zei ik.

'O ja joh?' vroeg Nate. 'Lekker.'

Hij lachte en stootte met zijn knie tegen me aan. Olivia had het aan de andere kant van de tafel met Laney nog steeds over schoenen. Ze klonk als een schooljuffrouw. Nu ik daar zo zat, kon ik me niet meer voorstellen hoe het was toen ik net op Perkins zat. Ik was toen vastbesloten om een eenvrouwszaak van mezelf te maken. Maar ik kwam er steeds meer achter wat het probleem was met het aannemen van hulp en met het geven ervan: je stond nooit quitte. Dus als je eenmaal met iemand contact had, kwam je er niet meer vanaf.

.

Toen het Thanksgiving Day was, stond ik vanaf twaalf uur in de hal om me te kwijten van mijn taak als deurenopenmaakster en jassenophangster. Net toen de eerste auto stilstond voor het huis, ontdekte ik dat er een gat in mijn trui zat.

Ik liep met twee treden tegelijk de trap op naar mijn kamer, en liep via de badkamer naar mijn inloopkast. Toen ik de deur openmaakte, schrok ik me kapot; Cora zat op de grond en had Roscoe op schoot.

'Zeg maar niets,' zei ze met opgestoken hand. 'Ik weet dat het er gek moet uitzien.'

'Wat zit je daar te doen?'

Ze zuchtte. 'Ik moest even weg. Even tot rust komen. Ik had wat tijd voor mezelf nodig.'

'In mijn kast.'

'Ik kwam Roscoe halen. Je weet hoe hysterisch hij wordt als de oven aanstaat.' Ze keek me aan. 'Maar toen ik hier eenmaal binnen was, begon ik te begrijpen waarom hij het hier zo fijn vindt. Het is best rustgevend eigenlijk.'

Cora en Jamie vierden voor het eerst Thanksgiving bij hen thuis, wat betekende dat we ieder moment een invasie van niet minder dan vijftien Hunters konden verwachten. Ik was zelf eigenlijk wel nieuwsgierig naar deze uitgebreide familie, maar Cora was, net als Roscoe, een wrak.

'Je hebt het zelf voorgesteld,' had Jamie een week daarvoor gezegd, toen ze volledig gestrest aan de keukentafel zat, omgeven door kookboeken en kooktijdschriften. 'Ik zou dat nooit van je verlangd hebben.'

'Ik vroeg het uit beleefdheid!' zei ze. 'Hoe kon ik nou weten dat jouw moeder op het aanbod zou ingaan?'

'Ze willen het huis graag zien.'

'Ze kunnen toch ook een keer een borrel komen drinken?' Of een voorgerechtje eten? Of een dessert? Gewoon, iets makkelijks. Maar nee hoor, ze komen op de belangrijkste feestdag van het jaar en verwachten dat ik iets fatsoenlijks op tafel zet!'

'Je hoeft alleen maar een kalkoen te braden en het dessert te maken,' zei Jamie. 'De rest doen zij.'

Cora keek hem aan. 'De kalkoen,' zei ze, 'is het belangrijkste van alles. Als ik die verpest, is de hele dag naar de knoppen.'

'Dat is helemaal niet waar,' zei Jamie. Daarna keek hij mij aan, maar ik hield wijselijk mijn mond. 'Het is maar een kalkoen. Hoe moeilijk kan het zijn?'

Die vraag werd een paar dagen later beantwoord, toen Cora de kalkoen ging ophalen die ze had besteld, die tien kilo woog. We moesten hem met zijn drieën naar binnen dragen, en toen paste hij niet in de ijskast.

'Een ramp,' zei Cora, nadat we hem met veel moeite op het aanrecht hadden gekregen. 'Een complete ramp.'

'Er is niks aan de hand,' zei Jamie, zoals altijd vol vertrouwen. 'Echt niet.'

Hij had de kalkoen uiteindelijk in de ijskast gekregen, al hield dat wel in dat de rest er bijna allemaal uit moest. Met als gevolg dat het hele aanrecht niet alleen vol stond met alles wat Cora voor het eten had ingeslagen, maar ook met smaakmakers, brood, blikjes frisdrank en flessen water. Alles wat niet per se gekoeld hoefde te worden, eigenlijk. Gelukkig mochten we Nates oven gebruiken voor alles wat er bij ons niet meer in kon – zijn vader en hij moesten de hele dag werken, want ze kregen dubbel betaald door iedereen die hen die dag voor hun eigen diner inschakelde – omdat de kalkoen de hele oven in beslag nam. Cora was hier echter alleen nog maar chagrijniger van geworden, zo erg zelfs, dat ik van ellende maar met een paar sneetjes brood, een pot pindakaas en een pot jam in de woonkamer ging zitten, waar het lekker rustig was.

'Weet je,' had Jamie de avond ervoor gezegd, toen Cora met veel lawaai in de keuken bezig was, 'ik denk dat het heel goed is dat we dit doen.'

Mijn zus stond aan de andere kant van de deur een hoop lawaai te maken. 'Is dat zo?' zei ik.

Hij knikte. 'Dit is precies wat we nodig hebben – een echte feestdag. Het huis komt tot leven als je familie er is, snap je wat ik bedoel?' Hij slaakte een weemoedige zucht. 'En trouwens; ik ben dol op Thanksgiving. Ook al toen het nog niet onze dag was.'

'Wacht even,' zei ik. 'Zijn jullie op Thanksgiving getrouwd?'

Hij schudde zijn hoofd. 'Nee, tien juni. Maar we hebben elkaar leren kennen op kalkoendag. En dat vieren we nog steeds, naast onze trouwdag. Ons eerste afspraakje.'

'Wie spreekt er nou iets af op zo'n feestdag?'

'We hadden ook niks afgesproken,' zei hij, terwijl hij het brood pakte. 'Ik zou naar huis gaan voor Thanksgiving. Ik had er heel veel zin in; ik ben dol op feestdagen waarop gegeten wordt.'

'Dat weet ik, ja,' zei ik, en ik nam een hap van mijn brood.

'Maar een dag ervoor,' ging hij verder, 'kreeg ik voedsel-vergiftiging van een stuk inktvis dat in de sushi zat. Vreselijk. Ik hing de hele nacht boven de pot en de volgende dag was ik volledig uitgeschakeld. Dus zat ik moederziel alleen in het studentenhuis met Thanksgiving. Zielig, hè!'

'Valt wel mee,' zei ik.

'Echt niet,' zei hij zuchtend. 'Daar zat ik dus, een hoopje uitgedroogde ellende. Ik wilde gaan douchen maar ik stond te tollen op mijn benen. Ik moest onderweg even gaan zitten. Dus ik zit daar op de gang – het werd zwart voor mijn ogen – toen tegenover me een deur openging, en het meisje dat mijn eerste avond op kamers zo tegen me had lopen schreeuwen, voor mijn neus stond. Ze was

ook helemaal alleen, en wilde net illegaal een panpizza op-
warmen.'

Ik ging achterover hangen om naar mijn zus te kunnen
kijken, die inmiddels een kookboek raadpleegde en met
haar vinger aangaf waar ze gebleven was. Ik herinnerde me
die panpizza's opeens weer – van die goedkope dingen, met
spaghettisaus en kaas – die ze ontelbare keren voor mij had
gemaakt.

Hij haalde het mes uit de jam. 'Eerst keek ze geschrokken –
ik zag kennelijk nogal groen. Toen vroeg ze of het wel goed
ging met me, en toen ik antwoordde dat ik dat niet zeker
wist, voelde ze aan mijn voorhoofd en zei ze dat ik beter in
haar kamer op de bank kon gaan liggen. Toen ging ze lopend naar de enige winkel die open was – kilometers ver
weg, kocht een sixpack Gatorade voor me, liep terug en gaf
me de helft van haar pizza.'

'Wat goed,' zei ik.

'Vind ik ook.' Hij schudde zijn hoofd, en legde twee sneetjes brood op elkaar. 'We hebben het hele weekend in haar
kamer films zitten kijken en opgewarmde dingen zitten
eten. Ze verzorgde me. Het was de leukste Thanksgiving
ooit.'

Ik keek nog een keer naar Cora en dacht aan wat Denise
over haar had gezegd op het feestje. Grappig eigenlijk dat ik
mijn zus niet als een verzorgend type zag, terwijl ze dat
toch echt voor me had gedaan. En nu weer.

'Wat overigens niet wil zeggen,' voegde Jamie eraan toe,
'dat andere keren niet minstens zo leuk waren, of op hun
eigen manier zelfs beter. Daarom verheug ik me ook zo op
dit jaar. Ik vind dit een geweldig huis, maar ik heb me er
nog nooit écht thuis gevoeld. Maar als morgen iedereen hier
aan tafel zit, en zijn bedanklijstje voorleest, zal het een echt
thuis zijn.'

Ik hoorde hem aan, maar zat ondertussen nog steeds aan Cora en haar panpizza's te denken. Het duurde dus even voor het laatste tot me doordrong. 'Bedanklijstje, zei je?'

'Ja,' zei hij, en hij pakte nog een snee brood en de pindakaas. 'Ach, da's waar ook. Daar deden jullie niet aan, hè?'

'Eh... nee,' zei ik. 'Ik weet niet eens wat het is.'

'Precies zoals ik het zei.' Hij smeerde een dikke klodder pindakaas op zijn boterham. 'Je maakt een lijst met alles waar je dankbaar voor bent. Voor Thanksgiving. En dat deel je dan onder het eten met de anderen. Top!'

'Is het verplicht?' vroeg ik.

'Pardon?' zei hij, en hij gooide zijn mes neer. 'Probeer je er soms onderuit te komen?'

'Ik weet gewoon niet wat ik... wat ik op zou moeten schrijven,' zei ik. Hij keek me zó verbaasd aan dat ik me afvroeg of ik hem had gekwetst, dus voegde ik er snel aan toe: 'Zo een-twee-drie, bedoel ik.'

'Dat is nou juist het leuke,' zei hij, terwijl hij verderging met het uitsmeren van de pindakaas. 'Dat hoef je ook niet ter plekke te doen. Je kunt het maken wanneer je maar wilt.'

Ik knikte alsof dat inderdaad mijn enige twijfel was geweest. 'Oké.'

'Geen paniek,' zei hij. 'Ik weet zeker dat je een mooie lijst maakt.'

Je moest wel bewondering hebben voor Jamies optimisme. Voor hem was niets onmogelijk: een vijver midden in een buitenwijk, een eigenzinnig schoonzusje zover krijgen dat ze gaat studeren, een thuis maken van een huis en bedanklijstjes schrijven. Hij kreeg nooit de garantie dat het ook uitpakte zoals hij het voor ogen had, maar daar ging het misschien ook wel niet om. Het ging erom dat hij van alles bedacht, en of alles ook zijn vruchten afwierp, was niet zo belangrijk.

Cora en ik hoorden vanuit de kast de bel gaan. Roscoe spitste zijn oren en begon te keffen. Het dreunde door de kleine ruimte.

'Ik moet aan het werk,' zei ik, en ik trok mijn trui uit, en pakte een andere. 'Even...'

Ik voelde een hand die me bij mijn enkel pakte en me uit evenwicht bracht. 'Jamie doet wel open,' zei ze. 'Kom je alsjeblieft even zitten?'

'Wil je dat ik in de kást kom zitten?'

'Nee.' Ze kroelde Roscoe over zijn kop en voegde er zacht aan toe: 'Alleen als je zin hebt.'

Ik ging op mijn hurken zitten en ze schoof opzij toen ik naar binnen ging, ondertussen plaatsmakend door een paar laarzen weg te zetten.

'Zie je wel,' zei ze. 'Best lekker hier.'

'Je hebt er zelf om gevraagd,' zei ik, 'dus zeg ik het maar gewoon: volgens mij ben je gek geworden.'

'Kan ik er wat aan doen?' Ze leunde achterover tot ze met een bons tegen de muur viel. 'Over een paar minuten wemelt het hier van de mensen die verwachten een perfecte Thanksgiving voorgeschoteld te krijgen. En wie mag dat allemaal regelen? Ik. Terwijl ik wel de laatste ben die daarvoor in de wieg is gelegd.'

'Dat is niet waar,' zei ik.

'Hoe weet jij dat nou? Ik heb nog nooit iets met Thanksgiving te maken gehad.'

'Je hebt toch een keer panpizza's gemaakt voor Jamie?' zei ik.

'Op de universiteit, bedoel je?'

Ik knikte.

'Dat is dus écht niet hetzelfde.'

'Het was ook eten, dus telt het wel,' zei ik. 'Bovendien was het de beste Thanksgiving die hij ooit had gehad.'

Ze gooide lachend haar hoofd in haar nek, waardoor ze van onder af naar mijn kleren zat te kijken. 'Typisch Jamie. Als het alleen om hem zou gaan, zou ik me nergens druk om maken. Maar we hebben het over zijn hele familie. Daar word ik best nerveus van.'

'Waarom?'

'Omdat ze allemaal zo verschrikkelijk met elkaar in harmonie zijn,' zei ze rillend. 'Bij hen vergeleken is onze familie net een roedel wolven.'

Ik keek haar aan. 'Kom op, Cora. Wat is er nou anders aan vandaag?'

'Het is Thanksgiving.'

'Dat zei ik, ja. Het is een dag als alle andere.'

Ze trok Roscoe dichter naar zich toe. 'En dan heb ik het nog niet eens gehad over dat hele gedoe van kinderen krijgen. Die lui zijn zo belachelijk vruchtbaar. Ik weet zeker dat ze zich afvragen hoe het kan dat we vijf jaar getrouwd zijn en ik nog steeds geen nieuw lid aan de stam heb toegevoegd.'

'Nou, dat zal wel meevallen,' zei ik. 'En al zou het zo zijn, dan gaat het ze nog geen reet aan, en je kunt er gerust iets van zeggen als ze erover beginnen.'

'Dat doen ze niet,' zei ze terneergeslagen. 'Daar zijn ze veel te aardig voor. Daarom krijg ik er ook de zenuwen van. Ze kunnen allemaal met elkaar opschieten, ze zijn gek op mij, en die kalkoen eten ze toch wel, ook al is hij aan de buitenkant verbrand en vanbinnen nog rauw. Niemand wordt zo dronken dat hij met zijn hoofd in de aardappelpuree valt.'

'Dat deed mama ook nooit,' zei ik.

'En dat onthoud je dan wel weer.'

Ik keek geërgerd. We hadden het niet veel over mijn moeder gehad sinds die dag dat Cora me mijn straf had gegeven, maar er rustte geen taboe meer op. Het was nou ook weer niet zo dat we het van harte eens waren over ons verleden. Maar we stonden niet lijnrecht tegenover elkaar – zij in de aanval, ik in de verdediging.

'Ik wil alleen maar zeggen,' zei ze, 'dat ik gespannen ben omdat ik hierbij hoor.'

'Waarbij?'

'Bij een echte familie,' zei ze. 'Aan de andere kant is een uitgebreid diner en met een hoop mensen aan tafel zitten wel iets wat ik mijn hele leven al wil. Maar tegelijkertijd voel ik me... een buitenstaander, of zo.'

'Het is jouw huis,' zei ik.

'Dat is waar.' Ze slaakte nog een zucht. 'Het zullen mijn hormonen wel zijn. De medicijnen die ik slik zullen best goed zijn voor mijn eierstokken, maar ik word er gek van.'

Ingewijd worden in het hele voortplantingsdrama was tot daaraan toe, maar de details maakten me eerlijk gezegd onpasselijk. Ik werd een paar dagen daarvoor al draaierig toen ze het woord baarmoeder liet vallen.

De bel ging weer. Zijn nieuwsgierigheid naar het bezoek won het duidelijk van zijn angst voor de oven, want Roscoe wrong zich los en verdween om de hoek.

'Vuile overloper,' mopperde Cora.

'Ik ben er klaar mee,' zei ik, en ik liep ook de kast uit, mijn kleding afvegend. Ik draaide me naar haar om. 'Je kunt er niet onderuit. Ga naar beneden en zie je angsten onder ogen. Maak er iets van. Dat lukt best.'

Ze keek me met samengeknepen ogen aan. 'Sinds wanneer ben jij opeens zo positief?'

'Ga nou maar gewoon naar beneden.'

Ze stond met een zucht op en trok haar rok recht. Ik deed de kastdeur dicht, en heel even stonden we samen voor de spiegel naar onszelf te kijken. 'Kun je je onze Thanksgivings thuis nog herinneren?' vroeg ik.

'Niet echt, nee,' zei ze.

'Ik ook niet,' zei ik. 'Kom op, dan gaan we.'

***

Ik was niet zozeer positief. Ik was gewoon niet meer zo heel erg négatief.

Die ochtend, toen Cora compleet uit haar dak stond te gaan in de keuken – van top tot teen onder de bloem, geregeld in tranen uitbarstend en iedereen die te dicht bij haar in de buurt kwam met een pollepel van zich af slaand – zocht ik een excuus om er even uit te kunnen. Ik vond godzijdank een goede smoes.

'Hoi,' zei Nate, toen ik door de schuifdeur hun keuken in liep, met vier taarten op twee bakplaten in mijn handen. 'Voor mij? Wat lief, dat had je nou echt niet moeten doen.'

'Als je ook maar een heel klein stukje van de korst breekt,' waarschuwde ik hem, terwijl ik voorzichtig met de taarten naar de oven liep, 'trekt Cora je kop eraf. Met haar blote handen, waarschijnlijk.'

'Oei,' zei hij, en deinsde een beetje terug, 'ik heb er een beeld bij.'

'Wees dus gewaarschuwd.' Ik zette ze naast de oven. 'Mag ik hem vast voorverwarmen?'

'Tuurlijk, ga je gang.'

Ik stelde de oven in, en ging ertegenaan geleund staan kijken hoe Nate door een grote stapel papieren bladerde en af en toe iets noteerde. 'Grote dag voor jullie, toch?'

'Gigantisch.' Hij keek naar me op. 'De helft van onze klanten is de stad uit en heeft iemand nodig voor hun huisdieren, de andere helft heeft familie over de vloer en wil dat we dubbel zoveel doen als normaal. En dan is er nog een aantal dat kant-en-klaar eten heeft besteld dat bezorgd moet worden.'

'Een gekkenhuis dus,' zei ik.

'Valt wel mee hoor,' antwoordde hij terwijl hij nog iets op-schreef, 'mits je het maar plant als een militaire operatie.'

'Nate,' hoorde ik zijn vader vanuit de gang roepen. 'Hoe laat moeten we de spullen van Campbell ophalen?'

'Om elf uur,' zei Nate. 'Ik ga over tien minuten weg.'

'Maak er maar vijf van. Je weet maar nooit wat er ge-beurt. Heb je alle sleutels?'

'Ja.' Nate haalde een sleutelbos uit een lade bij de goot-steen en gooide hem op het aanrecht, waar hij rammelend neerviel.

'Check het voor de zekerheid nog maar een keer. Ik wil hier niet terug naartoe hoeven als jij ergens vast komt te staan.'

Nate knikte en maakte weer een notitie. Ergens in huis werd een deur dichtgegooid.

'Hij klinkt niet echt relaxed,' zei ik.

'Het is onze eerste grote feestdag sinds we begonnen zijn,' zei hij. 'Hij heeft vandaag een hoop nieuwe klanten. Het komt wel weer goed met hem als we eenmaal bezig zijn.'

Dat zou ongetwijfeld wel zo zijn, maar toch hoorde ik me-neer Cross in de verte in zichzelf lopen mopperen, en dat klonk zoals mijn moeder als ze met alles liep te smijten, voor ze met tegenzin naar haar werk ging. 'En tussen welke bedrijven door vieren jullie zelf Thanksgiving?'

'We doen er niks aan,' zei Nate. 'Tenzij je de Mc Drive meetelt, met de kalkoen en aardappels van een ander op de achterbank.'

'Ach,' zei ik, 'wat sneu voor jullie.'

'Ik heb niks met feestdagen,' zei hij schouderophalend.

'Echt niet?'

Hij trok zijn wenkbrauwen op. 'Waarom is dat zo gek?'

'Weet ik veel,' zei ik. 'Ik ging er denk ik gewoon van uit dat iemand die zo sociaal en vriendelijk is wel dol zou zijn op familiebijeenkomsten. Zoals Jamie.'

'Is dat zo?'

'Ja. Zo word ik momenteel verondersteld mijn bedanklijstje te maken.'

'Je wát?'

'Dat zei ik ook, ja.' Ik wees naar hem. 'Dat is kennelijk een lijstje waar de dingen opstaan waar je dankbaar voor bent, dat je tijdens het eten hardop voorleest. Dat deden wij thuis nooit.'

Hij bladerde weer door de stapel papier. 'Wij ook niet hoor. Toen we nog een gezin waren, bedoel ik.'

Ik hoorde meneer Cross iets zeggen in de hal. Hij klonk nu veel opgewekter dan daarvoor, dus waarschijnlijk had hij het tegen een klant. 'Wanneer zijn je ouders eigenlijk uit elkaar gegaan?'

Nate knikte, en begon door de sleutelbos te zoeken. 'Toen ik tien was. En die van jou?'

'Op mijn vijfde,' zei ik toen de oven begon te piepen. Ik dacht meteen aan Roscoe, in elkaar gedoken in mijn kast. 'Ik heb sinds die tijd al geen contact meer met mijn vader.'

'Mijn moeder woont in Phoenix,' zei hij, en hij haalde een sleutel van de bos. 'Daar ben ik na de scheiding met haar gaan wonen. Maar toen hertrouwde ze, kreeg mijn stiefzusjes, en werd het allemaal een beetje te veel.'

'Wat werd te veel?'

'Ik,' zei hij. 'Ik zat in de middenbouw, had een grote bek, en was vervelend. Zij wilde gewoon lekker met haar baby's tutten, en dus zette ze me het huis uit en stuurde ze me terug.' Ik moet heel verbaasd hebben gekeken, want hij zei:

'Wat nou? Je bent heus niet de enige die tegenslagen heeft gehad, hoor.'

'Ik heb gewoon nog nooit zo naar jou gekeken,' zei ik tegen hem. En dat was een joekel van een understatement. 'Nog nooit.'

'Ik loop er ook niet mee te koop,' zei hij losjes. Daarna lachte hij naar me. 'Zou je die taarten niet eens in de oven zetten?'

'O. Ja, natuurlijk.'

Ik draaide me om, trok de oven open en liet de taarten een voor een naast elkaar op het rooster glijden. Toen ik klaar was, vroeg hij: 'En wat staat er op jouw bedanklijstje?'

'Daar ben ik nog niet echt aan toegekomen,' zei ik, terwijl ik de deur van de oven dichtdeed. 'Hoewel het feit dat jij ook tegenslagen hebt gehad, best weleens in de top 5 terecht zou kunnen komen.'

'Je meent het,' zei hij.

'Echt wel. Ik dacht dat ik het enige kneusje was hier in de buurt.'

'Dat mocht je willen.' Hij leunde tegen het aanrecht, zijn armen over elkaar gekruist. 'En wat nog meer?'

'Nou,' begon ik langzaam, en ik pakte de sleutel die hij van de bos had gehaald, 'eerlijk gezegd heb ik best wel veel dingen. Er is een hoop gebeurd sinds ik hier woon.'

'Dat geloof ik graag,' zei hij.

'Ik ben,' zei ik langzaam, 'heel dankbaar voor het stromende water dat ik tegenwoordig heb.'

'Logisch, dat zouden we allemaal moeten zijn.'

'En ik ben heel blij met de mensen die ik heb leren kennen,' zei ik. 'Met Cora en Jamie natuurlijk, omdat ze me in huis hebben genomen. Harriet, die me een baantje heeft gegeven. Olivia, die me laatst geholpen heeft, en die eigenlijk gewoon een goed vriendinnetje is.'

Hij keek me met samengeknepen ogen aan. 'Ga door.'

'En,' ging ik verder, terwijl ik de sleutel in mijn hand hield, 'laat ik vooral Gervais niet vergeten.'

'Gervais,' herhaalde hij met vlakke stem.

'Hij boert bijna niet meer. Dat mag gerust een wonder heten. Daar moet ik superdankbaar voor zijn!'

'Jee,' zei Nate, en hij keek me van opzij aan. 'Je slaat de spijker op zijn kop.'

'Er is eventueel nóg iemand,' zei ik langzaam, en ik speelde met de sleutel in mijn hand. 'Maar ik weet zo snel niet hoe hij heet.'

Hij kwam dichterbij staan, zijn arm schuurde tegen de mijne, en hij bleef tegen me aan staan toen hij zijn hand uitstak, de sleutel terugpakte en hem op tafel legde. 'Ach,' zei hij, 'misschien kom je er nog wel op.'

'Vast wel,' zei ik.

'Nate?' riep meneer Cross. Hij klonk dichterbij, en Nate deed onmiddellijk een stap terug, zodat hij niet meer tegen me aan stond toen zijn vader zijn hoofd om de deur stak. Hij keek me aan, knikte bij wijze van groet, en zei toen: 'Vijf minuten, zei je toch?'

'Ik ga nú weg,' zei Nate.

'Kom op dan,' zei meneer Cross, en hij liep weer weg. Ik hoorde ergens een portier dichtgegooid worden en een motor starten.

'Ik moet echt gaan,' zei Nate, die de stapel papieren en de sleutelbos pakte. 'Eet smakelijk.'

'Jij ook,' zei ik. Hij gaf een kneepje in mijn schouder toen hij achter me langs liep, en ging harder lopen toen hij in de hal was. De deur viel met een klap achter hem in het slot, en toen was het stil.

Ik keek nog een keer naar de taarten, waste mijn handen en liep de keuken uit, nadat ik het licht had uitgedaan.

Toen ik naar de patio liep, zag ik dat er aan de andere kant van de hal nog een deur was. Hij stond ver genoeg open om te kunnen zien dat er een bed stond, waar een opgevouwen sweater op lag met GA ZWEMMEN! erop, dezelfde die Nate me laatst had geleend.

Ik weet niet wat ik dacht aan te treffen, zoveel jongenskamers had ik nou ook weer niet gezien. Een hoop rommel, waarschijnlijk. Halfblote dames in bikini aan de muur. Of een ingelijste foto van Heather, een spiegel met controlestrookjes van concertkaartjes in de lijst gestoken, sportprijzen, en stapels cd's en tijdschriften. Maar toen ik de deur openduwde, zag ik niets van dat alles. Hoewel de kamer vol met meubels stond, maakte hij een lege indruk.

Er stond een bed, opgemaakt, en een bureau waar een schaaltje met kleingeld op stond, en waar een paar coladoppen op lagen. Zijn rugzak hing over de stoel van zijn bureau, waar een laptop op stond die aangesloten was; het lampje van de batterij knipperde. Er stonden nergens fotolijstjes of losse spulletjes, zoals de collage op de ijskast van Marla, of de katten van Sabrina. Het zag er eerder uit als het laatste appartement waar we geweest waren, steriel bijna. Er waren zo goed als geen aanwijzingen over wie hier sliep of woonde.

Ik stond er een tijdje verbaasd naar te kijken, en zette de deur toen weer op hetzelfde kiertje voor ik terugliep. Onderweg naar huis kon ik zijn kamer niet uit mijn hoofd zetten, en ik probeerde erachter te komen waarom ik er zo'n raar gevoel bij had. Daar kwam ik pas achter toen ik thuis was: hij leek sprekend op mijn eigen kamer. Er werd niet in geleefd, hij was onaangeroerd. Alsof hij van iemand was die er zojuist was ingetrokken en nog niet wist hoe lang hij zou blijven.

* * *

'Mag ik even jullie aandacht alsjeblieft? Hallo?'

Eerst was het getik nauwelijks hoorbaar. Maar naarmate het stiller werd, en steeds meer mensen hun mond hielden, werd het duidelijker te horen, tot het het enige geluid was.

'Bedankt,' zei Jamie, en hij legde de vork neer waarmee hij tegen zijn wijnglas had getikt. 'Allereerst wil ik jullie allemaal bedanken voor je komst. We vinden het heel erg fijn dat jullie er vandaag bij zijn voor de eerste feestdag in ons nieuwe huis.'

'Bravo!' zei iemand achterin, en er werd geapplaudisseerd. De familie Hunter was nogal uitbundig, dat was me al opgevallen toen ze binnenkwamen en ik hun jassen had aangenomen. Zijn moeder, Elinor, had een zachte stem en een vriendelijk gezicht; zijn vader, Roger, had me een dikke knuffel gegeven en door mijn haar gekroeld alsof ik een kleuter was. Jamies zusjes waren alle drie net zo donker en openhartig als Jamie, of het nou over de vijver ging (waar ze trouwens helemaal weg van waren), of over de afgelopen verkiezingen (waarover ze het op een luidruchtige, maar leuke manier niet met elkaar eens waren). En dan waren er nog hun kinderen, de zwagers, verschillende ooms en tantes – ik moest zóveel namen en onderlinge relaties onthouden, dat ik er niet eens meer moeite voor deed en gewoon heel veel lachte, in de hoop het zo weer goed te maken. Ik zou niet weten wat ik anders moest doen.

'En nu jullie hier toch allemaal zijn,' ging Jamie verder, 'moeten we jullie nóg iets vertellen.'

Ik stond achter hem in de deuropening naar de hal, en kon iedereen goed zien. De reacties waren tweeledig: eerst zag ik hoopvolle blikken – opgetrokken wenkbrauwen, monden die openvielen, handen die tegen borsten werden geslagen – gevolgd door iedereen die als één man naar Cora keek. *Shit*, dacht ik.

Mijn zus kreeg meteen een rood hoofd, en nam nadruk-

kelijk een slok wijn voor ze lachte als een boer met kies-
pijn. Toen had Jamie zijn blunder inmiddels in de gaten.

'Het gaat over UME,' zei hij snel, en iedereen keek weer
naar hem. 'De nieuwe campagne. Die gaat morgen landelijk officieel van start, maar ik wilde hem eerst aan jullie
laten zien.'

Jamie haalde een vierkant stuk karton achter een stoel
vandaan, waar de advertentie levensgroot op stond. Ik zocht
Cora, maar ze was naar de keuken verdwenen; haar glas
had ze in de boekenkast laten staan.

'Ik hoop dat jullie het iets vinden,' zei Jamie, die de foto
voor zijn borst hield. 'Enne... dat jullie me niet aanklagen.'

Ik liep net door de hal, en miste dus de eerste reacties
van de Hunters, maar ik hoorde wel wat kreetjes en mensen die naar adem snakten, en toen ik de keuken binnenliep, werd er weer geapplaudisseerd. Cora stopte net brood-
jes in de oven, haar rug naar me toe. Ze draaide zich niet
om toen ze zei: 'Ik zei het toch?'

Ik keek achterom, omdat ik me afvroeg hoe ze in godsnaam kon weten dat ik het was. 'Hij vond het vreselijk,' zei
ik. 'Dat straalde ervanaf.'

'Weet ik.' Ze deed de oven dicht en gooide een pannenlap
op het kookeiland. In de woonkamer hoorde ik mensen enthousiast door elkaar praten. Cora keek in de richting van
het geluid. 'Zo te horen zijn ze er weg van.'

'Was hij daar echt bang voor dan?'

Ze haalde haar schouders op. 'Mensen denken de gekste
dingen als het over hun familie gaat, weet je.'

'Echt waar?' vroeg ik, terwijl ik op een barkruk bij het
kookeiland ging zitten. 'Ik weet daar geloof ik niet zo heel
veel van.'

'Ik ook niet,' antwoordde ze. 'Ik kom uit een perfecte
familie.'

Daar moesten we allebei om lachen, maar niet zo hard dat we de aandacht afleidden van de vrolijkheid in de woonkamer. Cora wendde zich weer tot de oven, en tuurde door het glazen deurtje. 'Oké,' zei ik. 'Nou we het er toch over hebben: wat betekent familie voor jou?'

Ze keek me met één opgetrokken wenkbrauw over haar schouder aan. 'Waarom wil je dat weten?'

'Voor school. Ik moet het aan iedereen vragen die ik ken.'

'O.' Het was even stil. 'Wat heeft iedereen tot nu toe gezegd?'

'Van alles,' zei ik. 'Er zit nog niet veel schot in, eerlijk gezegd.'

Ze liep naar het fornuis en tilde een deksel op om in een pan te kijken. 'Ik denk dat mijn definitie dezelfde is als die van jou. Dat kan bijna niet anders, toch?'

'Dat denk ik ook,' zei ik. 'Maar aan de andere kant heb jij er een familie bij gekregen.'

We keken allebei naar de woonkamer. Vanwaar ik zat, zag ik dat Jamie de foto op de salontafel had gezet en dat iedereen eromheen was gaan staan. 'Da's waar,' zei ze. 'Maar dat hoort er ook bij, weet je. Dat je niet gewoon één familie hebt.'

'Wat bedoel je daarmee?'

'Nou,' zei ze, en ze deed het deksel terug op de pan, 'ik heb mijn familie, dat zijn mama en jij. En mijn aangetrouwde familie; van Jamie. En ik hoop dat er nog een familie bij komt. Eentje die we zelf maken, Jamie en ik.'

Ik had meteen spijt dat ik er zo snel na Jamies blunder over was begonnen. 'Die komt er zeker,' zei ik.

Ze draaide zich om en kruiste haar armen over elkaar. 'Ik hoop het. Maar dat is nou juist het punt, weet je. Familie is geen statisch begrip. Er komen mensen bij door huwelijken, er gaan mensen weg na echtscheidingen. Er worden mensen geboren, er overlijden mensen; een familie is constant in beweging; is nooit hetzelfde. Zelfs die foto die Jamie heeft gebruikt gaf alleen maar een goed beeld van die ene dag waarop hij genomen is. Een dag later was er al weer iets veranderd. Dat kan bijna niet anders.'

In de woonkamer werd hard gelachen. 'Wat een goede omschrijving,' zei ik.

'Vind je?'

Ik knikte. 'De beste die ik tot nu toe heb.'

Later, toen de keuken vol mensen stond die meer wijn wilden, en er kinderen achter Roscoe aan renden, keek ik in de chaos naar Cora, en bedacht dat je inderdaad zou verwachten dat wij er hetzelfde over zouden denken, omdat we dezelfde achtergrond hadden. Maar toch was dat niet helemaal waar. We weten allemaal wat de kleur blauw is, maar als je hem moet omschrijven, kan dat op heel veel manieren: de kleur van de zee, lapis lazuli, de lucht, iemands ogen. Er zijn net zoveel omschrijvingen als er mensen zijn.

Ik keek de woonkamer in, waar Jamies moeder nu alleen op de bank zat, de foto voor haar neus. Toen ik bij haar ging zitten, maakte ze meteen plaats, en even zaten we zonder iets te zeggen naar de foto te kijken.

'Vindt u het geen gek idee,' zei ik ten slotte, 'dat binnenkort het hele land deze foto te zien krijgt?'

'Best wel.' Ze lachte. Ik vond dat Jamie van iedereen het meest op haar leek. 'Maar tegelijkertijd denk ik niet dat iemand me nog zal herkennen. Het is zo lang geleden.'

Ik keek naar de foto, en zag haar in haar witte jurk in het midden staan. 'Wie zijn die vrouwen?' Ik wees naar de bejaarde vrouwen die aan weerszijden van haar stonden.

'Ah,' zei ze, en ze boog zich voorover. 'Mijn oudtantes. Helemaal links staat tante Carol, daarnaast staat tante Jeanette, en tante Alice staat aan de andere kant.'

'Is de foto bij u thuis gemaakt?'

'Bij mijn ouders. In Cape Cod,' zei ze. 'Grappig om te zien dat al die kinderen die op de eerste rij zitten nu zelf kinderen hebben. En al mijn tantes zijn uiteraard inmiddels overleden. Maar toch herken je iedereen meteen, alsof het gisteren was.'

'U hebt een grote familie,' zei ik tegen haar.

'Klopt,' stemde ze met me in. 'En soms zou ik willen dat het niet zo was, al was het alleen maar omdat met hoe meer mensen je bent, hoe groter de kans is dat er mensen zijn die niet met elkaar kunnen opschieten. Er ligt altijd gevaar voor ruzie op de loer.'

'Daar heb je geen grote familie voor nodig, hoor,' zei ik.

'Ja,' zei ze, en ze keek me aan. 'Daar heb je helemaal gelijk in.'

'Weet u nog steeds wie al die mensen zijn?' vroeg ik.

'O ja, hoor,' zei ze. 'Ik ken ze allemaal.'

We zaten een tijdje zonder iets te zeggen naast elkaar naar al die gezichten te kijken. Toen zei Elinor: 'Zal ik het bewijzen?'

Ik keek haar aan. 'Laat maar horen,' zei ik.

Ze lachte, trok de foto een stukje naar zich toe, en ik vroeg me af of ik tegen haar ook over mijn project voor school zou kunnen beginnen. Maar toen ze met haar vinger een voor een iedereen aanwees, en zei welke naam erbij hoorde, vond ik dat ze eigenlijk al antwoord gaf. Al die namen, als kralen aan een ketting. Ze komen samen, gaan weer uit elkaar, maar blijven één familie.

***

Toen er toch iets misging met het eten, lag dat niet aan Cora maar aan mij.

'Hé,' zei Jamie toen we de tafel afruimden nadat hij tegen Cora had gezegd dat ze moest blijven zitten. 'Waar zijn de taarten gebleven?'

'Oeps,' zei ik. Omdat ik zo lang bij Cora in de kast had gezeten en er daarna voor achttien man kalkoen geserveerd moest worden, was ik glad vergeten dat er ook nog iets bij Nate stond.

'Oeps,' herhaalde Jamie. 'Als in: de hond heeft ze opgegeten?'

'Nee,' zei ik. 'Ze staan nog hiernaast.'

'O.' Hij keek de woonkamer in en beet op zijn lip. 'We hebben ook nog koekjes en cake. Dus...'

'En jij denkt dat ze dat niet in de gaten heeft?' maakte ik zijn vraag af. 'Ik ga ze wel even halen.'

Er was bij ons thuis zoveel herrie en bedrijvigheid, dat ik me verheugde op de rust bij Nate thuis. Toen ik er naar binnen liep, hoorde ik alleen het gezoem van de verwarmingsketel en mijn eigen voetstappen.

Gelukkig had ik de timer aangezet, dus de taarten waren niet aangebrand, al waren ze ook niet echt warm meer. Ik was bezig om ze op de bakplaten terug te zetten, toen ik aan de andere kant van de muur een doffe dreun hoorde.

Het was zó hard en onverwacht, dat ik me rotschrok en een van de taarten op het fornuis liet vallen, op een gaspit, die hard rinkelde. Toen hoorde ik iets vallen, gevolgd door gedempte stemmen. Er was iemand in de garage.

Ik zette de taarten neer en ging in de hal staan luisteren. Ik hoorde nog steeds iemand praten toen ik naar de deur van de garage liep en de klink voorzichtig omlaag deed. Het eerste wat ik zag was Nate.

Hij zat op zijn hurken naast een plank die zo te zien tot voor kort nog aan de muur had gehangen. Nu lag hij op de grond, volgens mij met alles wat erop had gestaan – een paar verfblikken, schoonmaakmiddelen voor de auto, en een glazen schaal, kapot – eromheen. Toen ik naar hem toe wilde lopen om te kijken of ik hem ergens mee kon helpen, realiseerde ik me dat hij niet alleen was.

'... nog zo gezegd dat je moest checken of je alle sleutels wel bij je had,' zei meneer Cross. Ik hoorde hem eerder dan dat ik hem zag, zijn telefoon aan zijn oor, een hand op het mondstuk. 'Eén ding. Ik vraag je om één ding te doen, en zelfs dat is al te veel. Heb je enig idee wat dit me kan gaan kosten? Campbell is ons halve inkomen. Jezus!'

'Sorry,' zei Nate met gebogen hoofd, terwijl hij de verfblikken wegzette. 'Ik ga er nu meteen naartoe.'

'Dat heeft geen zin meer,' zei meneer Cross, die zijn telefoon dichtklapte. 'Je hebt het verknald. Voor de zoveelste keer. En ik kan er maar beter zelf naartoe gaan als ik hen als klant wil houden, waardoor we nóg verder achter raken op schema.'

'Dat hoeft niet. Ik ga wel,' zei Nate. 'Ik zeg dat het mijn schuld is en...'

Meneer Cross schudde zijn hoofd. 'Nee,' zei hij met op elkaar geklemde kaken. 'Want, Nate, dan geven we toe dat we er niks van bakken. Het is al erg genoeg dat ik godverdomme niks aan jou kan overlaten – niks – maar dat laat ik je écht niet tegen onze klanten zeggen alsof je er trots op bent.'

'Dat ben ik helemaal niet,' zei Nate benepen.

'Wat ben je niet?' wilde meneer Cross weten, die op Nate afliep en tegen een fles ruitenschoonmaakmiddel schopte. Hij kwam met een klap tegen de grasmaaier, en hij vroeg nog iets harder: 'Wat ben je niet, Nate?'

Ik keek toe hoe Nate, die nog steeds als een gek de spullen opraapte, zich schrap zette. Ik had vreselijk met hem te doen en voelde me schuldig dat ik hier getuige van was. Het was al erg genoeg zonder dat ik het zag. Hij zei, zo zacht dat ik het bijna niet kon horen: 'Ik ben er niet trots op.'

Meneer Cross keek hem zonder iets te zeggen aan. Daarna zei hij hoofdschuddend: 'Weet je: ik walg van je. Ik kan niet langer naar die kop van je kijken.'

Hij draaide zich om en liep de garage door, in de richting waar ik stond, en ik liep snel de gang door en schoot de wc in. Ik stond in het donker tegen de wasbak geleund naar het gebonk van mijn hart te luisteren, dat als een gek tekeerging, terwijl meneer Cross door de keuken liep en lades opentrok en weer dichtsmeet. Na wat een eeuwigheid leek te duren, hoorde ik hem weggaan. Ik wachtte nog een paar minuten tot ik hem weg hoorde rijden, voor ik tevoorschijn kwam. Zelfs toen stond ik nog te trillen op mijn benen.

De keuken zag er nog precies hetzelfde uit, mijn taarten stonden nog op dezelfde plek waar ik ze had achtergelaten. Aan de andere kant van de patio en het hek zag het huis van Cora er ook nog precies hetzelfde uit, op de benedenverdieping brandde overal licht. Ik wist dat ze op mij en de taarten zaten te wachten, en heel even wilde ik dat ik gewoon terug zou kunnen lopen, en zou kunnen vergeten waar ik zojuist getuige van was geweest. Er was een tijd dat ik dat ook gedaan zou hebben. Maar nu liep ik naar de garage om te kijken waar Nate was.

Hij zat op de grond scherven op te rapen die hij in de vuilnisbak gooide. Ik stond hem even van een afstandje te bekijken. Toen liet ik de deur achter me dichtvallen.

Hij keek meteen op. 'Hoi,' zei hij, alsof er niets aan de hand was. 'Ik weet het goed te verbergen', had hij ooit gezegd. 'Moet je niet aan tafel zitten? Ben je ertussenuit geknepen voordat je je bedanklijstje moest voorlezen?'

'Nee,' zei ik. 'Ik was de taarten vergeten, dus die kwam ik even halen. Ik wist niet dat er iemand thuis was.'

Ik zag zijn uitdrukking veranderen en ik wist dat hij wist – of het nou door mijn laatste zin kwam, of door mijn blik – dat ik alles gehoord had. 'O,' zei hij op vlakke toon. 'Oké.'

Ik liep naar hem toe en ging op mijn hurken zitten om de scherven op te rapen. Er hing een vreemde sfeer in de lucht, alsof na een onweersbui alle ionen hun juiste plek weer moesten vinden. Ik kende dit gevoel maar al te goed. Ik had het al een tijdje niet meer meegemaakt, maar dat wilde niet zeggen dat ik niet precies wist hoe het voelde.

'Wat is er nou precies gebeurd?' vroeg ik zacht.

'Niks.' Hij keek me aan, heel even maar. 'Er is niks aan de hand.'

'Die indruk kreeg ik anders niet.'

'Mijn vader blies gewoon wat stoom af. Doet hij wel vaker. En de plank kreeg de volle laag.'

Ik slikte en haalde diep adem. Buiten liep een stel van middelbare leeftijd in windjacks voorbij, hun armen zwaaiden tegelijkertijd. 'Doet... doet hij dat wel vaker?'

'Planken van de muur trekken?' vroeg hij, terwijl hij zijn handen afklopte boven de vuilnisbak.

'Nee, zo tegen je tekeergaan.'

'Neuh,' zei hij.

Ik keek hoe hij rechtop ging staan en het haar uit zijn gezicht blies. 'Weet je,' begon ik. 'Mijn moeder sloeg ons geregeld. Toen we nog klein waren. Meestal Cora, maar ik was ook best vaak aan de beurt.'

'Echt?' vroeg hij, zonder me aan te kijken.

'Het kwam altijd onverwacht; daar had ik zo'n hekel aan.'

'Mijn vader heeft gewoon een kort lontje. Heeft hij altijd al gehad. Hij ontploft en gaat dan met dingen gooien. Het stelt eigenlijk niets voor.'

'Slaat hij je weleens?'

Hij haalde zijn schouders op. 'Soms, als hij echt héél boos is. Maar dat gebeurt niet zo vaak.'

Ik keek hoe hij bukte om de plank te pakken, die hij vervolgens weer ophing. 'Maar volgens mij pakt hij je wel heel hard aan. Hij zei dat hij van je walgde...'

'Man,' zei hij, en zette de verfblikken terug. 'Dat is nog niks. Je had hem tekeer moeten horen gaan bij mijn zwemwedstrijden. Hij is de enige ouder die ooit een zwembadverbod heeft gekregen. Voor de rest van zijn leven. Niet dat dat hem weerhield. Hij ging gewoon achter het hek staan schreeuwen.'

Ik dacht terug aan die ene keer op de parkeerplaats op school, toen die jongen hem had geroepen. 'Ben je er daarom mee gestopt?'

'Onder andere.' Hij raapte de fles ruitenschoonmaakmiddel op. 'Weet je, zoals ik al zei: het is niet zo erg. Er is niks aan de hand.'

Ja ja. Dat dacht ik zelf ook altijd. 'Weet je moeder hiervan?'

'Ze weet dat hij voorstander is van de harde aanpak,' zei hij, maar op zo'n manier dat ik wist dat hij dat al heel vaak had gehoord. 'Ze is nogal selectief als het op het verwerken van bepaalde informatie aankomt. En bovendien vond ze dat ik een harde aanpak nodig had, toen ze me terugstuurde.'

'Dat is toch voor niemand goed?' zei ik.

'Kan wel zijn, maar ik krijg hem tóch.'

Hij liep naar de deur en trok hem open. Ik volgde hem naar de keuken en keek hoe hij de sleutel van tafel pakte die ik eerder in mijn hand had gehad. Ik wist nog precies hoe ik ermee had gespeeld, en dat hij hem van me afpakte – en hem teruglegde maar niet aan de sleutelbos deed – en plotseling voelde ik me schuldig, alsof het me nog meer aanging dan ik al dacht.

'Je zou het er met iemand over moeten hebben,' zei ik,

terwijl hij de sleutel in zijn zak liet glijden. 'Ook al slaat hij je niet vaak, het blijft verkeerd.'

'En dan? In een tehuis geplaatst worden? Of teruggestuurd worden naar mijn moeder, die me niet wil hebben? Ik dacht het niet.'

'Je hebt het dus wel overwogen,' zei ik.

'Heather. Meer dan eens,' zei hij, en hij wreef over zijn gezicht. 'Ze kon er helemaal niet tegen. Maar ze snapte het gewoon niet. Mijn moeder zette me op straat en hij heeft me toen in elk geval teruggenomen. Wat is het alternatief?'

Ik dacht terug aan Heather, in de winkel waar we de vissen hadden gekocht. 'Ik... ik ben blij dat jullie vrienden zijn,' had ze toen gezegd. 'Ze was gewoon bezorgd,' zei ik.

'Er is niks aan de hand.' Het viel me op dat hij dat steeds zei. 'Ik doe over een halfjaar eindexamen. Daarna word ik begeleider van een zwemkamp ergens in het noorden van het land. En na de vakantie ga ik studeren, als ik ergens word aangenomen tenminste, en ben ik weg.'

'Weg,' herhaalde ik.

'Precies.' Hij keek me aan, en ik dacht aan hoe hij eerder die dag de sleutel uit mijn hand had gepakt. Ik had me toen zo anders gevoeld dan ik me in het gele huis of zelfs in het begin bij Cora ooit had kunnen voorstellen. 'Jij bent toch ook bij je moeder gebleven, ook al was het geen pretje? Jij weet toch hoe het is?'

Dat wist ik inderdaad. Maar dat niet alleen. Ik wilde ooit heel graag vrij zijn, absoluut. Maar als ik dat nog steeds wilde, zou ik hier allang weg zijn geweest. Ik zou hem zo snel mogelijk zijn gesmeerd, weg van hier.

Maar ik was hem niet gesmeerd. Omdat ik niet meer hetzelfde meisje was dat die eerste avond over het hek had willen klimmen. Het meisje dat maar één ding wilde: weg. Er was in de tussentijd veel veranderd.

Dat had ik tegen hem kunnen zeggen, naast een heleboel andere dingen. Ik had bijvoorbeeld kunnen zeggen hoe blij ik was dat de Honeycutts aan de bel hadden getrokken, omdat ik daarom bij Cora en Jamie was terechtgekomen, en hoe blij ik daarmee was. En dat ik met nog veel meer dingen blij was. Dat ik hem had leren kennen, bijvoorbeeld. En dat je je kon vergissen als je dacht dat er geen uitweg meer was. Maar na alles wat hij zojuist had verteld, zou dat een beetje vreemd overgekomen zijn. Een halfjaar viel best mee. En ik was genoeg in de steek gelaten.

'Jij weet toch hoe het is?' had hij gezegd. Daar was maar één antwoord op mogelijk.

'Ja,' zei ik. 'Nou en of.'

12

'Daar ben je! Eindelijk!'

Het was de dag na Thanksgiving, de belangrijkste dag om te winkelen van het hele jaar, en het winkelcentrum ging om zes uur 's ochtends open voor speciale uitverkoopaanbiedingen. Van Harriet moest ik er echter al om vijf uur zijn om alles klaar te zetten. Ik vond dit nogal overdreven, maar het was me gelukt om in het donker op te staan en naar de douche te strompelen, een grote beker koffie in te schenken die ik opdronk terwijl ik naar mijn werk liep, een zaklamp in mijn hand. Toen ik bij het winkelcentrum aankwam, stonden er al mensen in dikke jassen voor de hoofdingang te wachten.

Binnen gonsde het al van de bedrijvigheid – personeel stond opgewonden kletsend nieuwe voorraad uit te pakken – en maakte iedereen zich op voor een drukke dag en zette zich schrap voor de grote stroom mensen. Toen ik bij het stalletje van Harriet arriveerde, was het duidelijk dat ze er al een tijdje was: er stonden al twee koffiebekers op de kassa en ze had een derde in haar hand. Onnodig te zeggen dat ze behoorlijk opgefokt was.

'Vlug, vlug,' riep ze naar me, hevig met haar armen zwaaiend, alsof ze me sneller kon laten lopen door alleen wilskracht te gebruiken. 'We hebben bijna geen tijd meer!'

Lichtelijk verontrust keek ik naar Reggie, die met een kop thee, waar het zakje nog in zat, in zijn hand bij zijn stalletje zat. Hij nam slaperig een slok en zwaaide naar me toen ik langsliep.

'Moest jij hier ook zo vroeg zijn?' vroeg ik. Ik kon me niet voorstellen dat iemand haaienkraakbeen wilde hebben voor de Kerstmis.

Hij haalde zijn schouders op. 'Ik vind het niet zo erg. Ik vind die drukte eigenlijk best leuk.'

Toen lachte hij en keek naar Harriet, die als een maniak vlug nog wat wierook aanstak. *Ja, ja,* dacht ik. *De drukte, dat zal wel.*

'Oké,' zei Harriet, en ze trok me naast haar, zodat we samen voor het stalletje stonden. Ze nam weer een slok van haar koffie. 'Laten we alles nog een keer nalopen. De goedkope spullen liggen onder, de duurdere hoger. Bij de kassa liggen ringen voor impulsaankopen, er is wierook voor de sfeer, en de kassa ligt vol met briefjes van een dollar. Weet je nog wat het rampenplan is?'

'Het geldkistje en de dure stenen meenemen, kijken of iedereen er is en naar de uitgang van het smulplein lopen,' dreunde ik op.

'Mooi,' zei ze met een knikje. 'We zullen het wel niet nodig hebben, maar op een dag als vandaag weet je maar nooit.'

Ik keek naar Reggie, die alleen maar knikte en een geeuw onderdrukte.

'Weet je,' ging Harriet verder, terwijl ze naar het stalletje keek, 'bij nader inzien kunnen we misschien toch beter de oorbellen en de armbanden wisselen. Zo ziet het er niet uit. Ik denk zelfs...'

'Harriet, kom op nou. Het ziet er prima uit. We zijn er helemaal klaar voor,' zei ik tegen haar.

Ze zuchtte. 'Ik weet het niet, hoor,' zei ze. 'Ik heb het gevoel dat er iets ontbreekt.'

'Het ware kerstgevoel wellicht?' riep Reggie haar vanuit zijn stalletje toe. 'Waarin het draait om vrede op aarde, en niet om zo veel mogelijk geld verdienen?'

'Nee hoor,' zei Harriet. Toen knipte ze hard met haar vingers vlak bij mijn oor. 'Wacht!' zei ze. 'Bijna vergeten!'

Ze bukte om iets onder de kassa te pakken en kwam met de plastic bak tevoorschijn waarin ze haar voorraad bewaarde. Ze zocht tussen de plastic zakjes en pakte er uiteindelijk een uit dat ze openmaakte. Ik keek op mijn horloge. Negen minuten voor zes. Toen ik weer naar Harriet keek, hing ze net een ketting om haar nek, met haar rug naar me toe.

'Moet je kijken,' zei ze. 'Ik heb deze een paar weken geleden gemaakt, min of meer voor de lol, maar ik overweeg nu toch om ze te gaan verkopen. Wat denk jij?'

Toen ze zich omdraaide, was de sleutel het eerste wat ik zag. Hij was zilverkleurig en verfijnd, er zaten rode steentjes op en hij hing aan een zilveren ketting om haar nek. Ik was me meteen bewust van mijn eigen ketting, die veel groter was en niet half zo mooi. Maar toch snapte ik meteen waarom ik zoveel complimenten had gekregen. Alleen een sleutel had iets heel moois. Het was als een onbeantwoorde vraag, als iets waarvan de andere helft ontbrak. Op zichzelf staand was hij onbruikbaar, hij had iets nodig om volledig tot zijn recht te komen.

Harriet keek me vragend aan. 'Wat vind je ervan?'

'Ik vind...'

'Je vindt het helemaal niks, hè?' zei ze, voor ik mijn zin kon afmaken. 'Je vindt het ordinair en weinig origineel.'

'Helemaal niet,' zei ik vlug. 'Ik vind hem prachtig. Echt waar.'

'Serieus?' Ze keek in de spiegel en liet haar vingers over de sleutel glijden. 'Best wel eigenlijk, hè? Hij is in elk geval bijzonder. Denk je dat het zal verkopen?'

'Heb je er nog meer dan?'

Ze knikte en zocht weer in de bak. Ze legde meerdere

zakjes op de toonbank; ik telde er zeker twintig. Ze waren allemaal anders: sommige waren groter, andere kleiner, de ene zonder iets erop, weer andere bedekt met steentjes. 'Ik had opeens inspiratie,' zei ze, toen ik ze een voor een bekeek. 'Ik leek wel bezeten.'

'Je moet ze zeker verkopen,' zei ik. 'Meteen.'

We hadden ze in recordtempo geprijsd en in een display gehangen. Net toen ik de laatste ketting ophing, was het zes uur en gingen de deuren open. Eerst was het geluid alleen in de verte hoorbaar, maar het kwam als een golf op ons af en werd harder en harder. Al snel kwamen de eerste mensen in zicht, die de lange, brede passage vulden. 'Zet je schrap,' zei Harriet. 'Daar gaan we dan.'

Twintig minuten later verkochten we de eerste sleutelketting, de tweede een halfuur daarna. Als ik het niet met mijn eigen ogen had gezien, zou ik het niet hebben geloofd, maar iedereen die bij ons stalletje stilstond, keek ernaar. Niet iedereen kocht er een, maar ze trokken duidelijk wel de aandacht. Keer op keer.

De dag ging voorbij in een roes van mensen, lawaai en kerstmuziek, die ik slechts in vlagen hoorde als het heel even iets minder lawaaierig was. Harriet blééf maar koffiedrinken en de kettingen bleven de deur uit vliegen. Mijn voeten deden zeer en ik had geen stem meer over door het vele praten. De zinktabletten die Reggie om een uur of één 's middags kwam brengen, hielpen wel, maar niet veel.

Toch was ik dankbaar voor die dag en de bijbehorende chaos, al was het alleen maar omdat ik dan niet kon denken aan wat er de dag ervoor bij Nate was gebeurd. Nadat ik met de taarten terug naar huis was gelopen, zag hoe ze verslonden werden, Cora na afloop had geholpen met het inruimen van de vaatwasser, en uitgeput op bed was gevallen, bleef ik maar malen. Het was ook zó verontrustend; niet alleen wat

ik had gezien en gehoord, maar vooral hoe ik daarop had gereageerd.

Ik had nooit gedacht dat ik het behulpzame type of een
reddende engel was. Ik had me aanvankelijk zelfs geërgerd
aan Nate, die dat duidelijk wél was. En toch was ik verbaasd, teleurgesteld zelfs, dat ik op dat cruciale moment
– 'Jij weet toch hoe het is?' – niets deed en er verder niet op
inging, terwijl ik dat, als vriendin, juist wel had moeten
doen. Ik werd er niet alleen door van mijn stuk gebracht, ik
schaamde me zelfs.

Om drie uur was het nog steeds hartstikke druk, en ondanks de zinktabletten, was ik mijn stem bijna helemaal
kwijt. 'Ga maar,' zei Harriet, die een slok van haar zoveelste
koffie nam. 'Je hebt genoeg gedaan voor één dag.'

'Weet je het zeker?' vroeg ik.

'Ja,' antwoordde ze, en ze lachte ondertussen naar een
vrouw in een lange rode jas, die een van de laatste sleutelkettingen kocht. Ze overhandigde haar het tasje en keek hoe
de vrouw tussen de winkelende mensen verdween. 'Dat is
de vijftiende die we vandaag hebben verkocht,' zei ze hoofdschuddend. 'Ongelooflijk. Ik moet de hele nacht doorwer-
ken om nieuwe te maken. Niet dat je mij hoort klagen, hoor.'

'Ik zei het toch,' zei ik. 'Ze zijn prachtig.'

'Ik heb het aan jou te danken. Die van jou diende als inspiratie.' Ze pakte er een die versierd was met groene steentjes. 'Ik vind eigenlijk dat je er een moet uitkiezen. Dat is
wel het minste wat ik kan doen.'

'Welnee joh, dat hoeft helemaal niet.'

'Ik wil het graag.' Ze gebaarde naar de display. 'Ik kan er
natuurlijk ook een voor je maken, als je dat wilt.'

Ik keek naar de kettingen, en daarna naar die van mij.
'Een andere keer misschien,' zei ik.

Buiten was het fris en toen ik naar huis liep, pakte ik mijn eigen ketting beet. Ik overwoog al een tijdje om hem af te doen. Het leek opeens een beetje raar om met een sleutel rond te lopen van een huis dat helemaal niet meer van mij was. En ik kon er toch niet meer terug naartoe, al zou ik het willen. Ik had al een paar keer op het laatste moment de ketting toch niet afgedaan.

Toen ik Nate voor het eerst zag, had hij gevraagd waar de sleutel van was en ik had geantwoord dat het zomaar een sleutel was. De waarheid was dat het niet alleen de sleutel van het gele huis was. Het was de sleutel die toegang gaf tot mezelf en het leven dat ik had geleid. Ik dacht daar steeds minder vaak aan terug, en daarom vond ik dat ik de sleutel niet langer nodig had. Maar nu, na wat er die avond ervoor was voorgevallen, was het misschien zo gek nog niet om er af en toe wél aan terug te denken. Daarom hield ik hem voorlopig toch nog maar om.

₊

Na alles wat er met Thanksgiving was gebeurd, dacht ik dat het misschien een beetje vreemd zou zijn om weer met Nate mee te rijden naar school. En dat bleek ook zo te zijn. Alleen om een andere reden dan ik had gedacht.

'Hoi,' zei Nate toen ik naast hem ging zitten. 'Alles goed?'

Hij lachte en zag er hetzelfde uit als altijd. Alsof er niets was gebeurd. Maar toen bedacht ik dat dat voor hem waarschijnlijk ook echt zo was. 'Goed,' zei ik, en ik deed mijn gordel om. 'Met jou?'

'Slecht,' antwoordde hij. 'Ik heb vandaag twee proefwerken en een presentatie. Ik ging vannacht pas om twee uur slapen.'

'Goh,' zei ik, terwijl ik dat allang wist. Ik was zelf namelijk ook pas tegen die tijd gaan slapen, en ik zag het licht in

zijn kamer branden – door twee kleine ramen, aan de rechterkant van het huis – dat het donkere stuk tussen onze huizen oplichtte. 'Ik heb een statistiekproefwerk dat ik moet
halen. Wat dus geheid niet gaat lukken.'

Ik verwachtte commentaar van Gervais, die achterin zat,
omdat hij zijn kans nu wel schoon zou zien. Toen ik me
echter omdraaide, zat hij daar maar te zitten, stil en onop-
vallend, zoals hij de laatste weken altijd achterin zat. Op
school zag ik hem des te meer, alsof hij zijn zwijgzaamheid
wilde compenseren. Ik zag hem minstens één keer per
week in de lunchpauze naar me zitten kijken, zoals hij dat
die ene keer ook gedaan had, en iedere keer dat ik hem in
de gang zag lopen, keek hij me aan op een manier die ik
niet kon plaatsen.

'Wat is er?' vroeg hij, en ik besefte dat ik hem nog steeds
vreemd zat aan te kijken.

'Niks,' antwoordde ik, en ik ging weer recht zitten.

Nate zette de radio harder en hij draaide de auto de weg
op. Het voelde niet anders, en ik dacht dat ik me misschien
had aangesteld. Het kwam erop neer dat ik nu iets wist wat
ik een week daarvoor nog niet had geweten, en dat we
vrienden waren – in elk geval nog minstens een halfjaar of
zo. Ik hoefde me niet zo druk te maken om wat er tussen
hem en zijn vader speelde; ik had er zelf ook totaal geen behoefte aan gehad dat iemand zich bemoeide met de toe-
standen bij ons thuis. Misschien hadden we een goede mid-
denweg gevonden – we waren close, maar niet té.

Toen we bijna bij school waren, stopte Nate bij de Quik
Zip om te tanken. Toen hij daarmee bezig was, zat ik achterovergeleund en sloeg mijn statistiekboek open. Toen ik een
halve pagina gedaan had, hoorde ik iets achter me.

Ik was inmiddels wel gewend aan de diverse geluiden die
Gervais voortbracht, maar dit klonk anders. Het leek wel of

hij onverwacht diep inademde. De eerste keer deed ik net of ik het niet hoorde, de tweede keer reageerde ik nauwelijks. De derde keer echter begon ik het vermoeden te krijgen dat hij een aanval van het een of het ander had, dus draaide ik me om.

'Wat zit je te doen?' vroeg ik.

'Niks,' ging hij meteen in de verdediging. Maar toch deed hij het nog een keer. 'Het zit zo...'

Hij werd onderbroken door Nate, die het portier opende en achter het stuur ging zitten. 'Waarom,' zei hij, 'heb ik altijd als ik haast heb, de langzaamste pomp te pakken?'

Ik keek naar Gervais, die vlug met gebogen hoofd in zijn boek was gaan zitten lezen. 'Je hebt toch ook altijd alle stoplichten tegen als je haast hebt?'

'En je bent je sleutels kwijt,' zei hij, en hij startte de motor.

'Ik denk dat het hele universum tegen je is.'

'Ik heb inderdaad wel veel pech de laatste tijd,' stemde hij met me in.

'Is dat zo?'

Hij keek me aan. 'Nou, misschien is er ook wel iets leuks gebeurd.'

Bij het horen van die woorden dacht ik terug aan toen we bij hem in de keuken stonden en zijn hand de mijne streelde toen hij de sleutel pakte. Nate draaide de weg weer op, en ik voelde me opeens erg opgelaten, precies zoals ik verwacht had. Over pech gesproken. Misschien was het allemaal een stuk minder eenvoudig dan ik had gedacht.

* * *

In december deed ik weinig anders dan werken. Ik werkte bij Harriet, ik werkte aan mijn toelating, en aan statistiek. En als ik dat allemaal niet deed, hielp ik Nate.

Ik wist dat ik afstand van hem moest houden en dat ik dat alleen maar kon doen door een gematigde houding aan te nemen. Maar het viel niet mee om dat te doen; daar kenden we elkaar inmiddels te goed voor. Je deed je best om jezelf van de rest van de wereld af te schermen, zonder al te veel problemen te veroorzaken, en voor je het wist, stond je bitterkoekjes uit te zoeken.

'Belgische bitterkoekjes,' verbeterde Nate me, en hij pakte twee pakken uit het schap. 'Dat is heel belangrijk.'

'Waarom?'

'Omdat je overal bitterkoekjes kunt kopen,' antwoordde hij. 'Maar Belgische hebben ze alleen bij Spice and Thyme, en dus zijn ze voor fijnproevers, en duur. Ideaal om zakenrelaties cadeau te doen.'

Ik keek naar de doos in mijn hand. 'Twaalf dollar is best een hoop geld voor tien bitterkoekjes,' zei ik. Nate keek me met opgetrokken wenkbrauwen aan. 'Ik bedoel natuurlijk Bélgische bitterkoekjes.'

'Scotch Design Inc. denkt daar heel anders over,' zei hij, en hij gooide nog wat pakken in het winkelwagentje. 'Dit zijn de relatiegeschenken voor hun minst goede klanten. Wacht maar tot je de kaas- en notenmanden ziet. Die zijn pas écht imponerend.'

Ik keek op mijn horloge. 'Ik weet niet of ik daar nog tijd voor heb. Ik heb maar een halfuur pauze. Ik hoef maar een minuut te laat te komen of Harriet krijgt al hartkloppingen.'

'Misschien is het slim om een pak Belgische bitterkoekjes voor haar mee te nemen,' zei hij terwijl hij een laatste pak pakte. 'Voor twaalf dollar geneest ze misschien wel.'

'Was het maar zo eenvoudig. Of goedkoop.'

Nate duwde het winkelwagentje via de chocolade naar de jelly beans. Spice and Thyme was zo'n grote delicatessenwinkel die ontworpen was om er toch klein en knus uit te zien; de gangpaden waren smal, het licht gedimd, en overal waar je keek stond wel iets. Ik werd er persoonlijk een beetje claustrofobisch van, zeker rond Kerstmis, als het twee keer zo druk was als normaal. Nate had er schijnbaar helemaal geen last van, hij manoeuvreerde zijn winkelwagentje behendig langs een aantal bejaarden die bij de jelly beans stonden voor hij de hoek om ging naar de pakken zandkoekjes.

'Ik weet het niet, hoor,' zei hij, en hij keek naar het lijstje dat hij in zijn handen had, om daarna blikken met de afbeelding van een gespierde Schot met een doedelzak in het winkelwagentje te laden. 'Maar ik denk dat de oplossing voor haar probleem veel dichter bij huis ligt dan ze denkt.'

'Een grondige schoonmaakbeurt van haar huis door UW ZORGEN?' vroeg ik.

'Nee,' zei hij. 'Reggie.'

'Aha,' zei ik, terwijl de bejaarden ons passeerden, en zich langs onze kar wurmden. 'Het is jou dus ook opgevallen.'

'Kom op zeg,' Hij sloeg zijn ogen ten hemel. 'Hoe duidelijk kan iets zijn? Waarom denkt ze dán dat ze al die ginkgo krijgt?'

'Dat dacht ik ook al,' zei ik tegen hem. 'Maar toen ik dat tegen haar zei, was ze totaal in shock. Totaal.'

'Echt waar?' zei hij, en hij liep verder met het winkelwagentje. 'Dan is ze verder heen dan we dachten. Ik wist eerlijk gezegd niet dat dat kon.'

We moesten opeens vol in de remmen omdat we bijna tegen twee vrouwen op botsten die een winkelwagen vol met wijn voortduwden. Na wat vuile blikken en een hoop gerinkel namen ze voorrang en liepen verder. Ik zei: 'Ze beweert dat ze geen tijd heeft voor een relatie.'

'We hebben het allemaal druk,' zei Nate.

'Dat weet ik ook wel. Ik denk dat ze er gewoon bang voor is.'

Hij keek naar me. 'Bang? Voor Reggie? Denkt ze dat hij haar voorgoed verbiedt om cafeïne te drinken of zo?'

'Nee,' zei ik.

'Waar is ze dan bang voor?'

Ik zweeg even, omdat ik opeens besefte dat het gesprek wel heel erg dichtbij kwam. 'Ze is bang om gekwetst te worden. Om zich helemaal open te stellen, zich ergens helemaal aan over te geven.'

'Oké,' zei hij, en legde een paar pakken kaasstengels in de kar, 'maar risico's nemen hoort bij een relatie. Soms pakt het goed uit, en soms niet.'

Ik haalde een pak kaasstengels uit de kar en bestudeerde het. 'Klopt,' zei ik, 'maar het bestaat uit meer dan toeval alleen.'

'Wat bedoel je daarmee?' vroeg hij, en hij pakte me de kaasstengels af en legde ze terug.

'Gewoon. Als je van tevoren zou weten dat er iets zou zijn waar je ontzettend op afknapt – dat de ander een controlfreak is en erg zelfstandig bijvoorbeeld, zoals Harriet – kun je je daar maar beter bij neerleggen en je tijd anders besteden. En die ander ook.'

Ik keek naar Nate, omdat ik zag dat hij naar mij keek. 'Dus als iemand zelfstandig is, kun je er maar beter geen relatie mee krijgen?' zei hij. 'Sinds wanneer is dat?'

'Het was maar een voorbeeld,' zei ik. 'Ik had net zo goed iets anders kunnen zeggen.'

Hij keek me vreemd aan, wat nogal irritant was, aangezien hij er zelf over was begonnen. En wat had hij dan gedacht? Dat ik zou toegeven dat het nooit iets zou kunnen worden tussen ons, omdat het veel te moeilijk was om iets te geven om een ander, laat staan om je zorgen te maken?

Het was hoog tijd om het weer over iets hypothetisch te hebben, en vlug ook. 'Ik wil alleen maar zeggen dat Harriet me nog niet eens de geldkist toevertrouwt. En dat het dus nog veel moeilijker voor haar is om haar hele leven aan een ander te geven.'

'Ik denk niet dat Reggie op haar hele leven uit is,' zei Nate, terwijl we verder liepen. 'Hij wil gewoon een keer met haar uit.'

'Toch,' zei ik, 'kan van het een het ander komen. En misschien durft ze dat risico niet te lopen.'

Ik voelde hem weer naar me kijken, maar ik ging opzichtig lopen kijken hoe laat het was. Ik moest zo weg. 'Dat zou inderdaad zo kunnen zijn, ja,' zei hij.

Tien minuten later – en één minuut te laat – was ik terug op mijn werk, en Harriet stond me, als verwacht, op te wachten. 'Man, wat ben ik blij dat je er bent,' zei ze. 'Ik begon al de zenuwen te krijgen. Volgens mij wordt het zo meteen hartstikke druk. Ik voel het gewoon.'

Ik keek om me heen. Het was best druk, maar niet afgeladen. Op het smulplein ook niet. 'Ik ben er weer.' Ik stopte mijn tas in het kastje onder de kassa. Terwijl ik daarmee bezig was, bedacht ik dat ik een cadeautje voor haar had. Ik haalde het uit mijn tas. 'Hier,' zei ik, en ik gooide het naar haar toe. 'Ik heb iets voor je.'

'Voor mij?' Ze ving het op, en liet het pak door haar handen gaan. 'Bitterkoekjes! Daar ben ik gek op.'

'Het zijn Belgische,' zei ik.

'Super,' zei ze. 'Die zijn nog véél lekkerder.'

***

'Kom op, Laney. Dat kan sneller!'

Ik keek eerst naar Olivia en daarna in de richting waarin

ze liep te roepen, ergens aan de andere kant van het parkeerterrein van het winkelcentrum. Ik zag alleen een paar auto's en een stuk papier dat door de wind werd meegenomen. 'Wat ben jij nou aan het doen?'

'Hou op, schei uit,' zei ze tegen me. Dat had ze ook al gezegd toen ik haar tien minuten daarvoor was tegengekomen toen ze op de stoep zat voor de Vista 10-kassa, op deze merkwaardig warme zaterdag, met een boek opengeslagen op schoot. 'Ik zeg maar één ding: ik doe dit niet vrijwillig.'

'Niet vrijwil...' begon ik, maar mijn zin en mijn concentratie werden afgebroken door een stampend geluid. Toen ik me omdraaide, zag ik Laney, gekleed in een paars trainingspak, de hoek van Meyers Warenhuis om komen. Ze jogde langzaam naar ons toe.

'Dat werd tijd,' zei Olivia binnensmonds, die een digitale kookwekker van onder haar boek tevoorschijn haalde en ging staan. 'Dat zal toch echt sneller moeten als je wilt dat ik nog een rondje blijf zitten!' riep ze, terwijl ze van haar handen een toeter maakte, die ze aan haar mond zette. 'Begrepen?'

Laney deed net of ze het niet hoorde, en bleef recht voor zich uit kijkend doorlopen, *stamp, stamp, stamp, stamp, stamp.* Toen ze dichterbij kwam, zag ik dat ze heel serieus keek en een rood hoofd had, maar ze knikte wel naar me in het voorbijgaan.

Olivia keek op de kookwekker. 'Acht minuten,' riep ze, toen Laney doorliep naar de andere kant van het winkelcentrum. 'Oftewel: je doet een kwartier over anderhalve kilometer. Dat noemen ze ook wel "langzaam".'

'Is ze nog steeds aan het trainen voor de vijf kilometer?' vroeg ik. Er reed een bewaker voorbij, die naar ons keek.

'O, het is inmiddels veel meer dan trainen hoor,' antwoordde Olivia, die weer op de stoep was gaan zitten en de kookwekker naast zich had neergezet. 'Ze is er helemaal op gefocust; ze ís de vijf kilometer. En ja: dat zijn haar eigen woorden.'

'Je bent een echte steun,' zei ik.

'Nee, ik ben realistisch,' antwoordde ze. 'Ze traint nu al twee maanden, en ze gaat geen spat vooruit. Helemaal niks. Als ze hiermee door wil blijven gaan, zet ze zichzelf alleen maar voor schut.'

'Toch zul je moeten toegeven,' zei ik, terwijl ik weer naar Laney keek, 'dat het wel bewonderenswaardig is.'

Olivia schraapte haar keel. 'Wat is bewonderenswaardig? Dat ze niet toegeeft dat ze er niets van bakt?'

'Haar totale overgave,' zei ik. 'Je weet wel, als je beseft dat je ergens eigenlijk helemaal niet goed in bent, maar besluit om toch door te zetten. Daar heb je moed voor nodig, vind je ook niet?'

Ze dacht hier even over na toen de bewaker ons de andere kant op voorbij reed. 'Als ze zoveel moed heeft, waarom stopt ze dan meestal bij het tweekilometerpunt en belt ze of ik haar kan komen halen?'

'Doet ze dat echt?'

'Zo'n beetje om de andere keer. O, wacht even. Dan ben ik dus best wel een goede steun.'

Ik deed net of ik het niet hoorde, leunde achterover en zette mijn handen achter mijn rug op de stoep. Ik was zelf niet bepaald een expert als het op steun verlenen aankwam. Moest je ook iemand trouw blijven als deze iets deed wat je zelf nooit zou doen? Of als je, zoals Olivia deed, meteen vanaf het begin je ongenoegen uitte, ook al zat die ander daar niet op te wachten? Ik moest hier vaak aan denken sinds Nate en ik het erover hadden gehad bij Spice and Thyme. Hij was denk ik iemand die van dag tot dag leefde, en dingen makkelijk gescheiden kon houden. Maar wat mij betrof was de Nate met wie ik steeds meer tijd doorbracht nog steeds dezelfde jongen wiens thuissituatie niet bepaald prettig was en die zo snel mogelijk bij zijn vader weg wilde. Reden genoeg voor mij om bij hem uit de buurt te blijven of om in elk geval afstand te bewaren. En wat deed ik? Het tegenovergestelde. En dat sloeg natuurlijk nergens op.

Ik keek naar Olivia, die met de kookwekker op schoot in de verte zat te turen. 'Kun jij je nog herinneren,' vroeg ik, 'dat je vertelde dat toen je net op Perkins zat, je het er zo moeilijk mee had en je geen moeite deed om vrienden te maken en je bek niet opentrok?'

'Jawel,' zei ze achterdochtig. 'Hoezo?'

'Waarom ben je toen toch van gedachten veranderd?' vroeg ik, en ik keek haar aan. 'Waarom ben je toch bevriend geraakt met mij? Wat is er veranderd?'

Ze dacht hier even over na terwijl er een bestelbusje langsreed en naast de kassa stilstond. 'Geen idee,' zei ze. 'Ik denk omdat we toch wel iets gemeen hadden.'

'Jackson?'

'Ook. Maar je was ook anders dan de rest op Perkins. Je bent hetzelfde omdat je anders bent; snap je wat ik bedoel? Ik kom uit een ander soort gezin dan iedereen op Perkins en heb geen geld; jij bent een zuiplap en een delinquent.'

'Pardon,' zei ik. 'Dat was maar één keer.'

'Weet ik, het was maar een grapje,' zei ze, en ze wuifde het weg met haar hand. 'Maar we passen allebei niet bepaald in het plaatje.'

'Klopt.'

Ze leunde achterover en streek de vlechten uit haar gezicht. 'Ik wil alleen maar zeggen dat iedereen anders is. Iedereen houdt er nou eenmaal andere ideeën op na. Dus als je dan iemand tegenkomt met wie je een paar overeenkomsten hebt, kun je die maar beter te vriend houden. Snap je?'

Ik keek naar de kookwekker die tussen ons in stond. 'Je brengt het goed,' zei ik. 'En ook nog onder de twee minuten.'

'Kort en bondig iets overbrengen wordt sterk ondergewaardeerd,' zei ze losjes. Daarna keek ze over mijn schouder en stak haar hand op om naar iemand te zwaaien. Toen ik me omdraaide, zag ik tot mijn verbazing Gervais staan. Hij droeg een jopper en stond voor de kassa. Toen hij me zag werd hij knalrood, pakte vlug zijn kaartje aan en vloog naar binnen.

'Ken jij Gervais?' vroeg ik.

'Bedoel je "extra zout en drop"? Ja hoor. Dat is een vaste klant.' Ik keek haar zonder iets te zeggen aan. 'Dat bestelt hij altijd,' legde ze uit. 'Een grote zak popcorn met extra zout, en twee zakjes drop. Hij gaat minstens één keer per week naar de film. Hij is er gek op. Waar ken jij hem dan van?'

'We rijden samen naar school,' zei ik. Gervais had dus nog een leven naast het carpoolen. Dat zou me niet moeten verbazen, maar dat deed het wel.

Op dat moment hoorde ik iets zoemen: haar telefoon. Ze haalde hem uit haar zak, keek naar het schermpje, en zuchtte een keer. Laney. 'Het ligt voor de hand om nu te zeggen: "Zie je nou wel?", maar je moet niet denken dat ik dit leuk vind, of zo.'

Ik keek hoe ze de telefoon openklapte en zei dat ze eraan kwam. Ze pakte haar boek van de stoep en veegde haar kleren af. 'En toch,' zei ik, 'haal je hier op een bepaalde manier ook voldoening uit.'

'Waaruit?'

'Hieruit.' Ik wees om me heen. 'Ik bedoel dat je haar tijden zit op te nemen. Dus je staat wel een beetje achter wat ze doet.'

'Echt niet,' zei ze, en ze haalde haar sleutels uit haar zak en stopte het boek onder haar arm. 'Maar ik ben nou eenmaal een sukkel. Da's duidelijk.'

'Niet waar,' zei ik.

'Nou, dan weet ik het ook niet,' zei ze. 'Ze vroeg of ik haar wilde helpen, ze is mijn nichtje, dus: voilà. Dat is alles. Ik ga je zien!'

Ik knikte, en toen liep ze het parkeerterrein op, op weg naar haar auto. Ik keek haar na en dacht aan wat ze had gezegd over gemeenschappelijke dingen, en aan Nate en mij, bij hem thuis in de garage op Thanksgiving, toen ik hem over mijn moeder en ons verleden samen vertelde. Iemand openhartig iets vertellen ging niet in je koude kleren zitten; het had een hoop gevolgen. Voor vriendschappen of familie bijvoorbeeld, maar ook als je op zaterdagmiddag in je eentje op een stoep zat, om de boel eens goed te overdenken.

* * *

Ik was niet de enige die een beetje van slag was; het weer was dat oók.

'Je zult toch moeten toegeven,' zei Harriet hoofdschuddend toen we 's avonds naar de personeelsparkeerplaats liepen, 'dat het erg vreemd is. Is het ooit eerder vijfentwintig graden geweest een week voor Kerstmis?'

'Dat komt door de opwarming van de aarde,' zei Reggie. 'De ijskappen smelten.'

'Ik zat zelf meer te denken aan het einde van de wereld,' zei ze.

'Dat verbaast me niks,' zei hij met een zucht.

'Maar even serieus: wie gaat er nou kerstinkopen doen als

het buiten zomer is?' vroeg ze, terwijl we over het parkeer-terrein liepen. 'Dit kan nooit goed zijn voor de omzet.'

'Denk jij ooit weleens aan iets anders dan de zaak?' vroeg Reggie.

'Ja hoor,' zei ze. 'Aan het einde van de wereld. En soms ook aan koffie.'

'Ook al weet ik dat je een grapje maakt, toch is het...'

'Fijne avond,' zei ik, en ik liep weg. Ze zwaaiden kibbelend naar me. Dit was echter niks nieuws; zo deden ze altijd tegen elkaar als we naar huis gingen.

Harriet zette me vaak thuis af, ze vond het geen prettig idee dat ik alleen naar huis liep, maar omdat het zo vreemd warm was, stond ik erop om te gaan lopen, om van de aangename temperatuur te genieten. Op weg naar huis zag ik een paar fietsers en hardlopers, en wat jongelui op brommers, die er blijkbaar allemaal net zo over dachten. Het vreemdste van alles trof ik thuis aan: Jamie zat op de onderste trede van de trap in zijn zwembroek met zwemvliezen aan en een handdoek om zijn schouders. Het was dan misschien geen teken van het einde der tijden; maar het kwam wel gevaarlijk dicht in de buurt.

Hij schrok zichtbaar toen hij me zag. Hij sprong met een rood hoofd op, maar herstelde zich snel en deed alsof er niets aan de hand was. 'Hoi,' zei hij, alsof het de normaalste zaak van de wereld was dat hij in zijn zwemspullen in de hal stond. 'Lekker gewerkt?'

'Wat ga jij nou...' begon ik, maar ik hield mijn mond toen Cora boven aan de trap verscheen, in een badpak waar ze een short overheen had aangetrokken.

'O,' zei ze, en ze bleef met een rood hoofd staan. 'Hoi.'

'Hoi,' zei ik langzaam. 'Wat gaan jullie doen?'

Ze keken elkaar schuldbewust aan. Daarna zuchtte Cora een keer en zei: 'We gaan stiekem zwemmen.'

'Pardon?'

'Het is vijfentwintig graden! In december!' zei Jamie. 'We kunnen er niets aan doen, maar het móét gewoon.'

Ik keek mijn zus weer aan. 'Het is hartstikke lekker buiten,' zei ze.

'Maar er zit niet eens water in het gemeenschappelijke zwembad,' zei ik.

'Daarom gaan we naar Blake,' zei Jamie tegen me. 'Heb je zin om mee te gaan?'

'Gaan jullie zonder het te vragen bij Nate zwemmen?'

Cora beet op haar lip toen Jamie zei: 'Nou, technisch gesproken doen we niets stiekems. Ik bedoel, we zijn buren. En dat zwembad ligt daar maar. Het is verwarmd en niemand maakt er gebruik van.'

'Heb je gevraagd of het mocht?' vroeg ik.

Hij keek naar Cora, die stond te dralen op de trap. 'Nee,' zei hij, 'maar toen ik Blake daarstraks sprak zei hij dat Nate en hij ergens bleven overnachten voor hun werk, dus...'

'... klimmen jullie gewoon over het hek en gaan zwemmen,' maakte ik zijn zin af.

Stilte. Toen zei Jamie: 'Maar het is vijfentwintig graden! In december! Weet je wel wat dat betekent?'

'Dat het einde der tijden nabij is?'

'Wat zeg je?' vroeg hij. 'Nee, natuurlijk niet. Waarom denk je...'

'Ze heeft wel gelijk,' zei Cora, die de trap af kwam lopen. 'We geven niet bepaald het goede voorbeeld.'

'Het was anders wel jouw idee hoor,' zei Jamie. Cora kreeg weer een rood hoofd. 'Jouw zus,' zei hij tegen me, 'gaat graag stiekem zwemmen. Toen we nog studeerden was zij altijd als eerste over het hek.'

'Is dat zo?' vroeg ik, terwijl ik haar aankeek.

'Nou,' begon ze, alsof ze het wilde rechtpraten. Maar toen

zei ze alleen maar: 'Het is vijfentwintig graden. In december!'

Jamie pakte haar bij haar hand en zei met een grijns: 'Zo ken ik je weer!' Hij wees naar me en vroeg: 'Ga je mee?'

'Ik heb geen badpak,' zei ik tegen hem.

'In mijn kast, onderste lade rechts,' zei Cora. 'Pak maar.'

Ik schudde ongelovig mijn hoofd toen ze door de keuken liepen. Cora liep te lachen, de zwemvliezen van Jamie flapten over de grond, en weg waren ze.

Ik ging zeker niet mee en was al helemaal niet van plan om te gaan zwemmen. Maar toen ik even op bed had gezeten, pakte ik toch een badpak uit Cora's kast, trok een joggingbroek aan, liep naar beneden en liep de tuin door. Ik hoorde het gespetter achter het hek.

'Daar zul je d'r hebben,' zei Jamie, toen ik door het hek glipte. Hij stond in het ondiepe gedeelte en Roscoe stond opgewonden blaffend naast hem op de kant, terwijl Cora onder water over de bodem zwom, met haar haar golvend achter haar aan. 'Je kon het toch niet laten, hè?'

'Ik denk niet dat ik ga zwemmen,' zei ik, terwijl ik met opgetrokken knieën op de rand van het zwembad ging zitten. 'Ik kijk wel.'

'Daar is toch niks aan?' zei hij. Toen verdween hij onder water, terwijl Roscoe nog steeds stond te blaffen. Jamie zwom in de lengte van het zwembad onder water en de hond liep rennend over de rand met hem mee.

Ik keek naar Cora, die in het diepe dobberde en haar haar uit haar gezicht streek. 'Dat had ik nou nooit achter jou gezocht,' zei ik. 'Dat jij iets zou doen wat niet mocht.'

'Ik bega nou niet bepaald een misdrijf,' zei ze. 'En we hadden trouwens nog wat te goed van Blake.'

'O ja? Wat dan?' vroeg ik, maar ze hoorde me niet, of deed alsof ze het niet hoorde. Ze dook weer onder en zwom naar Jamie, die rondjes zwom over de bodem.

Toen ze even later bovenkwamen, lachend en elkaar nat spattend, schopte ik mijn schoenen uit, trok mijn broekspijpen op en liet mijn voeten in het water zakken. Het water was warm, zelfs warmer dan de buitenlucht. Ik leunde achterover op mijn handen en keek naar de lucht. Ik had niet meer gezwommen sinds de laatste keer dat we ergens hadden gewoond met een gemeenschappelijk zwembad, toen ik in de brugklas zat. 's Zomers lag ik uren in het water, tot mijn moeder me kwam halen als het donker werd.

Jamie en Cora bleven nog een halfuurtje zwemmen. Ze duwden elkaar onder water en speelden Marco Polo, een soort verstoppertje. Toen ze eruit kwamen, was het al na tienen, en was zelfs Roscoe – die onafgebroken had staan blaffen – uitgeput. 'Zie je nou wel,' zei Jamie toen ze zich stonden af te drogen, 'we hebben maar heel even gezwommen. Wat is daar nou erg aan?'

'Het is inderdaad lekker,' zei ik, en ik ging met mijn voeten door het water.

'Loop je mee terug?' vroeg Cora toen ze achter me langs liepen, naar het hek.

'Ik kom zo. Ik blijf nog heel even zitten.'

'Je hebt groot gelijk,' zei Jamie, met Roscoe in zijn kielzog. 'Het kan nooit lang zulk lekker weer blijven.'

Toen waren ze weg, het hek door. Ik hoorde hun stemmen steeds zwakker worden naarmate ze verder weg liepen. Ik wachtte tot ik een tijdje niets meer hoorde voor ik mijn joggingbroek uittrok. Ik keek voor de zekerheid nog één keer of ik wel echt alleen was, en ik sprong erin.

Het was best even schrikken om na zo'n lange tijd weer in het water te liggen. Maar mijn instincten kwamen meteen bovendrijven, en voor ik het wist was ik baantjes aan het trekken. Ik weet niet hoeveel ik er al had gedaan, heen en terug, maar ik had een stevig ritme te pakken. Ik had dan ook niet in de gaten dat het licht in huis aanging. Tegen de tijd dat er een tweede lamp ging branden, was het al te laat.

Ik verstijfde en ging in een hoek van het zwembad hangen, toen ik iemand door de inmiddels volop verlichte woonkamer zag lopen. Hij liep een paar keer op en neer, en toen hoorde ik een schuifdeur opengaan. *Shit*, dacht ik, en ik raakte lichtelijk in paniek. Ik nam een flinke hap adem en ging kopje-onder. Dat was niet echt heel slim, bleek toen ik Nate door het water naar me zag staan kijken. Tegen die tijd klapten mijn longen bijna uit elkaar, dus moest ik wel naar boven.

'Zo zo,' zei hij, toen ik proestend bovenkwam. 'Waar ben jij mee bezig?'

Ik zwom naar de rand van het zwembad, gewoon om maar iets te doen te hebben, en haalde een hand over mijn gezicht. 'Eh...' zei ik, 'ik, eh...'

'Cora en Jamie waren zeker weer stiekem aan het zwemmen, hè?' zei hij. Ik keek hem verbaasd aan, tot hij een voor een twee zwemvliezen achter zijn rug vandaan haalde. 'Ze doen niet heel erg hun best om het verborgen te houden,' zei hij, en hij liet ze vallen. 'Ze lagen daar op die stoel. De vorige keer hebben ze een bal laten liggen.'

'Oei,' zei ik. 'We zijn er gloeiend bij.'

'Geeft niks.' Hij ging op zijn hurken bij me zitten en stak zijn hand in het water. 'Ik ben allang blij dat er nog iemand gebruik van maakt. Mijn vader loopt altijd te zeuren dat het zo duur is om het te verwarmen.'

'Zwem jij helemaal niet meer?'

'Bijna niet,' zei hij.

'Mis je het dan niet?' vroeg ik.

Hij haalde zijn schouders op. 'Soms. Het was een goede afleiding. Tot het dat niet meer was, snap je?'

Ik dacht aan wat hij had verteld over zijn vader, die niet meer naar wedstrijden mocht komen en dus gewoon aan de andere kant van het hek ging staan schreeuwen. 'Kom er ook in,' zei ik. 'Het is hartstikke warm.'

'Nee, dank je,' zei hij, en hij ging op een stoel zitten. 'Maar ga vooral je gang.'

Ik bleef nog even liggen dobberen, zonder dat we iets zeiden. Uiteindelijk zei ik: 'Ik dacht dat jullie de stad uit waren?'

'Er kwam een kink in de kabel,' zei hij. 'Het leek ons beter dat ik naar huis ging.'

'Het leek jullie beter.'

Hij keek me aan, en lachte toen vermoeid. 'Laten we het er maar op houden dat het een lange, vermoeiende dag is geweest.'

Dat geloof ik graag, dacht ik, maar ik zei: 'Reden te meer om erin te komen. Kom op, man, het is december en het is vijfentwintig graden. Ik weet zeker dat je er zin in hebt.'

Ik dacht echt niet dat hij het zou doen; ik was maar een beetje uit mijn nek aan het kletsen. Maar hij knikte langzaam en kwam uit zijn stoel. 'Oké,' zei hij. 'Ik ben zo terug.'

Hij verdween het huis in, en ik vond het opeens niet meer zo'n heel erg goed idee. Ik wilde afstand houden, maar door hem uit te nodigen, maakte ik die afstand juist aanzienlijk kleiner. Voor ik me kon afvragen wat ik hier nog aan kon doen – en of ik dat eigenlijk wel wilde – kwam hij al naar buiten, in zijn zwembroek deze keer, en liep de patio over. Ik hoef niet uit te leggen dat dat behoorlijk afleidde. Ik had hem die eerste avond niet zonder shirt gezien, en nu dus wel. Reden genoeg om terug te krabbelen, maar voor ik daar de kans voor kreeg, had hij zijn armen al boven zijn hoofd gestoken en was hij in het water gedoken. Er spatte nauwelijks water op toen hij onder water verdween.

GA ZWEMMEN! dacht ik, en ik zag die sweater voor me toen hij naar boven kwam zwemmen, en naar me toe kwam. Zijn schoolslag kostte hem zo te zien geen enkele inspanning. Toen hij bovenkwam en zijn haren uitschudde zodat de druppels in het rond vlogen, zei ik: 'Dat ziet er goed uit.'

'Dank je,' zei hij dobberend. 'Heb ik jaren voor getraind.'

Ik was me er opeens heel erg van bewust hoe dichtbij hij was. Er zat alleen wat water tussen ons in. Ik keek naar beneden. Mijn huid leek erg bleek onder water, blauw bijna. Mijn ketting lag op mijn borst. Toen ik weer opkeek, zag ik dat hij er ook naar keek. Hij keek me heel even aan, pakte de ketting en legde hem in zijn hand.

'Hoeveel van deze kettingen heeft Harriet verkocht sinds Thanksgiving, denk je?' vroeg hij.

'Geen idee,' zei ik. 'Veel.'

'Ik zag er vandaag een meisje mee lopen dat bij het koffietentje werkt. Zo'n raar gezicht.'

'Dat ga ik zéker tegen Harriet zeggen,' zei ik. 'Dat vindt ze superleuk om te horen.'

'Zo bedoelde ik het anders niet, hoor.' Hij draaide zijn hand om, zodat de sleutel langzaam weer tegen mijn borst viel. 'Ik associeer die sleutel gewoon met jou, snap je wat ik bedoel? Dat was het eerste wat ik zag toen we elkaar leerden kennen.'

'Nog voor ik ervandoor wilde gaan?'

'Nou vooruit dan,' zei hij lachend, 'dat zag ik inderdaad eerder.'

Het was helemaal stil om ons heen, de lucht weids en vol met sterren. Ik voelde zijn aanwezigheid en ik dacht terug aan wat Jamie eerder tegen me had gezegd: 'Het blijft niet zo'. Daar had hij gelijk in, en het was tevens de reden dat ik er toen vandoor had moeten gaan, en ook de reden waarom ik wist dat ik zou blijven.

Hij keek me nog steeds aan, net als ik dobberend in het water, dat ik om me heen voelde klotsen. Toen kwam Nate langzaam dichterbij en ook al had ik nog zo tegen mezelf gezegd dat ik het niet zou doen, dat ik het niet zou kunnen, ik verroerde geen vin toen hij me kuste. Zijn lippen waren warm, zijn huid nat, en toen hij zijn lippen van de mijne haalde, ging er een rilling door mijn lijf, omdat ik niet meer gewend was om iemand zo dicht bij me te voelen, en tegelijkertijd niet wilde dat het voorbij was.

'Heb je het koud?' vroeg hij.

Ik wilde net nee schudden en zeggen dat dat absoluut niet zo was, toen ik zijn hand op de mijne voelde. 'Hoe dieper je gaat, hoe warmer het wordt,' zei hij. En om zijn woorden kracht bij te zetten, verdween hij weer onder water. Ik nam een hap lucht, zoveel als ik kon, en liet me meetrekken.

* * *

Ik wist inmiddels al dat Jamie dol was op feestdagen. Denk maar aan de blauwe overhemden die we voor de kerstkaart hadden gedragen bijvoorbeeld, of de bedanklijstjes. Maar zelfs gewapend met deze kennis was ik toch nog niet goed voorbereid op hoe hij Kerstmis benaderde.

'Goed stil blijven staan, oké?' zei Cora, terwijl ze het kussen verder onder zijn jas propte. 'Niet zo kronkelen.'

'Dat kan ik niet,' zei Jamie. 'Die lange onderbroek jeukt veel meer dan ik dacht.'

'Ik zei toch dat je gewoon een boxershort aan moest trekken.'

'Dat draagt de Kerstman niet!' zei hij. Zijn stem ging een octaaf omhoog toen ze de brede zwarte riem van zijn kostuum strak aantrok over het kussen, om het op zijn plaats te houden. 'Als ik het doe, doe ik het ook goed.'

'Ik vraag me serieus af,' zei Cora, die weer ging staan, 'of de kerstpolitie komt controleren of je wel het juiste ondergoed draagt. Waar is je baard?'

'Die ligt op bed,' zei hij tegen haar. Toen zag hij mij staan. 'Hé hoi, Ruby! En? Gaaf, hè?'

Dat was nou niet bepaald het eerste wat in me opkwam toen ik hem in zijn kerstoutfit zag staan. Hij droeg een rood pak, zwarte laarzen en een grote witte pruik, die zo te zien erger jeukte dan zijn onderbroek. Maar ik speelde het spelletje braaf mee.

'Behoorlijk,' zei ik, terwijl Cora zijn baard vastmaakte. 'Moet je naar een feestje of zo?'

'Nee,' zei hij. Cora deed een stap naar achteren, en ging met haar handen op haar heupen haar werk staan te bekijken. 'Het is kerstavond.'

'En dus...?' vroeg ik langzaam.

'Ga ik zo de hele buurt langs!' maakte hij mijn zin af. Ik keek naar Cora, die haar hoofd schudde, ten teken dat ik mijn mond moest houden. 'Dat deed mijn vader vroeger ook altijd,' zei hij. 'Hij verkleedde zich op kerstavond als de Kerstman. Dat was traditie.'

'Wij hadden niet zoveel tradities,' zei Cora. 'Jamie weet dat, en dus heeft hij besloten dat hij ons de schade laat inhalen.'

Jamie keek eerst Cora aan, daarna mij en toen weer Cora. Zelfs in zijn kostuum zag hij er nog steeds erg jongensachtig uit, als de Kerstman in zijn jonge jaren. 'Ik weet dat het misschien wel een beetje overdreven is,' zei hij. 'Maar... Kerstmis was gewoon erg belangrijk bij ons thuis. En dat is blijven hangen, vrees ik.'

Zelfs zonder zijn kerstmannenkostuum was dit een understatement. Jamie was al een maand bezig met voorbereidingen: hij had de tuin uitbundig versierd met lichtjes, in vrijwel ieder vertrek een adventskalender opgehangen, de grootste boom naar huis gesleept die hij kon vinden, die we vervolgens optuigden met nieuwe spullen en oude ballen die Jamie van thuis had meegenomen. Door al dit gedoe en mijn werk bij Harriet was ik eerlijk gezegd allang klaar met de feestdagen, maar zoals meestal hield ik de schijn op voor Jamie, en liet me meeslepen naar het spektakel rond het ontsteken van de lampjes in de buurtboom, keek ontelbare keren naar de kerstspecial van Snoopy, en hield zelfs Roscoe in bedwang zodat Jamie hem kon uitdossen in een ingewikkelde constructie van klingelende kerstklokken.

'Hier,' zei hij, en hij pakte een rode kaboutermuts achter het bed vandaan. 'Cadeautje.'

'Voor mij?'

'Ja. Dan passen we beter bij elkaar, als we de deur uit gaan.'

Ik keek maar weer eens naar Cora, die mijn blik ontweek en het opeens heel druk had met haar blusher, die ze had gebruikt om Jamies feestelijk rode wangen mee aan te brengen. 'Waar,' vroeg ik langzaam, 'gaan we eigenlijk naartoe?'

'We gaan cadeaus rondbrengen in de buurt,' zei hij, alsof dat heel vanzelfsprekend was. 'Ze staan beneden in de hal ⁻ klaar. Kom, dan gaan we!'

Hij liep me voorbij, zijn eigen muts in zijn hand, en sprong de trap af, zijn laarzen stampend op het tapijt. Ik keek Cora met samengeknepen ogen aan tot ze zich eindelijk omdraaide en me aankeek. 'Sorry,' zei ze alsof ze het ook echt meende. 'Ik was vorig jaar de klos.'

En zo kwam het dat ik om acht uur 's avonds door Wildflower Ridge liep met Jamie in zijn kerstmannenpak en Roscoe met zijn kerstklokken, om de kerstvreugde te verspreiden. Je kon het echter ook zo bekijken: we liepen door de kou – die het overdreven sterk van de warmte had gewonnen – om mensen te storen die hun eigen feest aan het vieren waren en een sporadische brommerrijder de stuipen op het lijf te jagen.

Na een paar huizen hadden we een systeem ontwikkeld: Ik belde aan, ging dan met Roscoe achter Jamie staan, en hielp met het uitdelen van cadeautjes – voornamelijk knuffelbeesten en doosjes snoep – als dat nodig mocht zijn. Op een paar vreemde blikken en mensen die duidelijk wel thuis waren maar gewoon niet opendeden na, vond iedereen het volgens mij wel leuk, vooral de kinderen. Een uurtje en een paar straten verder waren we bijna door onze voorraad heen.

'We hebben nog genoeg voor twee huizen,' zei Jamie toen we bij Nate op de hoek stilstonden om Roscoe tegen een brievenbus zijn blaas te laten legen. 'Wat zullen we doen? Wil jij nog naar Nate?'

Ik keek naar zijn huis, dat op een paar lichten aan de achterkant na, helemaal donker was. 'Dat weet ik niet hoor,' zei ik. 'Hoort hij wel tot de doelgroep? Misschien kunnen we beter bij kinderen langsgaan.'

'Dat doe ik dan wel,' zei Jamie, en hij graaide in de bijna lege zak. 'Ga jij maar bij hem langs. Dan zien we elkaar hier weer, goed?'

'Oké,' zei ik, en ik gaf hem Roscoes riem. Hij pakte hem aan en gooide de zak over zijn schouder – de kerstpolitie zou goedkeurend hebben geknikt – en stak de straat over naar een huis dat aan weerszijden van de voordeur vrolijk was verlicht.

Ik liet het doosje snoepjes in mijn zak glijden en liep naar het huis van Nate, terwijl ik een paar keer diep ademhaalde. Ik moet eerlijk bekennen dat ik al van plan was geweest om iets voor hem te kopen. Ik had zelfs al een paar cadeaus op het oog toen ik besloot om ze toch maar niet te kopen, omdat ik niet wist of ik er wel aan toe was om zo'n groots gebaar te maken na wat er in het zwembad was gebeurd. Maar ik besefte in de dagen na het voorval dat dergelijke dingen Nate heel makkelijk afgingen, net zo makkelijk als mij bij mijn hand pakken en me onder water trekken. Misschien was het voor sommigen wel onmogelijk om alles met één persoon te delen, maar ik begon steeds meer te vinden dat het wel goed was zoals het nu ging. En het was Kerstmis, een tijd waarin hoop de boventoon viert, dat werd tenminste gezegd. Hij had me al zoveel gegeven, en nu kon ik eindelijk iets terugdoen. Dus belde ik aan.

Toen hij opendeed, wist ik dat er iets aan de hand was. Dat kwam door de manier waarop hij naar me keek – verbaasd, geschrokken zelfs – onmiddellijk gevolgd door het gemak waarmee hij de deur een beetje verder dichtdeed, op dezelfde manier waarop ik dat tot een kunst had verheven als er vroeger Jehova's getuigen en huisbazen op de stoep stonden. 'Hé, Ruby,' zei hij met zachte stem. 'Wat kom jij nou doen?'

Op dat moment hoorde ik zijn vader: hij stond hard te schreeuwen, het geluid werd nauwelijks gedempt. Ik slikte een keer en zei toen: 'Ik was met Jamie kerstcadeautjes aan het uitdelen...'

'Het komt nu niet zo gelegen,' zei hij toen ik een klap, of een dreun hoorde. 'Ik bel je snel, oké?'

'Gaat het een beetje?' vroeg ik.

'Ja hoor,' antwoordde hij.

'Nate...'

'Echt. Maar ik moet nu echt weer naar binnen,' zei hij, en hij deed de deur nog een beetje verder dicht. Ik zag hem bijna niet meer staan. 'Ik spreek je morgen.'

Ik kreeg niet eens de kans om te antwoorden, de deur viel al met een klik in het slot. Ik stond daar maar te staan, mijn mond gortdroog, en vroeg me af wat ik moest doen. Hij had gezegd dat het wel ging. Was ik eindelijk zover dat ik iemand wilde toelaten, werd ik zelf buitengesloten.

'Hé!' riep Jamie ergens achter me. Ik draaide me om. Hij kwam met Roscoe aan de overkant van de straat naar me toe gelopen. 'Zijn ze thuis?'

Zeg iets, dacht ik, maar ook al deed ik nog zo mijn best om iets te zeggen, wat dan ook, er kwam niks uit mijn mond. Hij had in de garage gevraagd of ik er tegen niemand iets over wilde zeggen. 'Jij weet toch wel hoe het voelt?' Wilde ik hetzelfde doen als de Honeycutts, en alles verpesten door me ermee te bemoeien, ook al zou hij daarbij gebaat zijn? Jamie liep de oprit al op, en Roscoe liep aan zijn riem te trekken. Ik moest vlug een knoop doorhakken.

'Ze zijn er niet,' zei ik, en ik liep de veranda af. Ik nam het doosje snoep in mijn hand. Het voelde bijna alsof ik iemands hand vasthad. 'Laten we maar gaan.'

13

Ik bleef lang op, maar niet om op de Kerstman te wachten. Ik lag op bed naar de weerspiegeling van Nates zwembadverlichting in de bomen te kijken, zoals ik dat die eerste avond had gedaan. Ik wilde een paar keer naar hem toe lopen om te vragen of alles goed ging. Maar steeds als ik dat wilde doen, herinnerde ik me hoe hij de deur voor mijn neus dichtgooide en de grendel erop deed, en bleef ik maar weer liggen.

De volgende ochtend kreeg ik een nieuwe rugzak, een paar cd's, boeken, en een laptop. En werd Cora ongesteld.

'Het gaat wel, het gaat wel,' zei ze, toen ik haar huilend op bed zag zitten nadat we de cadeaus hadden uitgepakt. 'Echt waar.'

'Lieverd,' zei Jamie, die naast haar ging zitten en zijn arm om haar heen sloeg. 'Laat je tranen maar komen.'

Ze stond op en veegde met de achterkant van haar hand haar ogen af. Met verstikte stem zei ze: 'Ik wist gewoon zó zeker dat het deze keer zou lukken. Stom hè?'

'Dat is helemaal niet stom,' zei Jamie zacht, en hij streelde over haar hoofd.

'Het zou zo leuk zijn geweest als ik jullie vandaag had kunnen vertellen dat ik zwanger was. Dat zou het beste kerstcadeau aller tijden zijn.' Ze haalde een keer onvast adem en haar ogen vulden zich weer met tranen. 'Maar het is niet zo. Ik ben niet zwanger. Wéér niet.'

'Cora, lieverd...'

'Ik weet het,' zei ze, en ze wuifde het weg. 'Het is Kerstmis, we hebben een geweldig leven, een dak boven ons hoofd, en veel mensen zijn jaloers op ons. Maar ik wil het zo graag. Maar wat ik ook doe, het lukt niet. Het is gewoon...' Haar stem stierf weg en ze veegde haar ogen weer af. Jamie hield nu ook zijn mond.

'... kut,' maakte ik haar zin af.

'Inderdaad,' zei ze. 'Het is gewoon kut.'

Ik voelde me net zo machteloos als altijd wanneer Cora het hier moeilijk mee had. Het was het enige waarvan Cora binnen de kortste keren emotioneel werd, de enige zwakke plek in haar aanzienlijke pantser. Een maand daarvoor had ze eindelijk toegestemd in farmaceutische ondersteuning, door ovulatiepillen te slikken waar ze opvliegend en emotioneel van werd, zweetaanvallen en huilbuien van kreeg, soms tegelijkertijd en op willekeurige momenten. En tot nu toe helemaal voor niks. Het wás ook kut.

'We geven het niet op,' zei Jamie. 'Het was pas de eerste keer. De tweede keer gaat het vast beter.'

Cora knikte, maar ik zag dat ze daar niet zo van overtuigd was. Ze liet haar hand over het cadeautje glijden dat ik haar die ochtend had gegeven: het was een van de sleutelkettingen van Harriet, een zilveren met rode steentjes. Ik was ontzettend zenuwachtig toen ze het doosje openmaakte, omdat ik bang was dat ze er niet blij mee zou zijn, maar zodra ze hem door haar vingers liet glijden, met wijd opengesperde ogen, wist ik dat ik een goede keuze had gemaakt. 'Wat mooi,' zei ze, en ze keek me aan. 'Jij hebt er ook zo een!'

'Hij lijkt erop,' zei ik, 'maar toch is-ie heel anders.'

'Ik vind hem super,' zei ze, en ze deed hem meteen om. Ze streek het haar van haar schouders. 'Wat vind jij? Staat-ie?'

Dat deed hij zeker. Ook toen ze met haar hoofd op Jamies schouder ging liggen en tegen hem aan kroop. Ze hield nog steeds met één hand de sleutel vast. De ketting zag er bij haar heel anders uit dan bij mij, maar toch zag je de overeenkomsten. Je moest alleen weten waar je moest kijken.

Toen werd er aangebeld. Roscoe, die op het voeteneind had liggen soezen, spitste keffend zijn oren. 'Staat er nou iemand aan de deur?' vroeg Jamie.

'Volgens mij wel,' zei Cora, terwijl Roscoe van het bed sprong en naar beneden racete. Even later hoorden we hem voor de deur staan blaffen toen er nog een keer werd aangebeld. 'Wie komt er nou langs met Kerstmis?'

'Ik ga wel even kijken,' zei ik, hoewel ik hoopte dat ik dat al wist. Er werd nog een keer aangebeld toen ik nog niet eens halverwege de trap was, en nog eens toen ik bijna bij de deur was. Toen ik door het kijkgaatje tuurde, zag ik dat het niet Nate was. Er stond helemaal niemand. Toen werd er – vreemd genoeg – wéér aangebeld, dus deed ik maar open.

Het was Gervais. Hij was te klein om hem door het kijkgaatje te kunnen zien. Hij stond voor de deur, bril op, jopper aan, sjaal om. Er stond een scooter op de stoep die zo te zien splinternieuw was. 'Hoi,' zei hij.

Ik keek hem alleen maar aan. 'Hoi,' zei ik langzaam. 'Wat kom je...'

'Ik heb een voorstel,' zei hij zakelijk. 'Mag ik even binnenkomen?'

'Eh...' zei ik. Roscoe blafte niet meer, maar probeerde zich wel langs me te wurmen. 'We hebben het eigenlijk nogal druk, dus...'

'Weet ik.' Hij zette zijn bril goed. 'Ik ben zo weer weg.'

Ik had totaal geen zin om hem binnen te laten. Maar omdat het Kerstmis was, deed ik een stap opzij. 'Moet jij niet thuis zijn?' vroeg ik, terwijl ik de deur achter hem dichtdeed.

'We waren uren geleden al klaar met Kerstmis,' zei hij tegen me. 'Mijn vader heeft de boom al afgetuigd.'

'O.' We stonden daar maar te staan, in de hal. 'Nou,' zei ik, 'wij zijn het nog volop aan het vieren, dus...'

'Vind jij dat je klaar bent voor je volgende schoolonderzoek statistiek?'

Ik keek hem aan. 'Wat bedoel je?'

'Het volgende schoolonderzoek. Dat is in maart en bepaalt de helft van je eindcijfer, toch?'

'Hoe weet jij dat nou weer?'

'Ben je daar klaar voor?'

Ik hoorde Jamie en Cora boven lachen. Een goed teken. 'Wat bedoel je met "ben je daar klaar voor"?'

'Ga je een negen of hoger halen?'

'Nee,' zei ik. En dat was helaas ook zo. Ook al stopte ik er nog zoveel tijd in, ik kon er nog steeds behoorlijk van in paniek raken.

'Waarom laat je me je dan niet helpen?'

'Helpen?'

'Ik ben heel goed in statistiek,' legde hij uit, terwijl hij zijn bril rechtzette. 'Ik ben er niet alleen heel goed in, ik kan het ook heel goed uitleggen. Ik geef bijles op de universiteit. Statistiek op universitair niveau, niet dat beginnerswerk dat jij doet.'

Beginnerswerk. Zo erg was hij dus ook weer niet veranderd. 'Weet je,' zei ik, 'dat is hartstikke lief aangeboden. Maar het lukt wel.'

'Het is geen aanbod,' zei hij, 'maar een voorstel.'

Ik zag opeens weer voor me hoe hij in de auto zat, die keer dat hij steeds zijn adem inhield. En hoe hij tijdens de lunch vanaf het grasveld naar me zat te kijken, en hoe raar hij had gedaan bij Vista 10. *O nee hè*, dacht ik toen het kwartje eindelijk viel. Nate had gelijk. Hij was verliefd op me. Daar zat ik nou net niet op te wachten. 'Weet je,' zei ik, en ik graaide achter me naar de deur, 'je bent een leuke knul, Gervais, maar...'

'Het gaat me om Olivia,' zei hij.

Ik stopte midden in mijn zin, omdat ik niet zeker wist of ik hem wel goed had verstaan. 'Wat zei je?'

Hij kuchte. En kreeg een rood hoofd. 'Olivia Davis,' zei hij. 'Dat is toch een vriendin van jou?'

'Ja,' zei ik bedachtzaam. 'Hoezo?'

'Nou,' zei hij. Hij kuchte nog een keer. 'Ik vind haar leuk. Best wel.'

'Olivia?'

'Niet op die manier,' haastte hij zich te zeggen. 'Ik vind haar...'

Ik wachtte tot hij zijn zin afmaakte. Dat duurde een eeuwigheid.

'... ik zou wel vrienden met haar willen worden,' maakte hij zijn zin af.

Ik moet toegeven dat ik dit wel zoet vond. En verrassend. Dat bracht mij op de volgende vraag. 'Waarom?'

'Daarom,' antwoordde hij, alsof het de gewoonste zaak van de wereld was. Toen hij in de gaten had dat dit niet zo was, voegde hij eraan toe: 'Ze praat tenminste tegen me.'

'Ze praat tegen je,' herhaalde ik.

Hij knikte. 'Bij de bioscoop bijvoorbeeld. En als ze me op school ziet, groet ze me altijd. Dat doet verder niemand. En ze vindt dezelfde films leuk als ik.'

Ik keek naar hem, en zag hoe hij daar voor me stond, met zijn bril op en zijn dikke jas aan. Hij was absoluut een irritant mannetje, maar hij had het waarschijnlijk ook niet makkelijk. Ook al was je nog zo slim, je kon niet al je kennis uit boeken halen. 'Dan word je toch gewoon vrienden met haar?' zei ik. 'Daar heb je mij niet voor nodig.'

'Toch wel,' zei hij. 'Ik kan niet zomaar op haar afstappen. Maar als ik jou in de lunchpauze help met statistiek, dan zou ik gewoon bij jullie kunnen komen zitten.'

'Gervais,' zei ik bedachtzaam, 'dat is heel lief van je...'

'Je mag geen nee zeggen,' smeekte hij.

'... maar het is ook niet eerlijk.'

Hij schudde onvermurwbaar zijn hoofd. 'Dat is het wél. Ik vind haar helemaal niet op die manier leuk. Ik wil gewoon vrienden worden.'

'En toch zou het voelen alsof ik haar zou voorliegen. En dat doen vrienden niet.'

Ik had nooit verwacht dat ik iemand de les zou moeten lezen over vriendschap, laat staan Gervais Miller. En wat ik nog minder voor mogelijk had gehouden, was dat ik daarna medelijden met hem zou hebben. Maar toen hij me zo terneergeslagen stond aan te kijken en vervolgens naar de deur liep, had ik dat wel.

'Oké,' zei hij met vlakke stem. Verslagen. 'Ik begrijp het.'

Ik keek toe terwijl hij deurknop omdraaide. Ik wist weer eens niet wat ik moest doen, maar nu was de inzet niet zo hoog. Ik kon dan misschien niets voor Nate doen, dat wilde niet zeggen dat ik een ander niet kon helpen.

'Wat dacht je hiervan,' zei ik. Hij draaide zich langzaam om. 'Als ik je nou eens betaal?'

'Hoezo?'

'Voor de bijles. Ik betaal je wat je anders ook vraagt, en jij geeft me les. Als wé toevallig in de lunchpauze hebben afgesproken waar Olivia bij is, jammer dan. Maar ze maakt geen deel uit van onze afspraak, oké?'

Hij knikte enthousiast, zijn bril ging ervan op en neer. 'Oké.'

'Mooi zo,' zei ik. 'Vrolijk kerstfeest.'

'Vrolijk kerstfeest,' antwoordde hij, en hij ging naar buiten, het trapje af. Hij draaide zich halverwege om. 'Ik vraag trouwens twintig dollar per uur. Voor bijles.'

Had ík dat? Ik vroeg: 'Haal ik het dan?'

'Gegarandeerd,' zei hij. 'Mijn methode is waterdicht.'

Ik knikte. Hij liep naar zijn scooter, pakte zijn helm en zette hem op. Misschien maakte ik wel een grote fout, een van de vele. Maar soms heeft een mens hulp nodig, of je het nou wilt toegeven of niet.

* * *

'Kom gauw binnen,' zei Jamie, toen er weer een groepje mensen met veel bombarie aan de deur stond. Hun opgewonden stemmen reikten tot aan het plafond van de hal. 'Welkom! Drank staat daar, en er is heel veel te eten. Geef die jassen maar hier...'

Ik zat tegen de deurstijl van het washok geleund, waar ik al met Roscoe zat sinds de après-kerst- en pre-nieuwjaarshousewarmingsborrel van Jamie en Cora was begonnen. Mijn taak was het bijvullen van de ijsemmer en zorgen dat de muziek te horen was, en dat deed ik dan ook. Weliswaar met de Franse slag, maar toch. Ik begaf me verder niet onder de mensen.

Nu ik Jamie met zijn armen vol jassen om zich heen zag staan te kijken, wist ik dat ik tevoorschijn moest komen om hem te helpen ze naar boven te brengen. Maar ik ging met mijn rug tegen de droger zitten, en duwde met mijn voet de deur dicht. Roscoe, die hier voor zijn eigen bestwil naartoe was verbannen, sprong meteen uit zijn mand om bij me te komen zitten.

Het was derde kerstdag en ik had Nate nog niet gesproken of gezien. Er was een tijd waarin dit onmogelijk geleken zou hebben, omdat we zo dicht bij elkaar woonden en elkaar zo vaak tegenkwamen, al dan niet gepland. Misschien kwam het omdat we vakantie hadden en ik niet met hem meereed en we het te druk hadden met ons werk, dat zelfs na Kerstmis onverminderd doorging. Maar toch had ik het gevoel dat hij me ontliep.

Dat verbaasde me, maar wat erger was: ik maakte me er veel te druk om. Dit was toch precies wat ik tot voor kort wilde – meer afstand houden van elkaar, minder met hem te maken hebben.

Toen ging de deur open. 'Moment, ik pak even een nieuwe keuken...' Cora stond half in het washok met iemand te praten, toen ze midden in haar zin ophield met praten en lopen omdat ze mij met Roscoe zag zitten. 'Hoi,' zei ze. 'Wat zit jij daar nou te doen?'

'Niks,' zei ik. Ze deed de deur dicht toen Roscoe kwispelend opstond. 'Ik heb even pauze.'

'Maar niet boven, in de kast,' zei ze.

'Dit was dichterbij.'

Ze pakte een pak keukenrollen van de plank boven de wasmachine. 'Er heeft nu al iemand op de vloerbedekking geknoeid,' zei ze, terwijl ze het openmaakte. 'Dat gebeurt ieder jaar wel een keer.'

'Zo te horen is het voor de rest wel een succes,' zei ik, toen ik een aantal mensen door de hal hoorde lopen met echoënde stemmen.

'Klopt,' zei ze. Ze ging met haar rug naar me toe staan, de keukenrol in haar hand. 'Waarom kom je niet naar buiten? Eet lekker iets. Het valt best mee, echt waar.'

'Ik ben niet zo in een feeststemming,' zei ik.

Ze glimlachte naar me. 'Je hebt het fantastisch gedaan, ik kan niet anders zeggen. Kerstmis met Jamie is een ware uitputtingsslag. Toen ik dat voor het eerst meemaakte, kon ik na afloop niet meer.'

'Het is gewoon zo raar,' zei ik. 'Ik bedoel, vorig jaar nog...'
Mijn stem stierf weg, omdat ik niet eens meer wist wat ik
het jaar daarvoor met de feestdagen had gedaan. Ik herinnerde me vaag nog iets van bagage afleveren en een kerst-
borrel bij Commercial. Maar net zoals alles uit mijn vorige
leven, was ook dit slechts een verre, vage herinnering. 'Ik
ben gewoon moe, denk ik.'

'Laat in elk geval je gezicht even zien,' zei ze. 'Dan ga je
daarna weer hier zitten, of boven in de kast. Goed?'

Ik keek haar twijfelend aan toen ze haar hand naar me
uitstak. Maar ik liet me wel optrekken en liep achter haar
aan de hal in. Toen we twee tellen later de keuken in liepen, werden we belaagd.

'Cora! Hallo!' Ik maakte van schrik een sprongetje toen
een tengere vrouw in een uitbundige witte outfit met strak
naar achter getrokken haar opeens voor ons stond, een glas
wijn in haar hand. 'Fijne dagen gewenst!'

'Insgelijks,' zei Cora, die vooroverboog om zich te laten
kussen – waardoor er lippenstift achterbleef op haar wang.
'Barbara, dit is mijn zusje, Ruby. Ruby, dit is Barbara Starr.'

'Heb jij een zusje?' vroeg Barbara. Ze droeg meerdere
veelkleurige kralenkettingen, die bij iedere beweging over
haar borst zwierden en rinkelden. Dus ook toen ze zich tot
mij wendde. 'Nou ja, zeg, dat wist ik helemaal niet!'

'Ruby is afgelopen jaar bij ons komen wonen,' legde Cora
uit. Tegen mij zei ze: 'Barbara is schrijfster. Van bestsellers.'

'Hou toch op,' zei Barbara, en ze maakte een wuivend
handgebaar. 'Straks word ik nog verlegen.'

'Ze was een van mijn eerste cliënten, voegde Cora eraan
toe. 'Toen ik net was afgestudeerd en bij een firma werkte
die was gespecialiseerd in familierecht.'

'Goh,' zei ik.

'Ik ging scheiden,' legde Barbara uit, en ze nam een slok

wijn. 'Dat is nooit leuk, maar dankzij jouw zus werd het de beste scheiding die ik ooit heb gehad. En dat wil wat zeggen.'

Ik keek naar Cora, die bijna onzichtbaar met haar hoofd schudde, waarmee ze wilde zeggen dat ik niet moest vragen wat ze daar precies mee bedoelde. Ze zei: 'We wilden net even gaan kijken hoe het met het eten staat, dus...'

'Het ziet er fantastisch uit. Ik ben dól op de feestdagen!' zei Barbara met een zucht. Toen lachte ze naar me, en vroeg: 'Is de rest van je familie er ook? Ik zou je moeder zo graag eens willen zien.'

'Nou...' zei ik, 'het zit zo...'

'We hebben tijdelijk niet zoveel contact met haar,' zei Cora. 'Maar wat fijn dat er zoveel lieve vrienden zoals jij zijn gekomen. Wil je nog een wijntje?'

'O,' zei Barbara, en ze keek van haar glas naar ons. 'Lijkt me lekker.'

Cora pakte haar glas aan – nog steeds glimlachend – en gaf het aan mij en legde haar andere hand op mijn onderrug. Ik begreep de hint, en keek nog even om toen ik wegliep. Barbara was weer aan het woord, ze stond wild met haar handen te gebaren om iets te onderstrepen, maar mijn zus, die braaf stond te knikken, keek naar mij. Ik vond dat ze het goed had opgelost. Maar aan de andere kant: ze was al veel langer bij mijn moeder weg dan ik. Oefening baarde dus kennelijk kunst.

Met het glas in mijn hand baande ik me een weg door de mensenmassa, die aanzienlijk was toegenomen sinds ik voor het laatst het ijs had aangevuld en de muziek had beluisterd. Jamie stond nog steeds in de hal om de deur open te doen en jassen aan te nemen toen ik eindelijk bij de bar aanbelandde om witte wijn in te schenken.

'Bitterkoekjes!' hoorde ik hem plotseling zeggen. 'Dat had je nou niet moeten doen.'

Ik draaide me om. En ja hoor: daar stond Nate, in een spijkerbroek en een blauw overhemd, zijn handen in zijn zakken. Zijn vader stond naast hem en liet zijn jas van zijn schouders glijden, die hij glimlachend aan Jamie overhandigde. 'Het zijn Belgische,' zei meneer Cross. 'Peperduur.'

'Dat geloof ik graag,' antwoordde Jamie, die Nate op zijn schouder sloeg. 'Wat willen jullie drinken? Whisky, wijn...'

Hij gebaarde naar de bar, en toen ze zich omdraaiden, vonden Nates ogen de mijne. Meneer Cross stak ter begroeting zijn hand op, maar ik pakte het glas en verdween vlug tussen de mensen.

Toen ik weer op de plek aanbeland was waar ik Cora en Barbara had achtergelaten, zag ik echter dat ze er niet meer stonden, maar hadden plaatsgemaakt voor een paar van Jamies werknemers van UME.com, die duidelijk te herkennen waren aan hun brillen – die zó suf waren dat ze juist weer hip werden – en hun dure spijkerbroeken en tweedehands T-shirts. Ze stonden over hun Mac te praten. Ik keek om me heen, op zoek naar Barbara, toen ik oog in oog kwam te staan met Nate.

'Hoi,' zei hij. 'Vrolijk kerstfeest.'

Ik slikte een keer, en zei toen: 'Vrolijk kerstfeest.'

Er viel even een stilte, die pijnlijk lang duurde, zelfs al werd er achter ons gelachen.

'Ik heb iets voor je,' zei hij, en hij graaide achter zich en trok een ingepakt cadeautje uit zijn kontzak.

'Laat me raden,' zei ik. 'Bitterkoekjes.'

'Nee,' antwoordde hij en hij gaf het aan me, terwijl hij een gek gezicht trok. 'Maak maar open.'

Ik keek naar het pakje, waar rood papier met kleine kerstbomen erop omheen zat, en dacht terug aan hoe ik zelf met mijn kleinigheidje bij hem voor de deur had gestaan. 'Weet je,' zei ik, en ik gebaarde naar het glas wijn in mijn hand, 'ik kan beter eerst...'

'Je moet cadeautjes altijd meteen uitpakken,' zei Nate, en hij pakte het glas van me aan, dat hij op het aanrecht zette. 'Helemaal als je het ook al te laat krijgt.'

Aangezien ik nu met lege handen stond, moest ik het wel van hem aannemen. Ik draaide het om en schoof een vinger onder het plakband. Er liepen twee vrouwen opgewonden pratend voorbij, hun hakken tikten op de vloer, toen ik er een T-shirt uit haalde. Op de voorkant stond in letters die me erg bekend voorkwamen: GA ZWEMMEN! 'Jouw persoonlijke levenswijsheid,' zei ik.

'Eigenlijk,' zei hij, 'wilde ik er een kopen met "als je uitgaat van het ergste, kan het alleen maar meevallen" erop, maar die waren uitverkocht.'

'Dat geloof ik graag.' Ik keek hem aan. 'Ik ben er heel blij mee. Dank je wel.'

'Graag gedaan.' Hij leunde tegen de muur achter hem en lachte naar me. Ik zag weer voor me hoe we samen in het zwembad lagen en hij me onder water trok. Die herinnering was zo levendig, dat ik het weer opnieuw beleefde. Maar ik zag minstens zo duidelijk voor me hoe hij er laatst uit had gezien, toen hij door een spleet in de deur keek. Twee tegengestelde beelden; in het ene werd ik naar hem toe getrokken, en in het andere stootte hij me juist van zich af. 'Vertel,' zei hij. 'Leuke kerst gehad?'

'Jij eerst,' antwoordde ik, en hoewel ik niet geïrriteerd wilde overkomen, hoorde ik zelf hoe ik klonk. En hij dus ook. Zijn gezichtsuitdrukking veranderde meteen, hij bleef lachen, maar niet meer zo van harte. Ik schraapte mijn keel en keek nog een keer naar het T-shirt. 'Je wist dat ik het zou gaan vragen.'

Nate knikte instemmend en keek door de keuken naar de

woonkamer, waar ik zijn vader met een dikke vrouw in een rode kersttrui zag praten. 'Het ging wel,' zei hij. 'Het liep een beetje stroef, maar dat wist je al.'

'Een beetje?'

'Het stelde niet veel voor,' zei hij.

'Die indruk had ik niet.'

'Toch was het zo. En het is al zo lang geleden.'

'Lang geleden? Drie dagen!'

'Ik heb een hekel aan de feestdagen. Maar dat wist je al, toch?' Hij ging naar beneden staan kijken, waardoor er een pluk haar over zijn gezicht viel. Dezelfde vrouwen die eerder voorbijgelopen waren, kwamen nu de badkamer uit en liepen ons weer voorbij, in een wolk van geparfumeerde handzeep. Toen ze weg waren, zei hij: 'Sorry dat ik laatst niet even kon kletsen. Maar nu ben ik er voor je. En ik heb een cadeau. Dat wil toch ook wel wat zeggen?'

Ik keek weer naar het T-shirt. *Ga zwemmen*, dacht ik. Misschien was het inderdaad beter dan zinken, zoals Nate al had gezegd. Ik moest gewoon mijn hoofd boven water zien te houden. 'Ik heb alleen niks voor jou,' zei ik.

'Zelfs geen Belgische bitterkoekjes?'

Ik schudde mijn hoofd.

'Geeft niks. Ik heb al die ophef erover nooit begrepen.'

'Joh.'

Hij knikte en keek weer naar het feest. Daarna pakte hij mijn hand en trok me verder de hal in, de hoek om. Toen we uit het zicht waren, leunde hij tegen de muur, sloeg voorzichtig zijn armen om mijn middel en trok me naar zich toe. 'Goed,' zei hij met zachte stem. 'Nieuwe ronde, nieuwe kansen. Vrolijk kerstfeest, Ruby.'

Ik keek hem aan en nam zijn kaaklijn, zijn ogen en zijn lange wimpers in me op, en de manier waarop hij met zijn vingers een paar haren uit mijn gezicht veegde, zodat ze erin verstrikt raakten. Hij was nu zo dichtbij, in tegenstelling tot laatst, toen hij mijlenver weg was. Maar nu was hij er weer.

'Vrolijk kerstfeest,' zei ik, en ik probeerde me te concentreren op zijn nabijheid, die ook zo weer zou kunnen verdwijnen, een gevoel dat ik maar al te goed kende. Hij boog zich naar me toe en kuste me, terwijl om de hoek het feest gewoon zonder ons verderging, lawaaierig, zonder dat iemand zich iets van ons aantrok.

* * *

'Cora,' zei ik, toen we bij het winkelcentrum parkeerden, 'je hoeft dit echt niet te doen, hoor.'

'Ik vind van wel,' antwoordde ze, en ze zette de motor af. 'Als je de wanhoop nabij bent, moet er iemand ingrijpen.'

'Daar gaat het nou juist om,' zei ik, terwijl ze het portier openmaakte en uitstapte. Ik deed met tegenzin hetzelfde. 'Ik ben helemaal niet wanhopig.'

Ze keek me zonder iets te zeggen aan toen ze om de auto heen liep, en hing toen haar tas om haar schouder. 'Om te beginnen,' zei ze, 'heb ik je geld gegeven om nieuwe kleren te kopen. Je kwam met vier dingen aanzetten.'

'Het waren er zeven,' zei ik.

'Vervolgens,' ging ze verder, alsof ze me niet had gehoord, 'geef ik je cadeaubonnen voor Kerstmis, waarmee je niets hebt gedaan.'

'Ik heb gewoon niks nodig!'

'En dus laat je me geen andere keus dan dat ik je mee uit winkelen neem.' Ze zuchtte, haalde haar zonnebril uit haar haar en zette hem op. 'Heb je enig idee hoe blij de gemiddelde tiener zou zijn als ze in jouw schoenen zou staan? Ik heb een creditcard. We zijn in het winkelcentrum. Ik wil je trakteren. Je zou in de tienerhemel moeten zijn.'

'Ik denk,' zei ik, toen we twee moeders met kinderwagens passeerden, 'dat ik geen gemiddelde tiener ben.'

Ze keek naar me toen we naar de ingang liepen. 'Natuurlijk niet,' zei ze iets zachter. 'Ik weet dat je het maar niks vindt, maar we kunnen het makkelijk betalen en we doen het nou eenmaal graag voor je.'

'Het is niet zo dat ik het niks vind,' zei ik tegen haar. 'Ik zeg alleen maar dat het niet hoeft.'

'Weet je,' zei ze, terwijl de schuifdeuren van *Esther Prine*, een duur warenhuis, opengleden, 'het is helemaal niet erg om iets aan te nemen van mensen. Het wil niet zeggen dat je zwak of hulpbehoevend bent, ook al dacht mama daar wel zo over.'

Dit deed me wel héél erg veel denken aan hetgeen waarover ik had moeten praten tijdens mijn eerste (en hopelijk laatste) therapiesessie, een paar weken daarvoor. Dus in plaats van antwoord te geven, liep ik de winkel binnen. Zoals altijd werd ik even verblind door de stralend witte tegels en de glanzend opgepoetste displays met sieraden. Links van ons, bij de rol-trappen, stond iemand Pachelbel te spelen. Het was altijd al een beetje raar om het over mijn moeder te hebben, maar in deze omgeving grensde het aan het onwerkelijke.

'Het heeft niets met mama te maken,' zei ik, toen Cora ge-baarde dat ik haar moest volgen naar de eerste verdieping. 'Of niet alleen met haar, althans. Er is zoveel veranderd. Ik ben gewoon niet gewend aan... We hadden niet zoveel te be-steden.'

'Dat weet ik,' zei ze. 'Maar dat bedoel ik ook. Je zou kun-nen zeggen dat ze daar ook voor gekozen heeft. Mama had best wat kunnen doen om het leven wat aangenamer te maken voor jullie.'

'Zoals contact houden met jou,' zei ik.

'Bijvoorbeeld.' Ze schraapte haar keel en keek over de

cosmetica-afdeling uit terwijl we steeds hoger gingen. 'Maar het gaat nog veel verder terug. Papa wilde haar ook geld geven. Maar ze was te koppig en boos om het aan te nemen.'

'Wacht even,' zei ik toen we eindelijk boven waren aanbeland, en we de kledingafdeling op liepen. 'Ik dacht dat papa haar nooit iets had gegeven. Dat hij door te verdwijnen onder de alimentatie uit wilde komen.'

Cora schudde haar hoofd. 'Later misschien wel, toen hij naar Illinois verhuisde. Maar toen hij net was weggegaan, deed hij erg zijn best. Dat herinner ik me nog goed.'

Dit zou me niet moeten verbazen. Ik wist inmiddels dat mijn moeder veel voor me verborgen had gehouden, en dat ze de feiten verdraaide. Ze had de waarheid over Cora verdraaid, waarom zou ze dat bij mijn vader niet ook gedaan hebben? Er kwam nog iets anders bij me op. Iets wat ook niet thuishoorde in de opgepoetste wereld van *Esther Prine*, maar waar ik toch over wilde beginnen.

'Cora,' zei ik, toen ze naar een tafel met truien liep, waar ze haar hand overheen liet glijden, 'weet jij waar papa is?'

In de stilte die daarop volgde, zag ik mijn hele leven weer veranderen, rondraaien, verschuiven en anders worden. Maar toen draaide ze zich naar me om en keek me aan. 'Nee,' zei ze zacht toen er een verkoopster langsliep met een kledingrek vol flodderige jurkjes. 'Ik zit er echter wel al heel lang over te denken om hem op te sporen. Vooral omdat Jamie er zo op aandringt, omdat het zo makkelijk moet zijn. Maar ik durf het geloof ik nog steeds niet.'

Ik knikte. Als iemand dat begreep, was ik het wel. Het onbekende had zoveel verschillende lagen, variërend van veilig en gevaarlijk tot vaag, wat het engste was.

'Maar zeg nooit nooit,' zei ze. 'We zouden het samen kunnen doen. Samen staan we sterk, toch?'

'Misschien wel,' zei ik.

Ze lachte naar me, aarzelend, en wendde zich toen weer naar de truien. 'Maar goed. Aan de slag. We gaan hier pas weg als je minstens twee nieuwe setjes hebt uitgezocht. En een jas. En nieuwe schoenen.'

'Cora, alsjeblieft.'

'Kappen jij.' Ze hees haar tas op, liep de tienerafdeling op en verdween tussen twee rekken met spijkerbroeken. Even later zag ik slechts haar hoofd tussen de rekken door komen, of haar weerspiegeling in een passpiegel. Ze was geconcentreerd en vastbesloten. Aanvankelijk verroerde ik me niet en bleef ik in het brede gangpad staan. De verkoopster kwam nog een keer lachend voorbij. Maar toen ik keek waar Cora was gebleven en ik haar niet meteen zag, dwong ik mezelf om in beweging te komen en ging ik achter haar aan.

14

'Wauw,' zei Nate. 'Wat zie jij er gaaf uit.'

Dit was precies de reactie die ik had willen voorkomen, helemaal omdat Cora me herhaaldelijk had verzekerd dat mijn nieuwe kleren er absoluut niet nieuw uitzagen, zeg maar. Ze had het dus kennelijk mis.

'Het is maar een jas, hoor,' zei ik tegen hem, toen ik mijn autogordel om me heen trok. Terwijl ik dit deed, keek ik naar Gervais, die me ook al uitgebreid zat te bestuderen. 'Is er iets?'

'Nee,' zei hij, en hij kromp een beetje ineen. Ik zuchtte hoofdschuddend en keek naar Nate, die halfslachtig lachend achter het stuur zat. 'Wat is de reden voor deze onverwachte make-over? Een spannende date voor Valentijnsdag, of zo?'

'Nee hoor,' zei ik. Hij lachte, zette de auto in de eerste versnelling en reed weg. Toen we echter bij het stopbord aan het eind van de straat stonden, leunde hij naar me toe, kneep in mijn knie en liet zijn hand daar liggen toen we de hoek om gingen.

Het was inmiddels februari, wat inhield dat Nate en ik nu ruim een maand deden wat we deden – uitgaan, zoenen, bijna ieder vrije seconde samen doorbrengen. En ik moest toegeven dat ik daar vrolijk van werd, bijna altijd tenminste. Maar hoe goed we elkaar ook leerden kennen, zijn vader bleef altijd tussen ons in staan. Hij praatte daar met mij nooit over. Hoewel dit het enige was, woog het op de een of andere manier zwaar. Alsof, ook al ging het nog zo goed tussen ons, dat toch maar betrekkelijk was.

Valentijnsdag bijvoorbeeld, wat het een dag later was. Normaal gesproken zou ik blij zijn geweest dat ik een vriendje had (of iets wat erop leek) op de dag dat je je er erg bewust van zou zijn als je er geen had. Maar zelfs als Nate hintte dat hij grootse plannen had – die zo te horen erg geheim, goed uitgewerkt en nog niet helemaal rond waren – kon ik me er nog steeds niet aan overgeven en ervan genieten. UW ZORGEN had een speciale aanbieding voor het verzorgen en bezorgen van cadeaus en bloemen voor zijn klanten, en er werd massaal gebruikgemaakt van deze service. Als gevolg daarvan hadden ze het die dag hartstikke druk, net zoals met Thanksgiving, en ik was nog niet vergeten hoe dat was afgelopen.

'Het komt helemaal goed,' had Nate me de avond ervoor verzekerd, toen we bij de vijver zaten en ik erover was begonnen. We spraken daar 's avonds wel vaker af, tussen ons huiswerk en werk in, ook al hadden we vaak niet veel tijd. 'Ik bezorg 's middags en zorg dat ik om een uur of zeven klaar ben. Dan hebben we meer dan genoeg tijd voor mijn plannen.'

'En die zijn?' vroeg ik.

'Daar kom je vanzelf wel achter.' Hij boog zich naar me toe en veegde het haar uit mijn gezicht. Achter hem zag ik het licht van het zwembad boven het hek schijnen, en zelfs toen hij zich naar me toe boog om me op mijn slaap te kussen, was ik afgeleid, omdat ik wist dat hij eigenlijk aan die kant van het hek zou moeten zijn om cadeaus in te pakken. Zijn vader kon elk moment naar buiten komen om vast te stellen dat Nate verdwenen was. Dit moest duidelijk van mijn gezicht te lezen zijn geweest, want al snel ging hij weer rechtop zitten. 'Wat is er?'

'Niks.'

'Je kijkt zo bezorgd.'

'Niet waar.'

'Weet je,' zei hij serieus. 'Je moet je niet druk maken om mijn cadeautje. Ik verwacht helemaal niks spectaculairs. Zolang het maar super is, vind ik het allang goed.'

Ik keek hem alleen maar aan, en had er eens te meer spijt van dat ik een paar dagen daarvoor tegen Olivia had gezegd dat ik stress had omdat ik niet wist wat ik voor Nate moest kopen. Ze had dat uiteraard meteen doorverteld aan Nate. Maar los daarvan: ik had met Kerstmis ook al niks voor hem gehad, dus wilde ik het nu goedmaken door met iets leuks, het liefst spectaculair, op de proppen te komen.

'Het heeft niks met jouw cadeau te maken,' zei ik.

'Waarmee wel dan?'

Ik haalde mijn schouders op en keek weer achter hem naar het tuinhuis bij het zwembad. Hij draaide zich om en keek dezelfde kant op. Toen het kwartje viel, keek hij weer naar mij. 'Er is niks aan de hand, oké? Ik ben klaar met werken,' zei hij. 'Ik sta geheel tot je beschikking.'

Maar dat was het hem nou juist. Zelfs nu – met zijn tweetjes bij de vijver, zijn benen om de mijne geslagen, of met zijn hand op mijn knie in de auto – ik had nooit het gevoel dat ik Nate voor mezelf had; ik voelde altijd dat er aan hem werd getrokken. Maar het vreemde was dat mijn vorige vriendjes – en Marshall in het bijzonder – zich nooit volledig aan mij gegeven hadden, en ik me niet aan hen. Toch was dat altijd meer dan genoeg geweest.

Nu reden we het parkeerterrein van Perkins op en sprong Gervais uit de auto om zoals iedere dag naar het schoolgebouw te sprinten. Zodra het portier achter hem dichtviel, boog Nate zich over de console naar me toe om me te kussen. 'Je ziet er geweldig uit,' zei hij. 'Waardoor ben je uit-

eindelijk overstag gegaan en heb je die cadeaubonnen uit-
gegeven?'

'Ik ben niet overstag gegaan. Cora heeft me in de val ge-
lokt en heeft me meegenomen naar *Esther Prine*. Me verzetten had geen zin.'

'Voor de meeste meisjes zou dat een droom zijn die uitkwam, geen marteling.'

Ik leunde hoofdschuddend achterover. 'Waarom zegt iedereen dat toch steeds? Wie zegt dat, omdat ik toevallig een
meisje ben, ik geprogrammeerd ben om honderdtachtig dollar aan een spijkerbroek uit te geven?'

Nate stak afwerend zijn handen op en leunde achterover.
'Effe dimmen,' zei hij. 'Het is toch gewoon zo?'

'Niet dus.' Ik keek omlaag, naar mijn dure spijkerbroek,
mijn schoenen (van suède, niet uit de uitverkoop) en mijn
jasje (van soepel leer. Ik had nog nooit van het merk gehoord). Wie was toch dat meisje in die chique kleding, op
deze dure school, met dat voor alle doelen geschikte vriendje, van wie ze vond dat hij zich emotioneel niet genoeg
blootgaf? Het leek wel of ik was gehersenspoeld of zo.

Nate zat me nog steeds zonder iets te zeggen aan te kijken. 'Sorry,' zei ik uiteindelijk. 'Ik weet het niet... Het is een
beetje overweldigend, allemaal.'

'Overweldigend,' herhaalde hij.

Ik wist dat ik eigenlijk zou moeten zeggen dat ik me zorgen om hem maakte. Maar ik had nog steeds niet genoeg
moed verzameld om dat te doen. En daar was ik me, ook
deze keer, weer enorm van bewust.

'Bovendien,' zei ik, terwijl ik mijn knie tegen de zijne
legde, 'hebben we dat gedoe met jouw cadeau nog.'

'Mijn cadeau,' herhaalde hij, terwijl hij één wenkbrauw
optrok.

'Er komt gewoon zoveel bij kijken,' zei ik zuchtend met

mijn hoofd schuddend. 'Zóveel. En een werk dat het is! Ik heb zelf moeite om het allemaal bij te houden.'

'O ja joh?' zei hij.

'Ik mag van geluk spreken als ik het op tijd af heb van-avond, eerlijk gezegd.'

'Ja ja.' Hij dacht hier even over na. 'Ik moet toegeven dat ik het reuzespannend vind.'

'En terecht.'

Hij lachte en aaide met zijn hand over mijn jas. 'Gave jas hoor. Wat zit er aan de binnenkant?'

'De binnenkant...' zei ik, toen hij zijn hand onder het jasje op mijn schouder legde en het over mijn arm naar beneden liet glijden. 'O, ik weet het al. Die is minstens zo indruk-wekkend.'

'O ja? Dat wil ik dan weleens zien.' Hij liet het jasje ook van mijn andere schouder glijden. Ik schudde mijn hoofd. 'Weet je, je hebt gelijk. Gave trui ook. Welk merk?'

'Geen flauw idee,' zei ik.

Ik voelde hoe zijn hand in een vloeiende beweging van mijn middel langs mijn rug omhoogging naar het label in mijn nek. 'Lanoler,' las hij langzaam terwijl hij bukte, zodat zijn lippen mijn sleutelbeen raakten. 'Goed gemaakt, zo te zien. Hoewel je het moeilijk met zekerheid kunt zeggen. Misschien zie ik het beter als ik...'

Ik keek naar buiten, waar ik mensen met bekers koffie en rugzakken richting grasveld zag lopen. 'Nate,' zei ik, 'de bel kan ieder moment gaan.'

'Je bent zo gewetensvol,' zei hij. Zijn stem werd gedempt door mijn trui, die hij nog steeds probeerde uit te trekken. 'Sinds wanneer is dat eigenlijk?'

Ik zuchtte en keek op het dashboardklokje. We hadden nog vijf minuten voor we officieel te laat zouden komen. Niet echt veel tijd dus, maar misschien was ook dat wel te veel gevraagd. 'Goed dan,' zei ik, terwijl zijn lippen naar de achterkant van mijn nek gingen. 'Leef je uit.'

*_**

Toen ik die middag thuiskwam, zat Jamie aan het kookeiland met zijn laptop. Toen hij me hoorde, sprong hij vlug op, pakte het brood en hield dat voor zich alsof hij opeens heel veel zin had in een boterham.

Ik trok mijn wenkbrauwen op. 'Wat doe jij nou?'

Hij blies hoorbaar uit. 'Ik dacht dat je Cora was,' zei hij, en hij gooide het brood neer. 'Pfoe! Je liet me schrikken. Ik heb té veel moeite gedaan, ze mag er nu niet achter komen.'

Toen hij weer ging zitten, zag ik dat het aanrecht bezaaid lag met stapels cd's, sommige nog in het doosje, andere overal verspreid. 'Krijgt ze dit voor Valentijnsdag?'

'Onder andere,' zei hij, en hij haalde een cd uit een doosje. 'Dit is de derde of vierde golf.'

'Golf?'

'Dat is mijn Valentijnsdagtechniek,' legde hij uit, terwijl hij het schijfje in zijn laptop stopte. Ik hoorde gezoem, een paar klikken, en toen flikkerde het scherm. 'Ik heb meerdere cadeaus, die ik in volgorde van gaafheid ga geven, verspreid over de dag. Je begint dus met een bos bloemen, gaat over op chocolaatjes, een paar ballonnen misschien. En dan krijgt ze dit, maar wel vóór we uitgebreid gaan eten. Ik weet alleen nog steeds niet in welke volgorde ik de nummers ga zetten.'

'Ik snap het,' zei ik mistroostig terwijl ik tegenover hem ging zitten en een cd van Bob Dylan pakte.

Hij keek naar me. 'Wat is er? Ga me nou niet vertellen dat je een hekel hebt aan Valentijnsdag. Iedereen is er dól op.'

Ik overwoog even om hiertegenin te gaan, maar aangezien hij dat ook had gezegd over Thanksgiving, Kerstmis en oud en nieuw, besloot ik dat het niet de moeite was om er ruzie over te maken. 'Ik kom er gewoon niet uit,' zei ik. 'Ik moet iets kopen voor iemand...'

'Voor Nate,' zei hij, terwijl hij bezig was met zijn laptop. Ik keek hem aan. 'Doe me een lol, Ruby. Hoe achterlijk denk je dat we zijn? Bovendien kijken bijna alle kamers hier in huis uit op de vijver, ook 's avonds.'

Ik beet op mijn lip en speelde met het cd-doosje. 'Hoe dan ook,' zei ik, 'ik wil iets heel gaafs kopen. Maar ik kan niks bedenken.'

'Dat komt omdat je er veel te veel mee bezig bent,' zei hij. 'De beste cadeaus komen uit je hart, niet uit een winkel.'

'En dat zegt de man die zijn cadeaus in golven koopt.'

'Dit cadeau koop ik niet,' maakte hij duidelijk met een knikje naar de laptop. 'Ik heb de cd's inderdaad gekocht, dat klopt. Maar mijn hart heeft me het idee ingegeven.'

'Wat wordt het dan precies?'

'Een verzameling van alle liedjes die Cora graag zingt,' zei hij, en hij klonk erg blij met zichzelf. 'Geen gemakkelijke klus, als je dat soms denkt. Ik heb eerst een lijst gemaakt en ben daarna de cd's gaan kopen. In de winkel of op internet. Voor de echt onbekende nummers moest ik de hulp inroepen van een gozer die iemand op kantoor kent van zijn cursus agressiebeheersing en die heel veel van muziek weet. Maar het is uiteindelijk gelukt. *Wasted Time, Franky and Johnny, Don't Think Twice, It's All Right...*'

'*Angel from Montgomery,*' zei ik zacht.

'Precies!' Hij grijnsde. 'Ik kan jouw hulp trouwens wel gebruiken, nou ik erover nadenk. Zou je even naar de lijst willen kijken of ik iets vergeten ben?'

Hij schoof een vel papier naar me toe en ik las de titels

van de liedjes die mijn moeder altijd voor me had gezongen. 'Ik geloof,' zei ik na een tijdje, 'dat je ze allemaal hebt.'

'Super.' Hij drukte op een toets en haalde de cd eruit, die hij op het aanrecht legde. Ik stond op. 'Waar ga je naartoe?'

'Shoppen,' zei ik, en ik pakte mijn tas. 'Ik moet nog iets spectaculairs zien te scoren.'

'Komt goed,' zei hij. 'Zolang je maar onthoudt dat het uit je hart moet komen. Met dat als uitgangspunt kan het niet verkeerd gaan.'

Daar was ik nog steeds niet zo zeker van, ook niet toen ik in het winkelcentrum was, waar je struikelde over de harten. Harten van ballonnen, koekjes, op T-shirts, van chocolade, in de pootjes van pluizige teddyberen. Maar na tig winkels had ik nog steeds niks gevonden voor Nate.

'Als je het mij vraagt,' zei Harriet toen ik een uur later bij haar op een kruk plofte voor wat broodnodige rust, 'zeg ik dat ik vind dat het een hoop flauwekul is, bedacht door fabrikanten van wenskaarten. Als je echt van iemand houdt, moet je dat iedere dag laten zien, niet alleen op Valentijnsdag.'

'En daarom,' zei Reggie vanuit zijn stalletje, 'heb je er niks op tegen om armbanden en diverse ringen in de aanbieding te doen.'

'Natuurlijk niet!' zei ze. 'Ik ben een zakenvrouw. Als die dag dan toch bestaat, kan ik er net zo goed van profiteren.'

Reggie keek geërgerd en ging verder met het aanvullen van de vitaminepillen. 'Ik wil gewoon een goed cadeau,' zei ik. 'Iets met een speciale betekenis.'

'Probeer er even niet aan te denken,' antwoordde ze, terwijl ze een paar kettingen recht hing. 'Je zult zien dat je dan opeens weet wat je moet hebben.'

Ik keek hoe laat het was. 'Ik heb nog zesentwintig uur. Niet bepaald veel om getroffen te worden door inspiratie.'

'O.' Ze nam nog een slok van haar koffie. 'Nou, geef hem dan maar gewoon zo'n doos bitterkoekjes die ik met Kerstmis van jou kreeg. Dan zit je altijd goed.'

Zover hoefde ik het gelukkig niet te laten komen, al kocht ik uiteindelijk iets wat niet veel beter was: een cd-bon. Niet echt spectaculair, of gepast. Toen ik verslagen naar huis liep, hoopte ik dat Harriet gelijk had, en dat ik, in de korte tijd die ik nog had, iets beters zou bedenken.

Dat was de volgende ochtend echter nog steeds niet gebeurd, en dat werd nog eens extra onderstreept toen ik wilde ontbijten en regelrecht in Jamies eerste golf liep. Er stonden achtenveertig rozen in verschillende kleuren in een aantal vazen in de keuken, allemaal met een grote witte strik eromheen. Cora zat aan het aanrecht blozend een van de kaartjes te lezen die erbij hoorden terwijl ik koffie voor mezelf inschonk.

'Hij overdrijft áltijd met Valentijnsdag,' zei ze, maar ze leek best van haar stuk gebracht toen ze de kaart in haar tas stopte. 'Het eerste jaar dat we getrouwd waren, kreeg ik een nieuwe auto.'

'Wauw,' zei ik.

'Zeg dat wel. Ik wist niet wat ik zag.' Ze pakte zuchtend haar beker. 'Het was zo lief bedoeld, maar ik vond het vreselijk. Ik had alleen een kaart voor hem.'

Ik slikte. 'Ik moet gaan.'

Toen ik tien minuten later naar Nates auto liep, besloot ik dat ik maar beter helemaal niet meer aan Valentijnsdag kon denken. Toen ik het portier opentrok, bleek dat makkelijker gezegd dan gedaan; ik stond oog in oog met een grote mand met bloemen en snoepgoed.

'Sorry,' kwam Nates stem ergens achter de ballonnen die aan de mand hingen vandaan. 'Het is een beetje krap. Vind je het erg om die mand op schoot te nemen?'

Ik pakte de mand, ging zitten en trok het portier dicht. Meteen daarna rook het ontzettend naar rozen, en toen ik me omdraaide zag ik hoe dat kwam: de hele achterbak lag vol met bossen rozen van verschillende lengtes, driehoog opgestapeld. 'Waar is Gervais?' vroeg ik.

'Hier,' hoorde ik iemand met gedempte stem zeggen. Er ging een enorme bos gipskruid opzij en zijn gezicht kwam tevoorschijn. 'En ik denk dat ik ergens allergisch voor ben.'

'Nog heel even volhouden graag,' zei Nate, en hij draaide zijn raamoje open terwijl hij wegreed. Zijn telefoon ging, de console ratelde ervan, en ik keek langs de bloemen op mijn schoot hoe hij opnam en hem tegen zijn oor hield. 'Klopt,' zei hij, en hij remde af bij een stoplicht. 'Ik ben nu onderweg naar school, dus ik begin over een minuut of tien met de lijst. Ik ga eerst naar Lakeview, dan naar het industrieterrein. Ja. Oké. Doei.'

'Moet je niet naar school?' vroeg ik toen hij had opgehangen.

'Werk gaat voor het meisje,' zei hij, en hij klapte zijn telefoon dicht. 'Mijn vader heeft iets te veel aanbiedingen verkocht, dus we hebben het hartstikke druk. We mogen blij zijn als we het allemaal afkrijgen, zelfs als we allebei de hele dag aan de slag gaan.'

'Dat meen je niet,' zei ik zacht.

'Geen paniek,' zei hij, toen zijn telefoon weer ging. 'Ik ben op tijd klaar voor onze date van vanavond.'

Maar daar maakte ik me helemaal niet druk om, en ik vroeg me af of hij dat wist. Dat was moeilijk te zeggen, want hij zat weer met zijn vader te bellen terwijl hij ons bij school afzette en Gervais en ik uitstapten. Toen Gervais niezend wegliep, zette ik de mand die ik in mijn handen had terug op de stoel. Ik bleef bij het geopende portier staan wachten tot Nate ophing. Toen hij dat deed, reed hij al half weg.

'Ik moet gaan,' riep hij me over de bloemen toe. 'Ik zie je vanavond, oké? Om zeven uur bij de vijver. Zorg dat je op tijd bent.'

Ik knikte en gooide het portier dicht. Hij zat al met zijn telefoon aan zijn oor toen hij invoegde. Het enige wat ik zag toen ik wegreed, was een aantal hartvormige ballonnen in het achterraam. Ze zwaaiden heen en weer en omhoog en omlaag, van de ene naar de andere kant.

∗

Jamie en Cora gingen uit eten – ze zaten ongetwijfeld midden in een van Jamies golven – dus ik was alleen. Ik zat aan de keukentafel naar die stomme cd-bon te kijken, toen de klok van het fornuis op zeven uur sprong.

Ik stond op, stopte de bon in mijn zak, haalde een hand door mijn haar en liep naar buiten, de patio op. Roscoe sleepte zichzelf uit zijn mand om me achterna te lopen. Het was koud buiten, en ik zag het lichtschijnsel van het huis en zwembad van Nate over het hek.

Noem het een slecht voorgevoel. Of een logisch vervolg van een onvermijdelijke situatie. Maar nog voor het eerste kwartier voorbij was, wist ik dat hij niet zomaar te laat was, maar dat er iets anders aan de hand was. Ik wist het nog vóór mijn vingers gevoelloos werden – ook al zaten ze diep in de zakken van mijn nieuwe jasje – en Roscoe de warmte binnen ging opzoeken, en ik aan de andere kant van het hek een ander licht zag aangaan, waardoor de bomen kort oplichtten. Het licht ging weer uit en ik zat wederom in het donker. Het was kwart over acht toen ik Cora in de deuropening zag verschijnen, turend met een hand boven haar ogen. Even later stak ze haar hoofd naar buiten.

'Alles goed?' vroeg ze. 'Het is hartstikke koud.'

'Hebben jullie lekker gegeten?' vroeg ik.

'Fantastisch.' Ze keek achterom naar Jamie, die met een tas met overgebleven eten uit het restaurant door de keuken liep. 'Je moet echt snel die cd horen die hij voor me heeft gemaakt. Hij is...'

'Ik kom zo,' zei ik. 'Heel even nog.'

Ze knikte bedachtzaam. 'Prima,' zei ze. 'Maar blijf niet te lang wachten.'

Maar ik had al te lang gewacht. Niet slechts een uur en een kwartier, maar al sinds Thanksgiving. Ik had toen al tegen Nate moeten zeggen dat ik het niet kon opbrengen om slechts toe te mogen kijken terwijl ik zag dat het niet goed met hem ging. Maar ik had maanden voorbij laten gaan, mijn gevoelens onderdrukt, en nu, in de februarikou, kreeg ik precies wat me toekwam.

Toen ik terugging naar binnen, probeerde ik mezelf af te leiden met huiswerk en tv-kijken, maar ik bleef de hele tijd naar Nates huis en zijn raam kijken, dat ik vanuit mijn eigen raam prima kon zien. Ik zag in zijn kamer een gestalte achter het gordijn heen en weer lopen. Na een tijdje stopte het en stond de gestalte zó stil, dat ik me afvroeg of het wel iemand was.

Een uur later ging de telefoon. Cora en Jamie zaten beneden, chocolaatjes uit de tweede golf etend, naar haar cd te luisteren. Hun stemmen en de muziek dreven naar me toe. Ik keek niet eens wie het was, maar bleef gewoon op bed liggen toen Jamie me riep. Ik bestudeerde de hoorn even, en nam toen op. 'Met Ruby?'

'Ik weet dat je waarschijnlijk boos bent,' zei Nate. 'Maar kom je alsjeblieft nog even naar buiten?'

Ik gaf geen antwoord. Niet dat het er iets toe deed. Hij had al opgehangen, de kiestoon gonsde al in mijn oor.

Billie Holiday stond op toen ik naar beneden en naar buiten liep, het gazon over. Het gras voelde hard en onbuigzaam onder mijn voeten. Ik ging deze keer niet zitten, maar bleef met mijn handen voor mijn borst gekruist staan toen Nate tevoorschijn kwam uit de schaduw. Hij hield één hand op zijn rug en had een grijns op zijn gezicht.

'Ik weet het,' zei hij, nog voor hij bij me was. 'Meer dan twee uur te laat komen is niet de verrassing waarop je had gehoopt. Maar het was een gekkenhuis vandaag, ik ben net pas thuis, en ik maak het goed met je. Beloofd.'

We stonden precies in het gedeelte waar het licht uit Cora's huis en dat van Nate niet kon komen, dus ik zag zijn gezicht niet goed. Maar toch wist ik dat er iets niet klopte: hij was zenuwachtig, rusteloos zelfs.

'Je bent allang thuis,' zei ik. 'Er brandde licht in je kamer.'

'Klopt, maar we moesten nog van alles doen,' zei hij luchtig, maar hij ging wel langzamer lopen. 'Ik moest nog opruimen en rekeningen in orde maken. En dit moest ik ook nog inpakken.'

Hij haalde zijn hand achter zijn rug tevoorschijn en overhandigde me een doosje, met een eenvoudige strik eromheen. 'Nate,' zei ik.

'Maak open,' zei hij. 'Het wil niet zeggen dat alles dan meteen weer in orde is, maar misschien helpt het een beetje.'

Ik pakte het doosje aan maar maakte het niet open. In plaats daarvan ging ik op het bankje zitten met het doosje tussen mijn knieën. Nate kwam naast me zitten. Nu ik hem van dichterbij kon bekijken, zag ik dat hij vlekken in zijn nek had, de huid boven zijn boord was roze. 'Ik weet dat je al een paar uur thuis bent,' zei ik zacht. 'Wat was er nou allemaal aan de hand?'

Hij legde één been op het bankje, zodat hij me beter kon aankijken. 'Niks. We hebben nog twee uur voor Valentijnsdag voorbij is. Maak nou je cadeau maar open, en laten we er nog iets van maken.'

'Ik hoef geen cadeau,' zei ik, en ik klonk scherper dan mijn bedoeling was. 'Ik wil weten wat er vanavond is gebeurd.'

'Het duurde allemaal wat langer met mijn vader,' antwoordde hij. 'Da's alles.'

'Dat is alles?' herhaalde ik.

'Wat moet ik er nog meer over zeggen dan?'

'Heb je enig idee hoe bezorgd ik ben geweest? Hoe ik hier de hele avond naar jullie huis heb zitten kijken, en me heb zitten afvragen of alles goed met je was?'

'Het gaat prima met me,' zei hij. 'En ik ben er nu toch? Samen met jou, op Valentijnsdag. Ik heb hier de hele dag naar uitgekeken. En nu ik eenmaal hier ben, kan ik wel honderd dingen bedenken die ik liever doe dan over mijn vader praten.'

Ik keek hoofdschuddend over het water.

'Zoals,' ging hij verder, terwijl hij zijn handen aan weerszijden naast me zette, 'mijn cadeau, bijvoorbeeld. Ik heb gehoord dat het spectaculair is.'

'Echt niet,' zei ik met vlakke stem. 'Het is een cadeaubon. Niks aan.'

Hij leunde enigszins achterover om naar me te kunnen kijken. 'Oké,' zei hij bedachtzaam. 'Misschien moesten we maar niet meer praten.'

Terwijl hij dit zei, voelde ik hem dichterbij komen, tot hij met zijn lippen mijn oor raakte en daarna mijn nek. Normaal gesproken was dit voldoende om alles even opzij te zetten, in elk geval tijdelijk. Hem zo ontegenzeggelijk dicht bij me te hebben maakte de afstand op andere gebieden onbelangrijk. Vanavond voelde het echter anders. 'Niet doen,' zei ik, terwijl ik achteruitdeinsde en mijn handen opstak. 'Oké? Stoppen.'

'Wat is er?'

'Wat er is? Weet je, je kunt niet gewoon komen opdagen, zeggen dat er niets aan de hand is, gaan lopen zoenen en van mij verlangen dat ik daarin meega.'

'Bedoel je,' zei hij langzaam, 'dat ik je niet mag kussen?'

'Ik bedoel dat je moet kiezen,' zei ik tegen hem. 'Je kunt niet net doen alsof je veel om iemand geeft zonder dat je diegene ook om jou laat geven.'

'Dat doe ik helemaal niet.'

'Dat doe je wél,' zei ik. Hij wendde zich hoofdschuddend af. 'Toen we elkaar net kenden, had je er je handen vol aan om mij steeds te redden. Die ene avond bij het hek, toen je me kwam halen in de buurt van Jackson...'

'Dat is iets heel anders.'

'Hoezo dan? Omdat het toen over mij ging, en niet over jou?' vroeg ik. 'Denk je soms dat jij, omdat je anderen helpt en hun leven aangenamer maakt, beter bent dan zij en geen hulp nodig hebt?'

'Nee.'

'Je vindt het dus niet erg dat je vader tegen je loopt te schreeuwen en je als oud vuil behandelt?'

'Dat is iets tussen mijn vader en mij,' zei hij. 'Daar moet je je niet mee bemoeien.'

'Dat is toch precies hetzelfde als toen ik nog in dat krot woonde?' zei ik tegen hem. 'Wou je soms beweren dat je me daar had achtergelaten als ik je daarom had gevraagd? Of toen op de open plek in het bos?'

Nate wilde hier antwoord op geven, maar uiteindelijk zuchtte hij alleen maar.

Eindelijk, dacht ik. *Ik begin tot hem door te dringen.*

'Ik snap niet,' zei hij, 'waarom die twee dingen altijd in één adem genoemd moeten worden.'

'Welke twee dingen?'

'Mijn vader en ik, en ik en de rest van de wereld.' Hij schudde zijn hoofd. 'Dat zijn twee totaal verschillende dingen. Ze líjken niet eens op elkaar.'

Door dat ene woord – altijd – kwam er een herinnering bij me naar boven. Heather en ik, toen Jamie en ik vissen gingen kopen. 'Je weet maar nooit, hè?' had ze gezegd toen ik zei dat één vriend meer of minder geen verschil maakte. Zoals hij haar verdrietig aankeek, iedere ochtend als we naar het grasveld liepen; alle geruchten, die misschien geen van alle klopten. 'Daarom zijn Heather en jij dus uit elkaar gegaan,' zei ik bedachtzaam. 'Het ging er helemaal niet om dat ze niet kon omgaan met de situatie. Het ging erom dat ze je niet mocht helpen.'

Nate zat zonder iets te zeggen naar zijn handen te kijken. En ik maar denken dat Heather en ik zo verschillend waren. Maar ook wij hadden overeenkomsten, de hele tijd al.

'Er is toch wel iemand aan wie je je verhaal kwijt kunt?' zei ik. 'Je moeder, of...'

'Ik kan het niet,' zei hij. 'En het heeft toch ook geen zin? Snap je dat nou echt niet?'

Hij had dat een paar weken daarvoor ook al gevraagd, en toen had ik geantwoord dat ik het begreep. Maar nu lag het anders. Nate mocht dan denken dat het gedoe met zijn vader geen invloed had op de rest van zijn leven, maar ik wist, diep in mijn hart, dat dit niet waar was. Mijn moeder was altijd een beetje bij me, waar ze tegenwoordig ook mocht uithangen. In mijn gedrag, de dingen waar ik bang voor was, de manier waarop ik de laatste keer had gereageerd toen hij met deze vraag kwam. Daarom moest ik deze keer wel 'nee' zeggen.

Maar eerst legde ik mijn hand op zijn borst, op de plek waar ik eerder die avond die vlekken had gezien. Hij sloot zijn ogen en leunde tegen mijn hand, en ik voelde zijn lichaamswarmte toen ik langzaam zijn shirt opzijschoof.

Noem het maar weer een slecht voorgevoel, of wat dan ook, maar op zijn schouder was zijn huid niet roze maar donkerrood en verkleurd. Je zag dat hij een grote blauwe plek kreeg. 'O, mijn god,' zei ik met een brok in mijn keel. 'Nate toch.'

Hij kwam dichterbij zitten, legde zijn hand op de mijne en kneep erin, en toen kuste hij me weer, onverwacht en heftig, alsof hij zo probeerde mijn woorden en de reden waarom ik ze had gezegd weg te duwen. Er zat zoveel hunkering in, en het was zo lekker, dat ik bijna vergat wat de aanleiding was geweest. Bijna, maar niet helemaal.

'Niet doen,' zei ik, en ik trok me terug. Hij verroerde zich niet, zijn mond bleef vlak bij de mijne, maar ik schudde mijn hoofd. 'Ik kan het niet.'

'Ruby,' zei hij. Mijn hart brak, maar ik kon alleen maar naar de reden van zijn opzijgeschoven shirt kijken.

'Alleen als je me je laat helpen,' zei ik. 'Je moet je openstellen voor me.'

Hij ging rechtop zitten, en schudde zijn hoofd. Achter hem zag ik de lichten van het zwembad flikkeren – een vreemd, onwerkelijk schijnsel. 'En als ik dat niet doe?' zei hij.

Ik moest een keer hard slikken. 'Dan,' zei ik, 'kun je maar beter gaan.'

Heel even dacht ik dat hij zou blijven. Dat hij eindelijk van gedachten zou veranderen. Maar toen hij ging staan, zijn shirt rechttrok en de afstand tussen ons steeds groter werd, werd alles weer zoals het was. *Waarom maak je je het jezelf nou zo moeilijk?* wilde ik zeggen, maar ik wist dat ik vroeger precies hetzelfde gedaan zou hebben. Wie was ik om te denken dat ik iemand anders wel even kon vertellen wat hij moest doen? Ik had daar zelf ook nooit voor opengestaan.

'Nate,' riep ik, maar hij liep al weg, met gebogen hoofd, in de richting van de bomen. Ik keek toe hoe hij ertussen verdween, en weg was hij.

Ik had een brok in mijn keel toen ik opstond. Het cadeautje dat ik van hem had gekregen lag nog op het bankje. Ik pakte het en bekeek het roze papier en de keurige strik. Het was zo mooi ingepakt dat het eigenlijk niet meer uitmaakte wat erin zat.

Eenmaal binnen probeerde ik te doen alsof er niets was gebeurd en wilde ik zo snel mogelijk naar mijn kamer. Maar toen ik naar boven liep, kwam Cora de woonkamer uit lopen, waar haar cd nog steeds opstond – een nummer van Janis Joplin – met de doos met chocolaatjes in haar handen. 'Wil je...?' Ze zweeg abrupt. 'Wat is er aan de hand?'

Ik wilde zeggen dat alles goed ging, maar uiteraard vulden mijn ogen zich meteen met tranen. Toen ik naar de muur keek en een keer diep ademhaalde in een poging een beetje te kalmeren, kwam ze naar me toe. 'Hé.' Ze streek met een lief gebaar het haar van mijn schouder. 'Wat is er?'

Ik slikte en veegde mijn ogen af. 'Niks.'

'Zeg het nou maar gewoon.'

Was het maar zo makkelijk, dacht ik. Maar toch hoorde ik mezelf zeggen: 'Ik weet niet...' en mijn stem klonk alsof het niet de mijne was, '... hoe ik iemand moet helpen die niet geholpen wil worden. Wat moet je doen als er niets is wat je kunt doen?'

Cora zweeg even, en in deze stilte zette ik me schrap voor de haar volgende vraag, die ongetwijfeld nog een stap verder zou gaan. Maar ze zei: 'Lieve Ruby toch. Ik weet hoe je je voelt. Ik weet hoe moeilijk het is.'

De tranen begonnen nu echt te stromen, mijn blik werd troebel. 'Ik... ik had moeten weten dat deze cd je aan vroeger zou doen denken,' zei ze. 'Wat stom van me. Maar mama is niet langer jouw verantwoording, dat weet je toch? We kunnen niets voor haar doen. We moeten voor elkaar zorgen, oké?'

Mijn moeder. Natuurlijk dacht ze dat het over haar ging. Over wie zou het anders kunnen gaan? Zou er ooit een vergelijkbaar verlies kunnen zijn? Nee. Nooit.

Cora stond nog steeds achter me te praten. Door mijn tranen hoorde ik haar zeggen dat het allemaal wel weer goed zou komen, en ik wist zeker dat ze dat zelf ook echt geloofde. Maar ik geloofde iets anders: het was veel eenvoudiger om te dwalen dan om gered te worden. Daarom zijn we voortdurend op zoek naar iets wat we niet kunnen vinden – er zijn zóveel sloten, en niet genoeg sleutels.

15

'Zoals je ziet,' zei Harriet, en ze gebaarde met haar hand naar het stalletje, 'werk ik vooral met zilver en gebruik ik halfedelstenen als accenten. Soms gebruik ik goud, maar daar haal ik minder inspiratie uit.'

'Ik snap het,' antwoordde de verslaggeefster, en ze krabbelde het neer terwijl haar fotograaf, een lange man met een snor, een ketting ergens anders hing en weer een foto maakte. 'En hoe lang zit je hier al?'

'Zes jaar.' De vrouw noteerde dit, Harriet keek ondertussen naar Vitamin Me, waar Reggie en ik stonden. Ik stak mijn duimen op, ze knikte en wendde zich weer tot de verslaggeefster.

'Het gaat hartstikke goed,' zei Reggie, en hij bouwde verder aan de toren van omega-3-potjes, die bij een bordje met VIS MAAKT FIT kwam te staan. 'Ik vraag me af waar ze zich nou zo druk om maakte.'

'Omdat het Harriet is,' zei ik tegen hem. 'Ze maakt zich constant druk.'

Hij zuchtte en zette nog een flesje op de toren. 'Het komt door de cafeïne. Als ze daarmee zou stoppen, zou haar hele leven veranderen. Daar ben ik van overtuigd.'

De eerlijkheid gebood me te zeggen dat het leven van Harriet al flink aan het veranderen wás, hoewel koffie daar volledig buiten stond. Het kwam door de SleutelHangers – zo noemde ze de sleutelkettingen sinds Kerstmis – die inmiddels veel beter verkochten dan de rest en zo langza-

merhand beroemd begonnen te worden. Er kwamen opeens mensen uit steden uit de buurt op af en er kwamen diverse telefoontjes binnen van mensen uit andere staten, die
wilden weten of we ook verzonden (ja) en of er een websi-
te was (wordt aan gewerkt; bijna klaar). Als ze geen telefoontjes of verzoeken zat af te handelen, was Harriet sleutels aan het maken. Ze voegde steeds nieuwe vormen,
maten en stenen toe, en experimenteerde met armbanden
en ringen. Hoe meer ze er maakte, hoe meer ze er verkocht. Het leek wel of alle meiden op school er een droegen, wat best gek was. En dan druk ik het nog zacht uit.

De verslaggeefster verzorgde het modekatern van de plaat-
selijke krant, en Harriet had zich al een week op haar komst
voorbereid, door aan nieuwe sieraden te werken en ons allebei te laten overwerken zodat het stalletje er tiptop uit zou
zien. En nu keken Reggie en ik toe hoe ze er – op aanwijzingen van de verslaggeefster – naast ging staan met een
SleutelHanger bezaaid met kristallen om haar nek en naar
de camera lachte.

'Moet je dat nou eens zien,' zei ik. 'Ze is een ster.'

'Dat kun je wel zeggen, ja,' zei Reggie, die ondertussen verder bouwde aan zijn toren. 'Maar niet omdat ze plotseling zo
beroemd is geworden. Harriet is altijd al bijzonder geweest.'

Hij zei dit zó losjes en nuchter, dat mijn hart er een beetje van brak. 'Weet je,' zei ik tegen hem toen hij nog een doos
met potjes openmaakte, 'dat zou je ook eens tegen haar
moeten zeggen. Hoe je over haar denkt, bedoel ik.'

'Dat heb ik allang gedaan,' zei hij.

'Echt waar? Wanneer dan?'

'Met Kerstmis.' Hij pakte een potje met haaienkraakbeen-
pillen, bestudeerde het, en zette het weer weg. 'We zijn toen
een keer een borrel gaan drinken. Ik had een paar marga-
rita's op en voor ik het wist, flapte ik het eruit.'

'En toen?'

'Gigantische misser,' zei hij zuchtend. 'Ze zei dat ze nu niet in een relatiehuisje zit.'

'Een relatiehuisje?'

'Zo noemde ze het, ja.' Hij haalde de doos leeg en vouwde hem op. 'De SleutelHangers lopen nu zo goed, dat ze vindt dat ze zich volledig op haar werk moet richten, en misschien wil ze zelfs wel gaan uitbreiden. Eén ding tegelijk, weet je wel.'

'Nou,' zei ik, 'da's lekker balen.'

'Geeft niet,' antwoordde Reggie. 'Ik ken haar al zo lang. Ze hecht zich niet snel aan mensen.'

Ik keek weer naar Harriet. Ze stond blozend naar de fotograaf te lachen, die nog een paar foto's nam. 'Ze weet niet wat ze laat lopen.'

'Wat lief van je,' zei Reggie, alsof ik een complimentje over zijn kleding had gemaakt. 'Maar soms moet je gewoon genoegen nemen met wat een ander je kan geven. Ook al is dat niet precies wat je wilde hebben, het is beter dan niets. Toch?'

Ik knikte, ook al dacht ik er anders over, zeker sinds mijn ruzie met Nate op Valentijnsdag. De afstand die ik tussen ons had willen bewaren had ik gekregen. En meer dan dat: hij was enorm groot geworden. Wat ik ook met Nate gehad mocht hebben – iets, niets, wat dan ook – het was voorbij.

Ik reed dus ook niet meer met Nate mee. Dat had ik besloten na een aantal pijnlijk stille ritjes. Ik zocht het busrooster maar weer op, zette de wekker, en maakte gebruik van het feit dat mijn lerares statistiek, mevrouw Gooden, altijd heel vroeg op school was, en me wel bijles wilde geven voor het eerste uur begon. Ik vroeg aan Gervais of hij het wilde doorgeven aan Nate. Als Nate al verbaasd was, liet hij het niet merken. Maar dat verbaasde mij dan weer niet; hij liet sowieso weinig los tegenwoordig.

Ik had zijn cadeautje nog steeds, omdat ik niet wist hoe ik het aan hem terug moest geven zonder dat het meteen beladen werd. Dus lag het, ingepakt en met de strik er nog omheen, op mijn commode, tot ik het uiteindelijk in een lade stopte. Je zou denken dat ik graag zou willen weten wat erin zat, maar dat was niet zo. Niet echt. Misschien had ik wel onbewust besloten dat je sommige dingen maar beter niet kon weten.

Wat Nate betrof: hij was voor zover ik kon zien altijd aan het werk. In het voorjaar had hij, net als de meeste andere eindexamenkandidaten – dat wil zeggen als je niet van een andere school kwam en wanhopig je best moest doen om je cijfers een beetje op te krikken in een poging ergens op een vervolgopleiding toegelaten te worden – niet bijster veel schoolwerk en dus genoeg tijd voor andere dingen. Terwijl de meesten tussen de lessen door een beetje rondhingen op het grasveld of uitgebreid gingen koffiedrinken, was Nate, iedere keer dat ik hem zag, schijnbaar constant in de weer. Meestal liep hij met dozen te sjouwen, zijn telefoon tegen zijn oor geklemd. Ik ging ervan uit dat UW ZORGEN goede zaken deed, hoewel ik het wel ironisch vond. Hij was de hele dag mensen aan het helpen en voor ze aan het zorgen. Alsof dat de enige opties waren als je zo'n soort leven leidde: je zorgde óf alleen voor jezelf en voor niemand anders, zoals ik dat had gedaan, óf je zorgde niet voor jezelf, maar wel voor de rest van de wereld, zoals Nate.

Ik had daar de afgelopen tijd iedere keer aan gedacht als ik langs de HELP-tafel liep, waar Heather Wainwright zoals gewoonlijk achter stond om donaties of handtekeningen in ontvangst te nemen. Ik had het haar sinds Thanksgiving kwalijk genomen dat ze bij Nate was weggegaan. Ik vond dat ze hem had laten stikken, maar nu dacht ik daar heel anders over. Ik bleef zelfs geregeld even staan kijken voor welk goed doel ze er stond. Meestal was ze druk in gesprek met andere mensen en lachte ze alleen maar naar me, en ze zei dat als ik iets wilde weten, ik het gewoon moest vragen. Op een dag, toen ik wat stond te lezen over het in stand houden van de kustlijn, waren we echter maar met zijn tweeën.

'Het is de moeite van actievoeren waard,' zei ze, terwijl ik de verschillende stadia van zanderosie stond te bekijken. 'Je moet het strand nooit zomaar voor lief nemen.'

'Goh,' zei ik. 'Dat wist ik niet.'

Ze zat achterovergeleund met een pen te spelen. Na een tijdje vroeg ze: 'En... hoe gaat het met Nate?'

Ik sloeg de brochure dicht. 'Ik zou het eerlijk gezegd niet weten,' zei ik. 'We hebben niet zoveel contact meer, tegenwoordig.'

'O,' zei ze. 'Wat jammer.'

'Valt wel mee, hoor,' zei ik. 'Het was... het werd allemaal te ingewikkeld. Snap je?'

Ik had niet verwacht dat ze hierop zou reageren. Maar ze legde haar pen neer. 'Zijn vader zeker?' zei ze. Ik knikte, en ze lachte treurig. 'Het spijt me dat ik het zeg, maar als je denkt dat je beter afstand kunt houden als je je er niet al te druk om wilt maken, dan heb ik nieuws voor je: zo werkt het niet.'

'Ik weet er alles van,' zei ik, en ik pakte de brochure er weer bij. 'Dat begin ik steeds meer in de gaten te krijgen.'

'Ik vond het zó erg om te zien hoe hij erdoor veranderde, weet je?' Ze streek zuchtend het haar uit haar gezicht. 'Het zwemmen bijvoorbeeld. Dat was zijn lust en zijn leven. En dat gaf hij uiteindelijk gewoon op, vanwege die hele toestand.'

'Hij heeft jou ook opgegeven, hè?' zei ik. 'Toch?'

'Ja,' zei ze met een zucht. 'Ik denk het wel, ja.'

Aan de andere kant van het grasveld werd opeens heel hard gelachen en we keken allebei waar het vandaan kwam. Toen het weer stopte, zei ze: 'Ik weet niet of je er iets mee kunt, maar ik denk dat ik beter mijn best had moeten doen. Ik had hem beter moeten steunen, of hem moeten dwingen om erover te praten. Ik wou dat ik dat gedaan had.'

'Echt waar?'

'Ik denk dat het me wel gelukt zou zijn,' zei ze. 'En dat vind ik misschien nog wel het moeilijkste. Dat ik hem, of mezelf, heb laten stikken. Snap je?'

Ik knikte. 'Ja,' zei ik. 'Dat snap ik heel goed.'

'Moet je horen,' zei een donkerharig meisje met een paardenstaart tegen Heather, terwijl ze op de lege stoel naast haar ging zitten. 'Het heeft een halfuur geduurd, maar ik heb meneer Thackray zover gekregen dat hij morgen nóg een keer laat omroepen dat we geld gaan inzamelen. Het lijkt me een goed idee om een nieuwe tekst te schrijven, een tekst die blijft hangen, zoals...'

Ik liep weg, het was duidelijk dat we uitgepraat waren. 'Pas goed op jezelf, Ruby,' riep Heather me na.

'Jij ook,' zei ik. Toen ze zich weer tot het meisje wendde, dat nog steeds zat te praten, graaide ik in mijn zak en haalde het wisselgeld van de lunch eruit, dat ik in de pot stopte waar RED HET STRAND! op stond. Het was maar een druppel op een gloeiende plaat. Maar ik voelde me er toch een beetje beter door.

Ook bemoedigend was het feit dat ik dan misschien Nate niet had kunnen helpen, maar dat iemand anders wél profiteerde van mijn acties. Gervais zat iedere dag van vijf over twaalf tot kwart over één bij mij aan tafel.

'Nogmaals,' zei hij, en hij wees met zijn potlood naar mijn boek, 'onthoud de machtregel. Dat is de sleutel tot alles wat we tot nu toe gedaan hebben.'

Ik zuchtte en probeerde me te concentreren. Ik moet eerlijk bekennen dat Gervais een goede leraar was. Ik snapte er al veel meer van dan voor hij met me aan de slag was gegaan, ook dingen die ik niet begreep als ik ze 's ochtends uitgelegd kreeg bij mevrouw Gooden. Maar er was nog steeds te veel afleiding. Ik had me aanvankelijk druk lopen maken over hoe Gervais met Olivia zou omgaan, of hij zich dermate lomp of verliefd zou gedragen dat ze meteen argwaan zou krijgen, en mij, heel terecht, de schuld zou geven. Maar dat bleek helemaal niet aan de orde te zijn. Ik was eerder zelf het derde rad aan de wagen.

'De machtregel,' dreunde Olivia op, terwijl ze haar telefoon openklapte, 'is de afgeleide van een gegeven variabele (x) en exponent (n), en is gelijk aan de som van de exponent en de variabele tot de macht(n-l).'

Ik keek haar alleen maar aan. 'Helemaal goed,' zei Gervais, instemmend knikkend. 'Zie je wel? Olivia snapt het wel.'

Natuurlijk. Olivia bleek een kei te zijn in statistiek, iets wat ze verzuimd had te vermelden hoewel we meestal samen lunchten. Samen met Gervais zat ze nu iedere middag in de wiskundehemel. Als ze het tenminste niet hadden over een van die duizenden andere, niet uit te leggen dingen die ze gemeen hadden, waaronder hun liefde voor films, de voors en tegens van een groot aantal vakken op de universiteit. En als ze dat niet deden, zaten ze mij wel af te zeiken.

'Hoe zit het nou precies met jullie?' had ik haar pasgeleden gevraagd na een bezoekje van Gervais, waarbij ik afwisselend had zitten worstelen met de machtregel en met open mond had zitten toekijken hoe ze heel gedetailleerd zaten te leuteren over een sciencefictionfilm die net draaide, tot aan de extra scènes na de aftiteling aan toe.

'Wat bedoel je?' vroeg ze. We staken het grasveld over. 'Het is een leuk joch.'

'Laat ik maar open kaart spelen,' zei ik tegen haar. 'Hij vindt je leuk.'

'Weet ik.'

Dat kwam er zo vanzelfsprekend en nuchter uit, dat ik bijna vergat verder te lopen. 'Echt waar?'

'Tuurlijk. Dat is toch ook hartstikke duidelijk?' zei ze. 'Hij kwam altijd langs als ik aan het werk was in de bioscoop. Niet echt heel slim.'

'Hij wil graag vrienden met je worden,' zei ik tegen haar. 'Hij heeft gevraagd of ik hem daarbij wilde helpen.'

'En?'

'Ik heb het niet gedaan,' zei ik. 'Maar ik heb wel gezegd dat hij me tijdens de lunchpauze kon helpen met statistiek. En dat jij daar dan misschien ook wel bij zou zitten.

Dat laatste gooide ik eruit, omdat ik me al schrap zette voor haar reactie. Wonder boven wonder scheen het haar weinig te kunnen schelen. 'Zoals ik al zei,' zei ze schouderophalend, 'het is een leuk joch. En hij heeft het niet bepaald makkelijk, toch?

Aha. Ik dacht terug aan wat ze tegen me had gezegd over gemeenschappelijke dingen. Wie had ooit gedacht dat Gervais daar ook bij zou horen? 'Klopt,' zei ik. 'Dat denk ik ook niet, nee.'

'Bovendien,' ging ze verder, 'weet hij dat er nooit iets gaat gebeuren tussen ons.'

'En je weet zeker dat hij dat weet?'

Ze bleef stilstaan en keek me met samengeknepen ogen aan. 'Wat bedoel je?' zei ze. 'Denk je nou echt dat ik niet duidelijk ben geweest?'

Ik schudde mijn hoofd. 'Nee. Dat geloof ik wel.'

'Mooi zo.' Ze liep verder. 'We weten allebei waar de grenzen liggen. Hij ook. En zolang we daar allebei mee akkoord gaan, is iedereen tevreden. Heel simpel.'

Heel simpel, dacht ik. *Net zo simpel als de machtregel.*

Op statistiek na, had ik van mezelf staan te kijken door me niet alleen te houden aan de afspraak die ik met Jamie had gemaakt, maar ik had er zelfs een redelijk goed gevoel bij toen ik mijn toelatingspapieren eind januari terugstuurde. Omdat ik niet wist of mijn gemiddelde wel hoog genoeg was, had ik gedaan wat ik kon om de rest van mijn inschrijving er zo gelikt mogelijk uit te laten zien, van mijn motivatiebrief tot mijn referenties. Uiteindelijk had ik me op drie universiteiten ingeschreven: U, de universiteit waar Cora had gestudeerd en lekker dichtbij; Slater-Kearns, een iets artistiekere universiteit in de bergen; en een gokje: Defricsc in Washington. Volgens mevrouw Pureza, de decaan, stonden ze er alle drie om bekend dat ze wel geïnteresseerd waren in 'unieke gevallen' zoals ik. Wat er dus op neerkwam dat ik nog wel een kans maakte, een gedachte waar ik regelmatig de zenuwen van kreeg. Ik had al zo lang naar de toekomst uitgekeken, mijn hele leven eigenlijk al. En nu hij zo dichtbij was, merkte ik dat ik aarzelde, omdat ik niet zeker wist of ik er wel klaar voor was.

Het schooljaar was echter nog niet voorbij en dat was maar goed ook, zeker als ik zag wat ik tot dusver van mijn project voor Engels had gebakken. Ik had, in een vlaag van organisatiedrift waarvan ik hoopte dat-ie tot inspiratie zou leiden, alles wat ik had verzameld uitgespreid op het bureau in mijn kamer: stapels aantekeningen, Post-its met citaten op de muur, de boeken die ik gebruikt had – met briefjes erin om pagina's te markeren – aan weerszijden. De laatste tijd ging ik 's avonds, na het eten of als ik niet bij Harriet hoefde te werken, aan mijn bureau zitten en las ik alles door, in de hoop dat de inspiratie dan vanzelf zou komen.

Kansloos. Het enige wat me enigszins een familiegevoel gaf, was de foto van Jamies familie die ik uit de keuken had meegenomen en op ooghoogte had opgehangen. Voor mijn gevoel zat ik er uren naar te kijken en bestudeerde ik ieder gezicht afzonderlijk, alsof een van hen opeens zou vertellen wat ik wilde weten. *Wat is familie?* Voor mij was het op dat moment iemand die me had verlaten, en twee anderen bij wie ik binnenkort zelf zou weggaan. Misschien was dit wel het antwoord dat ik zocht. Maar het was niet het juiste. Dat wist ik zeker.

Ik hoorde Harriet mijn naam roepen, waardoor ik werd teruggeroepen in het heden, in het winkelcentrum. Toen ik naar haar keek, gebaarde ze dat ik naar haar kraampje moest komen, waar ze met de verslaggeefster stond.

'Dit is Ruby Cooper, mijn assistente,' zei ze tegen de verslaggeefster toen ik kwam aanlopen. 'Toen ik haar in dienst nam, droeg ze de ketting die me inspireerde.'

Toen zowel de fotograaf als de verslaggeefster zich op mijn ketting stortte, moest ik de neiging onderdrukken om hem niet met mijn hand te bedekken en stopte ik mijn handen in mijn zakken. 'Interessant,' zei de verslaggeefster, en ze maakte een aantekening. 'En waardoor werd jíj geïnspireerd, Ruby? Wat dreef jou ertoe om je sleutel op een dergelijke manier te dragen?'

Wat moest ik hier nu op antwoorden? 'Eh... ik heb geen idee,' zei ik. 'Ik denk dat ik hem gewoon niet steeds wilde kwijtraken.'

De verslaggeefster schreef dit op en keek naar de fotograaf, die nog steeds de kettingen liep te fotograferen. 'Ik denk dat ik zo wel genoeg heb,' zei ze tegen Harriet. 'Bedankt voor het gesprek.'

'Jij ook bedankt,' zei Harriet. Toen ze wegliepen, draaide ze zich op haar hakken naar me om. 'Shit. Ik stikte van de zenuwen. Heb ik het verknald, denk je?'

'Het ging hartstikke goed,' zei ik.

'Het ging super,' zei Reggie. 'Je was supercool.'

Harriet ging op haar kruk zitten en haalde een hand over haar gezicht. 'Het komt waarschijnlijk in de krant van zondag, en dat zou weleens goed kunnen uitpakken. Zou het niet super zijn als we daardoor nóg meer zouden verkopen? Ik kan het aantal bestellingen nu al nauwelijks bijbenen.'

Dit was Harriet ten voeten uit. Zelfs als het goed ging maakte ze zich nog zorgen. 'Het komt echt wel goed,' zei Reggie, 'je hebt goed personeel.'

'Dat weet ik ook wel,' zei Harriet, en ze lachte naar me. 'Ik word er gewoon een beetje door overdonderd. Maar ik zou natuurlijk ook wat meer kunnen uitbesteden aan UW ZORGEN. Blake dringt daar al een tijdje op aan. Ze kunnen bestellingen versturen, onlinebestellingen verwerken, dat soort dingen.'

'Geniet er nou maar gewoon van,' zei Reggie tegen haar. 'Het is je gegund.'

Ik begreep Harriet wel. Als alles goed gaat, houd je er onbewust altijd rekening mee dat het universum de balans wel weer zal herstellen. Het goede brengt het kwade voort, iets wat je kwijtraakt komt wel weer boven water, en ga zo maar door. Maar ook al wist ik best dat de wereld zo in elkaar zat, toen ik thuiskwam was ik onaangenaam verrast toen ik Cora en Jamie met de telefoon tussen hen in aan de keukentafel zag zitten. Toen ze zich allebei naar me omdraaiden, wist ik dat er iets aan de hand was.

'Ruby,' zei Cora. Ze praatte zacht. Verdrietig. 'Er is iets met mama.'

* * *

Mijn moeder woonde niet in Florida. Ze zat niet op een boot met Warner, lag niet te zonnebaden en werkte niet in een strandtent waar ze pannenkoeken verkochten. Ze zat in een afkickkliniek, waar ze twee weken daarvoor was binnengebracht, nadat ze door een kamermeisje bewusteloos was aangetroffen in een hotelkamer in Tennessee, waar ze toen woonde.

Ik wist aanvankelijk zeker dat ze dood was. Zó zeker zelfs, dat toen Cora vertelde hoe het was gegaan, ik het gevoel had dat mijn hart stilstond, en pas weer begon te kloppen toen de betekenis van die paar woorden – hotel, bewusteloos, afkickkliniek en Tennessee – tot me doordrong. Toen ze was uitverteld, was het enige wat ik kon uitbrengen: 'Hoe gaat het met haar?'

Cora keek naar Jamie, en daarna weer naar mij. 'Ze wordt behandeld,' zei ze. 'Ze heeft nog een lange weg te gaan. maar het gaat redelijk.'

Nu ik wist waar ze uithing en dat ze veilig was, zou ik me eigenlijk beter moeten voelen. Maar van de gedachte aan haar in een ziekenhuisbed, opgesloten, kreeg ik een vreemde knoop in mijn maag, en ik haalde een keer diep adem. 'Was ze alleen?' vroeg ik.

'Wat bedoel je?' zei Cora.

'Toen ze haar vonden. Was ze toen alleen?'

Ze knikte. 'Had... zou er iemand bij haar moeten zijn geweest dan?'

Ja, dacht ik. *Ik*. Ik kreeg opeens een brok in mijn keel. 'Nee,' zei ik. 'Hoewel ze wel een vriend had toen ze wegging.'

Ze keek Jamie nog een keer aan, en ik zag weer voor me hoe ze die andere keer zo hadden gezeten toen ik thuiskwam. Ik had toen in de spiegel gekeken en had mijn moeder gezien – althans, iets wat op haar leek – verfomfaaid, halfdronken, een puinhoop. Maar er zat toen in elk geval iemand op me te wachten. Mijn moeder werd niet opgehaald toen ze langs de kant van de weg lag die haar veilig naar huis bracht. Waarschijnlijk was ze door puur toeval op tijd gevonden – het rooster van het kamermeisje, voor de juiste kamer op de juiste dag.

En nu was ze gevonden en niet langer zoek. Als een tas die ik niet had verwacht ooit nog terug te zien die midden in de nacht opeens op de stoep stond, vol met spullen voor een reis die ik allang weer was vergeten. Heel vreemd, ik was eraan gewend dat ze overal en nergens was, en nu was ze opeens terecht. Ik wist precies waar ze was. Alsof ze van de ene fantasie, waarin ik duizenden levens voor haar had gecreëerd, terug was gekomen naar deze.

'En wat...' begon ik, en toen moest ik iets wegslikken. 'Wat gaat er nu gebeuren?'

'Nou,' antwoordde Cora, 'ze beginnen met een behandelprogramma van drie maanden. Daarna moet ze een aantal beslissingen nemen. Het zou het beste zijn als ze besloot om te blijven, in een omgeving waarin ze hulp krijgt. Maar de keuze is aan haar.'

'Heb je haar gesproken?' vroeg ik.

Ze schudde haar hoofd. 'Nee.'

'Hoe weet je het dan?'

'Van haar laatste huisbazen. Het ziekenhuis had geen contactpersoon, dus zijn ze gaan zoeken of ze iemand konden vinden. Ze kwamen bij hen uit en zij hebben ons weer gebeld.' Ze wendde zich tot Jamie. 'Hoe heetten ze ook al weer? Huntington?'

'Honeycutt,' zei ik. Ik zag ze meteen weer voor me, Alice met haar elfachtige gezichtje, Ronnie in zijn praktische, geruite overhemd. 'Onbekend maakt onbemind,' had ze gezegd toen ik haar de eerste keer zag. Vreemd dat uitgerekend zij degenen waren die me niet alleen met Cora herenigd hadden, maar nu ook weer met mijn moeder.

Ik voelde hoe mijn gezicht begon te gloeien; het werd me allemaal te veel. Ik keek om me heen en probeerde rustig te blijven, maar ik zag alleen maar een schone, prachtige hal, in een perfecte buurt. Alles wat er was gebeurd tijdens mijn moeders afwezigheid, kreeg een plekje in de ruimte die zij had achtergelaten.

'Ruby,' zei Jamie, 'er is niks aan de hand, oké? Er verandert niks. Cora wist niet eens of ze het wel moest vertellen, maar...'

Ik keek naar mijn zus, die nog steeds met de telefoon in haar hand zat. 'Maar we besloten om het wel te doen,' zei ze, zonder haar blik van me af te wenden. 'Maar je moet je nergens toe verplicht voelen. Onthoud dat goed. Wat er gebeurt tussen jou en mama, als er al iets gebeurt, is aan jou.'

Dit bleek echter niet helemaal waar te zijn. We kwamen er al snel achter dat de afkickkliniek waar mijn moeder verbleef – en waar Cora en Jamie voor betaalden, maar daar kwam ik later pas achter – een beleid had dat heel erg patiëntgericht was. Het kwam er simpel gezegd op neer dat ze geen contact mocht onderhouden met familie of vrienden, althans niet meteen. Geen telefoon. Geen e-mail. Als we haar een brief stuurden, werd deze bewaard tot een nader te bepalen datum. 'Het is voor haar eigen bestwil,' zei Cora tegen me, nadat ze het me had uitgelegd. 'Als ze besluit om dit te doen, moet ze het alleen doen.'

We wisten toen nog niet of mijn moeder überhaupt in de kliniek zou blijven, aangezien ze er niet bepaald vrijwillig naartoe was gegaan. Toen ze haar in het ziekenhuis weer bij bewustzijn hadden gebracht, kwam de politie met een aantal niet-gedekte cheques op de proppen. Ze werd dus voor de keuze gesteld: afkicken of de bak in. Ik zou er meer vertrouwen in hebben gehad als ze uit eigen beweging was gegaan. Maar ze was opgenomen; dat was in elk geval iets.

'Er verandert niks,' had Jamie die dag gezegd, maar ik wist toen al dat dat niet waar was. Ik had me altijd aan mijn moeder aangepast. Als ik wist waar ze uithing, wist ik zelf ook waar ik was. In de maanden dat ze weg was, had ik het gevoel gehad dat ik zweefde, los van alles, door niets tegengehouden. Maar nu ik wist waar ze was, wachtte ik op het moment dat me dat gerust zou stellen. Maar dat moment kwam niet. Ik was zelfs onzekerder dan ooit en hing tussen mijn nieuwe leven en het leven dat ik had achtergelaten in.

Het feit dat dit allemaal zo snel gebeurde nadat Nate en ik geen contact meer met elkaar hadden, was op zijn minst ironisch. Maar tegelijkertijd begon ik me af te vragen of het niet met een reden gebeurde. Dat ik misschien niet te veel mensen tegelijkertijd in mijn leven kon hebben. Mijn moeder kwam boven water, waardoor Nate weer verdween. De ene deur ging open terwijl een andere weer dichtging.

Naarmate de tijd verstreek, deed ik mijn best om niet steeds aan mijn moeder te denken, maar dat vond ik moeilijker dan eerst. Dat kwam deels omdat ze nu weer terecht was, maar ik zag ook overal waar ik keek – op school, op mijn werk, op straat – mensen lopen met een SleutelHanger van Harriet. Ze sprankelden en waren mooi, en herinnerden me stuk voor stuk aan mijn nieuwe leven. Maar ik had het origineel ook nog, meer versleten en rudimentair, eerder functioneel dan dat het romantische waarde had. Het was niet alleen de sleutel van het gele huis, maar ook van een plek die diep in mijn hart verscholen lag. Een plek die zó lang stevig op slot had gezeten, dat ik hem niet durfde te openen, uit angst voor wat ik er zou aantreffen.

16

'Hoe moeilijk kan het zijn?' zei Olivia. 'Je graaft een kuil, vult hem met water en gooit er een paar vissen in.'

'Het is wel iets ingewikkelder,' zei ik. 'Allereerst moet je een pomp en een filter plaatsen. En er stenen en plantjes in stoppen, en iets bedenken tegen de vogels die op de vissen azen. Om nog maar te zwijgen over hoe je het water moet behandelen en algenbestrijding.'

Ze dacht hier even over na en boog zich voorover om in de vijver te kunnen kijken. 'Wat een hoop gedoe,' zei ze. 'Helemaal omdat je er niet eens in kunt zwemmen.'

Olivia en ik waren met ons project voor Engels bezig en hielden even pauze, die we aanwendden om haar aan Jamie te kunnen voorstellen, die zoals iedere zaterdagochtend bij de vijver liep te rommelen. Toen we buitenkwamen werd Jamie net door meneer Cross naar het hek geroepen, en een kwartier later waren ze nog steeds diep in gesprek. Door de manier waarop hij steeds een stukje verder naar ons toe kwam lopen – en omdat de vader van Nate zo te zien schijnbaar onafgebroken aan het woord was – had ik het vermoeden dat hij probeerde weg te komen. Zo te zien tevergeefs.

'Aan de andere kant,' zei Olivia, die weer op het bankje ging zitten, 'met zoveel ruimte zou je een vijver én een zwembad kunnen nemen, als je zou willen.'

'Klopt,' zei ik. 'Maar misschien is dat een beetje veel van het goede.'

'Niet in een buurt als deze,' zei ze. 'Ik bedoel: kom op zeg.

Zag je die stenen liggen aan het begin van de wijk? Wat moet dat voorstellen? Stonehenge of zo?'

Ik lachte. Ik keek naar het hek en zag dat Jamie weer een stap in onze richting deed, weg van meneer Cross. Hij knikte alsof hij wilde zeggen: *Nou het was gezellig maar ik moet nu echt gaan.* Meneer Cross, bij wie het kwartje niet viel – misschien wel expres – liep met hem mee, waardoor de afstand tussen hen weer kleiner werd.

'Hij komt me bekend voor,' zei Olivia.

'Het is de vader van Nate,' zei ik.

'Nee, ik bedoel je zwager. Ik zou zweren dat ik hem ergens van ken.'

'Hij heeft een paar voetbalvelden geschonken aan Perkins Day,' zei ik tegen haar.

'Dan zal het dat wel zijn,' zei ze. Toch bleef ze hem aankijken toen ze zei: 'Dus daar woont Nate?'

'Ik had toch verteld dat we buren waren?'

'Jawel, maar ik had niet door dat hij recht achter je woonde, op een paar meter afstand. Dat maakt deze impasse – of het uit elkaar gaan – een stuk ingewikkelder.'

'Het is geen impasse,' zei ik. 'En we zijn ook niet uit elkaar.'

'Dus jullie gingen dag in, dag uit met elkaar om, hadden zo goed als verkering, en toen opeens zeiden jullie niets meer tegen elkaar en ontweken jullie elkaar. Ja, hoor. Logisch.'

'Moeten we het hier per se over hebben?' vroeg ik, toen Jamie definitief bij meneer Cross vandaan liep, en bij wijze van groet zijn hand opstak. Meneer Cross praatte nog steeds, hoewel hij nu wel bleef staan.

'Weet je,' zei Olivia, 'het is uniek als je iemand tegenkomt die je graag om je heen hebt. Er lopen heel wat irritante mensen rond.'

'Vind je?'

Ze keek me aan. 'Ik wil alleen maar zeggen dat er duidelijk iets was tussen jullie. Dus misschien is het slim om een beetje moeite te doen om jullie problemen op te lossen, wat ze ook mogen zijn.'

'Luister, Olivia,' zei ik. 'Je hebt zelf gezegd dat een relatie alleen kans van slagen heeft als beide partijen weten hoe ver ze kunnen gaan. Dat wisten wij niet. En dus hebben we geen relatie.'

Ze dacht hier even over na. 'Goed gedaan,' zei ze toen. 'Helemaal als je bedenkt dat je me zojuist wat hebt uitgelegd zonder iets te zeggen.'

'Het komt erop neer dat ik snap wat je bedoelt, oké?' zei ik. 'Jij wilt geen tijd verspillen aan iemand in wie je niet gelooft. Ik ook niet.'

'Denk je echt dat ik zo in elkaar zit?'

'Wilde je iets anders beweren, dan?'

Jamie kwam, eindelijk bevrijd, naar ons toe lopen. Hij stak bij wijze van groet zijn hand op. 'Ik zeg niks,' antwoordde Olivia hoofdschuddend. 'Helemaal niks.'

'Dames,' zei Jamie, zoals altijd de blije gastheer uithangend, toen hij op het bankje af kwam lopen. 'Genieten jullie een beetje van de vijver?'

'Hij is prachtig,' zei Olivia beleefd. 'Vooral het filter.'

Ik keek haar alleen maar aan, maar Jamie straalde uiteraard helemaal. 'Jamie, dit is mijn vriendin Olivia,' zei ik.

'Aangenaam,' zei hij, en hij stak zijn hand uit.

Ze gaven elkaar een hand, daarna ging hij op zijn hurken bij de vijver zitten en stak zijn hand in het water. Toen hij er een beetje uit schepte en door zijn vingers liet stromen, snakte Olivia opeens naar adem. 'Mijn god. Ik weet waar ik jou van ken!' zei ze. 'Jij bent die gozer van UME!'

Jamie keek eerst naar haar en daarna naar mij. 'Uh...' zei hij. 'Dat klopt, ja.'

'Hoe weet jij nou weer dat hij van UME is?' vroeg ik.

'Eh, hallo. Zijn gezicht staat op de inlogpagina. Dat zie ik een miljoen keer per dag.' Ze schudde ongelovig haar hoofd, duidelijk nog steeds in shock. 'Ongelooflijk. En Ruby heeft daar nooit iets over gezegd.'

'Dat komt,' zei Jamie, 'omdat Ruby niet zo snel ergens van onder de indruk is.'

Dit in tegenstelling tot Olivia, die tot mijn stomme verbazing liep te dwepen. 'Jouw site,' zei ze tegen Jamie, terwijl ze een hand op haar borst legde, 'heeft mijn leven gered toen ik naar een andere school moest.'

'Echt waar?' zei Jamie, duidelijk in zijn nopjes.

'Serieus. Ik zat iedere lunchpauze in de bieb berichten naar mijn vrienden te sturen. En 's avonds natuurlijk ook.' Ze zuchtte weemoedig. 'Het was de enige manier om contact te onderhouden.'

'En je telefoon dan?' wreef ik onder haar neus.

'Daar kan ik ook mee op UME!' Tegen Jamie zei ze: 'Gave applicatie trouwens. Heel gebruikersvriendelijk.'

'Vind je? We hebben er een aantal klachten over ontvangen.'

'Hou toch op.' Olivia knipte met haar vingers. 'Het is kaasje. Maar die vriendenlijst? Daar moet je iets aan doen. Vreselijk.'

'Hoezo?' vroeg Jamie.

'Nou,' begon ze, 'om te beginnen kun je niet makkelijk zoeken. Als je dus een hoop vrienden hebt en je wilt ze anders rangschikken, blijf je aan het scrollen. Dat duurt uren.'

Ik dacht aan mijn eigen pagina op UME.com, waar ik maanden niet naar had omgekeken. 'Hoeveel vrienden heb je dan eigenlijk?' vroeg ik.

'Een paar duizend,' antwoordde ze. Ik keek haar zonder iets te zeggen aan. 'Wat kijk je nou? Ik ben heel populair op internet.'

'Ik geloof het ook,' zei ik.

Later, toen Olivia weg was – met een grote UME.com-tas vol stickers en T-shirts – stond Jamie in de keuken kip te marineren voor het avondeten. Toen ik de keuken binnenliep, ging de telefoon. Ik wilde hem opnemen, maar na gekeken te hebben wie er belde, zei Jamie: 'Laat maar gaan. Hij spreekt wel iets in.'

Ik keek op de display. Cross, Blake, stond er.

'Neem je nooit op, als hij belt?'

'Nee,' zei Jamie zuchtend, terwijl hij een beetje olijfolie over de kip sprenkelde en zachtjes de pan schudde. 'Ik zou best willen opnemen, maar hij blijft steeds terugkomen op een of andere investering, dus...'

'Wat voor investering?'

Hij keek naar me, alsof hij niet wist of hij hierover moest uitweiden. Toen zei hij: 'Ach, weet je, Blake is nogal een sjacheraar. Hij heeft altijd grootse plannen.'

Ik dacht terug aan hoe meneer Cross die ochtend Jamie bijna had gestalkt in de tuin. 'En hij wil met jou in zee?'

'Zoiets, ja,' zei hij, terwijl hij iets zocht in het kastje boven het fornuis. Hij haalde er een fles azijn uit. 'Hij zegt dat hij wil uitbreiden en dat hij stille vennoten zoekt, maar ik denk dat hij gewoon geen geld heeft, zoals laatst.'

Ik keek toe terwijl hij een scheut azijn toevoegde, en vooroverboog om in de pan te ruiken, alvorens er nog wat bij te doen. 'Hij heeft het dus al vaker gevraagd?

Hij knikte, en deed de dop terug op de fles. 'Afgelopen jaar, toen we hier een paar maanden woonden. We hadden hem uitgenodigd voor een borrel en raakten aan de praat. Voor ik het wist, kreeg ik het hele relaas over me heen van zijn financiële tegenwind – waar hij uiteraard zelf niets aan kon doen – en vertelde hij hoe alles weer goed zou komen als zijn nieuwe onderneming eenmaal liep. Wat dus dat bedrijfje bleek te zijn dat klusjes voor anderen opknapt.'

Roscoe kwam de bijkeuken uit lopen, waar hij een van zijn vele dagelijkse dutjes had liggen doen. Toen hij ons zag, geeuwde hij een keer en liep naar het hondenluik, waar hij met een sprongetje doorheen ging. Het klapte met een knal achter hem dicht.

'Zag je dat?' zei Jamie lachend. 'De wonderen zijn de wereld nog niet uit.'

Ik knikte. 'Ik ben onder de indruk.'

We zagen dat Roscoe de tuin in liep en zijn poot optilde bij een boom om te plassen. Nooit eerder had zoiets simpels, iemand zó trots gemaakt. 'Hoe dan ook,' zei Jamie, 'uiteindelijk heb ik hem geld gegeven en heb ik me een heel klein beetje ingekocht in zijn zaak. Echt maar een beetje, maar toen je zus erachter kwam, ging ze uit haar dak.'

'Ging Córa uit haar dak?'

'Niet zo'n klein beetje ook. Ze heeft hem om een of andere reden nooit gemogen. Ze beweert dat het komt omdat hij altijd over geld praat, maar dat doet oom Ronald ook, en daar is ze gek op. Kun je nagaan.'

Dat was niet nodig. Ik wist volgens mij precies waarom Cora meneer Cross niet kon uitstaan, ook al kon ze er zelf de vinger niet op leggen.

'Hoe dan ook,' zei Jamie, 'Blake is weer bezig om geld bij elkaar te schrapen, volgens mij. Hij achtervolgt me al sinds ik met Thanksgiving heb gevraagd of ik zijn oven mocht gebruiken met een of ander nieuw incassosysteem. Ik hou hem op afstand, maar jezus, hij geeft niet snel op. Hij denkt vast dat ik zo'n sukkel ben die er nog wel een keer in trapt.'

Ik zag Olivia weer voor me op de stoep voor de bioscoop. Ze had toen hetzelfde woord gebruikt. 'Je bent geen sukkel. Je bent gewoon aardig. Je geeft mensen het voordeel van de twijfel.'

'En meestal krijg ik daar spijt van,' zei hij toen de telefoon weer ging. We keken allebei wie er belde. Cross, Blake. Het lampje op het antwoordapparaat knipperde al. 'Maar soms,' ging hij verder, 'overstijgt iemand zelfs mijn verwachtingen. Zoals jij, bijvoorbeeld.'

'Krijg ik nu dan ook geld van je?' vroeg ik.

'Nee,' zei hij op vlakke toon. Ik lachte. 'Maar ik ben wel heel erg trots op je, Ruby. Je hebt een lange weg afgelegd.'

Later, in mijn kamer, bleef dit door mijn hoofd spoken, dit concept van afstand in combinatie met prestatie. Hoe groter de afstand die je aflegt, hoe meer je hebt om trots op te zijn. Tegelijkertijd moest je, om afstand af te kunnen leggen, met een achterstand beginnen. Misschien maakt het wel helemaal niet uit hoe je terechtkomt op de plek waar je wilt zijn. Als je er maar komt.

* * *

Meisjes in de middenbouw waren nooit alleen, had ik ontdekt. Als je ze aan zag komen lopen, kon je maar het beste opzij gaan om je hachje te redden.

'Hé jongens, kijk! Dit zijn ze!' zei een bruinharig meisje dat helemaal in roze kleding liep en duidelijk de aanvoerder van deze roedel was, terwijl ze recht op de SleutelHangers afliep. 'Wauw. Het vriendinnetje van mijn broer heeft deze, met die roze stenen. Is-ie niet prachtig?'

'Ik vind die met die diamant mooier,' zei een mollig blond kind dat zo te zien een leren broek droeg.

'Dat is geen diamant, joh,' zei het meisje in het roze tegen haar terwijl twee van haar vriendinnen – een tweeling, aan hun rode haar en gelaatstrekken te zien – naar de armbanden gingen staan kijken. 'Anders zou hij minstens iets van een miljoen dollar kosten.'

'Het lijkt op diamant,' verbeterde Harriet haar, 'en is niet duur. Vijfentwintig dollar.'

'Ik,' zei de brunette, en ze hing ondertussen de ketting met de roze stenen over haar trui met v-hals, 'vind die gewone zilveren het mooiste. Hij is klassiek en past perfect bij mijn nieuwe eco-chiclook.'

'Eco-chic?' vroeg ik.

'Goed voor het milieu,' legde het meisje uit. 'Groen, weet je wel? Natuurlijke metalen, milieuvriendelijke stenen, minimalistisch, maar toch heel mooi? Alle sterren zijn eco-chic. Lees je de *Vogue* soms niet?'

'Nee,' zei ik tegen haar.

Ze haalde haar schouders op, deed de ketting af en ging naar haar vriendinnen, die inmiddels bij de ringen stonden en in recordtempo de display leeghaalden waar ik net een halfuur mee bezig was geweest om het er leuk uit te laten zien. 'Je zou toch denken,' zei ik tegen Harriet terwijl we toekeken hoe ze ringen stonden te passen, 'dat ze ze op zijn minst op dezelfde plek konden terugleggen. Of het in elk geval probéren.'

'Ach, laat ze er maar een puinhoop van maken,' zei ze. 'Zoveel werk is het nou ook weer niet om het weer te fatsoeneren.'

'Sprak de vrouw die het niet hoeft te doen.'

Ze keek me met opgetrokken wenkbrauwen aan, en pakte haar beker koffie van de kassa. 'Oké,' zei ze bedachtzaam. 'Je bent chagrijnig. Wat is er aan de hand?'

'Sorry,' zei ik, toen de meisjes eindelijk verder liepen en er overal ringen op de toonbank lagen. 'Ik heb denk ik gewoon stress of zo.'

'Nou, dat is toch ook wel logisch,' zei Harriet, die bij me kwam staan. Ze legde een ring met een onyx terug, en legde er een met een rode steen naast. 'Het eindexamen staat voor de deur, je weet nog niet of je ergens bent toegelaten, je hele toekomst ligt voor je open. Maar daar hoef je je niet door van de wijs te laten brengen. Je zou het bijvoorbeeld ook kunnen zien als een geweldige kans om uit je vertrouwde omgeving te stappen.'

Ik onderbrak waar ik mee bezig was, en keek haar met samengeknepen ogen aan, terwijl ze de volgende rij ringen teruglegde, de rust zelve. 'Pardon?' zei ik.

'Wat bedoel je?'

Ik keek haar alleen maar aan en wachtte tot ze zelf in de gaten kreeg wat ze zojuist had gezegd. Dat gebeurde niet. 'Harriet,' zei ik na een tijdje. 'Hoe lang heeft dat bordje met PERSONEEL GEVRAAGD er gestaan, voor je mij uiteindelijk aannam?'

'O, bedoel je dát,' zei ze, en ze wees naar me. 'Maar ik heb je wél aangenomen, toch?'

'En hoe lang heeft het geduurd voordat je me hier alleen durfde te laten staan en me verantwoordelijkheid gaf?'

'Oké, oké, misschien duurde dat inderdaad even,' gaf ze toe. 'Maar je zult toch moeten toegeven dat ik je inmiddels best vaak zonder schroom alleen laat.'

Ik overwoog om te zeggen dat 'best' en 'zonder' boekdelen spraken. Maar ik zei: 'En hoe zit het met Reggie?'

Ze veegde haar handen af aan haar broek en ging verder met de SleutelHangers. Ze hing de roze recht. 'Wat bedoel je?'

'Hij heeft me verteld wat er met Kerstmis is gebeurd,' zei ik. 'Wat zei je ook alweer? Dat je nu niet in een relatiehuisje zat? En staat dat huisje ergens in de buurt van je vertrouwde omgeving?'

'Reggie en ik zijn gewoon vrienden,' zei ze, en ze hing een sluiting recht. 'Als ik iets met hem zou krijgen en het gaat fout, zou dat grote gevolgen hebben.'

'Maar je weet toch helemaal niet of het fout zou gaan?'

'Ik weet ook niet of het goed zou gaan.'

'En daarom begin je er gewoon maar niet aan,' zei ik. Ze negeerde me en liep naar de ringen. 'Je wist ook niet of het goed zou gaan toen je mij in dienst nam. Maar je hebt het wel gedaan. En als je dat niet had gedaan...'

'... zou ik nu staan te genieten van de rust, en werd mijn ziel niet blootgelegd,' zei ze. 'Zou dat niet heerlijk zijn?'

'... zou je nooit de SleutelHangers hebben gemaakt die nu zo goed verkopen,' maakte ik mijn zin af. 'Of van mijn gezelschap hebben genoten, of dit gesprek hebben gevoerd.'

Ze trok een gek gezicht en liep terug naar haar kruk, waar ze met een sprongetje op ging zitten. Ze klapte de laptop open die ze onlangs had aangeschaft om de onlineverkoop bij te kunnen houden. 'In een volmaakte, romantische wereld zou ik heus wel iets met Reggie gekregen hebben en nog lang en gelukkig geleefd hebben,' zei ze, terwijl ze de computer aanzette. 'Maar soms moet je gewoon je instinct volgen, en mijn instinct zegt dat het niet verstandig zou zijn, oké?'

Ik knikte. Gezien wat ik allemaal meegemaakt had de laatste tijd, stak ik Harriet redelijk naar de kroon, dus waarom probeerde ik haar op andere gedachten te brengen?

Ik concentreerde me weer op de ringen en legde ze terug zoals ze eerder hadden gelegen, op volgorde van grootte en kleur. Ik was ze aan het afstoffen, toen ik Harriet hoorde zeggen: 'Hé, dat is vreemd.'

'Waar heb je het over?'

'Ik keek even hoeveel geld er op mijn rekening staat, en er klopt niets van,' zei ze. 'Er staan nog wel een paar rekeningen open, maar niet zóveel.'

'Misschien is het nog niet allemaal bijgewerkt?' zei ik.

'Zie je wel. Ik had nooit akkoord moeten gaan met dat

nieuwe betaalsysteem van Blake. Ik vind het toch fijner om alles zelf in de hand te houden.' Ze pakte zuchtend haar telefoon. Na een tijdje klapte ze hem weer dicht. 'Voicemail. Uiteraard. Ken jij het nummer van Nate uit je hoofd?'

Ik schudde mijn hoofd. 'Nee.'

'Als je hem ziet, wil je dan zeggen dat ik hem wil spreken? En het liefst een beetje snel?'

Ik wilde zeggen dat die kans niet erg groot was, en dat ik dus ook geen boodschap kon doorgeven. Maar ze zat weer geconcentreerd op haar laptop te werken.

Harriet was niet de enige zonder problemen. Toen ik thuiskwam, veegde Cora net iets op met een stuk keukenrol. Roscoe, die me normaal gesproken vol enthousiasme besprong als ik thuiskwam, was verdacht afwezig.

'Nee hè,' zei ik, terwijl ik mijn tas op de grond zette. 'Hij weet toch hoe het hondenluik werkt?'

'Als we niet thuis zijn, doen we het op slot,' zei ze tegen me, terwijl ze rechtop ging staan. 'En dat gaat eigenlijk altijd goed, maar er is vandaag een zeker iemand niet komen opdagen om hem uit te laten.'

'Echt waar?' zei ik. 'En Nate is altijd zo punctueel.'

'Nou, vandaag niet,' antwoordde ze. 'Zoals je ziet.'

Vreemd. Ik vroeg me af of Nate er misschien vandoor was gegaan of zo, ik zou niet weten wat er anders aan de hand zou kunnen zijn. Hij was normaal gesproken heel erg stipt. Ik zag 's avonds echter licht branden in zijn kamer, net als in het zwembad. Pas toen ik heel goed keek, zag ik iets ongewoons: er was iemand aan het zwemmen. Heen en weer, met regelmatige slagen, donker afstekend tegen het blauwe licht. Ik bleef lang naar hem staan kijken, maar toen ik uiteindelijk het licht uitdeed, was hij nog steeds baantjes aan het trekken.

17

Dat weekend zou ik eigenlijk maar aan één ding hebben moeten denken: statistiek. Het schoolonderzoek dat bepalend was voor zowel mijn cijfergemiddelde als mijn toekomst, was de maandag erna. Volgens Gervais – en zijn waterdichte methode – moest ik zen worden.

'Nog een keer, graag,' zei ik de vrijdag ervoor, toen hij dit verkondigde.

'Dat hoort bij mijn techniek,' legde hij uit, en hij nam een slok chocolademelk. Hij dronk iedere lunchpauze twee pakjes. 'We zijn begonnen met het herhalen van alles wat je tot nu toe hebt gedaan dit schooljaar. Vervolgens hebben we een voor een de dingen aangepakt waar je het minst goed in was. Nu is het tijd om zen te worden.'

'En wat bedoel je daarmee?'

'Dat je je lot moet aanvaarden. Voor wat betreft het schoolonderzoek maar ook de rest van je leven. Je moet alles wat je hebt geleerd loslaten.'

Ik keek hem aan zonder iets te zeggen. Olivia, die op haar telefoon zat te kijken of ze nieuwe berichten had op UMe, zei: 'Dat is een van de grondbeginselen van oosterse films. De strijder moet, als hij alles geleerd heeft en oog in oog komt te staan met de grootste uitdaging uit zijn leven, volledig op zijn instinct afgaan.'

'Kan iemand me uitleggen waarom ik er weken mee bezig ben geweest als ik toch alles weer moet vergeten?' zei ik. 'Dat is zo ongeveer het stomste wat ik ooit heb gehoord.'

Olivia haalde haar schouders op. 'Volgens deze man hier werkt het perfect.'

Man? dacht ik.

Gervais zei: 'Het is niet de bedoeling dat je alles weer vergeet. Je zou de stof inmiddels zo goed moeten beheersen, dat je er niet meer actief over na hóéft te denken. Je ziet een probleem en weet hoe je het moet oplossen. Instinctief.'

Ik keek naar het vel met sommen dat hij me had gegeven. Zoals gewoonlijk zonk de moed me in de schoenen als ik er alleen maar naar keek en werden mijn hersenen één grote brij. Als mijn instinct aan het woord was, hoefde ik niet te weten wat het zei.

'Zen,' zei Gervais. 'Nergens aan denken, aanvaard de onzekerheid, en je krijgt vanzelf antwoord. Geloof me nou maar.'

Ik was niet overtuigd, en helemaal niet meer toen hij vertelde wat ik dat weekend nog moest doen. (Die als bijkomstigheid hadden dat ze op veel punten geaccentueerd waren en in hoofd- en bijgroepen verdeeld. Je kon van die knul zeggen wat je wilde, hij pakte het wel professioneel aan.) Op zaterdagochtend moest ik alles nog één keer doornemen, om vervolgens 's middags een aantal oefenopgaven te maken die hij had uitgezocht en waar de formules in gebruikt werden waar ik de meeste moeite mee had. Op zondag, de laatste dag voor het schoolonderzoek, moest ik helemaal niets meer doen. Wat ik eerlijk gezegd nogal belachelijk vond. Maar aan de andere kant: als het de bedoeling was dat ik maandagochtend alles weer vergeten was, was dit een ideale manier om dat doel te bereiken.

Die zaterdagochtend zat ik al vroeg op mijn bed om alles door te nemen en probeerde ik me te concentreren. Ik werd echter steeds afgeleid omdat ik constant aan Nate zat te denken, iets wat ik eigenlijk de hele tijd al deed – met een paar aanvallen van statistiekpaniek ertussendoor – sinds ik hem een paar avonden daarvoor had zien zwemmen. Cora en Jamie waren uiteindelijk gebeld door meneer Cross, die uitgebreid zijn excuses aanbood, het uitlaatgeld terugstortte en een week lang gratis met Roscoe wandelen aanbood om het weer goed te maken. Maar iedere keer als ik Nate sinds die tijd zag, op het grasveld of in de gang op school, vond ik dat hij veranderd was. Zijn blik kwam me opeens zo bekend voor, ondanks de afstand tussen ons. Ik wist niet of dat vanwege zijn gedrag was of vanwege zijn uiterlijk.

Na twee uur geleerd te hebben, zag ik het even zó totaal niet meer zitten, dat ik besloot om pauze te nemen en vlug bij Harriet langs te gaan om mijn salaris te gaan halen. Ik was nog maar net onderweg toen ik overal mensen zag staan – op de stoep langs het winkelcentrum, op het parkeerterrein, bij een podium dat naast de bioscoop was gebouwd.

'Welkom bij de vijf kilometer van Vista!' galmde een stem vanaf het podium toen ik me een weg baande naar de hoofdingang, langs kinderen, honden en hardlopers die aan het stretchen, kletsen en lopen op de plaats waren. 'Willen de deelnemers zich naar de start begeven, alstublieft? De wedstrijd begint over tien minuten.' Het publiek verplaatste zich naar de banier waar met grote letters op geschreven stond: DE VIJF KILOMETER VAN VISTA: REN VOOR JE LEVEN! Ik liep achter de meute aan en keek ondertussen tevergeefs of ik Olivia ergens zag; ik zag alleen hardlopers in alle soorten en maten, sommigen in hightech pakken van lycra, anderen in een kort sportbroekje en morsig T-shirt.

In het winkelcentrum was het een stuk rustiger, er waren maar weinig mensen aan het winkelen. Ik hoorde de omroeper nog steeds praten, ondersteund door het diepe geluid van de bas in de muziek, toen ik naar de stalletjes liep, waar ik Harriet bij Reggie zag staan.

'Ik neem absoluut geen visolie,' hoorde ik haar zeggen toen ik dichterbij kwam. 'En ik ben niet over te halen.'

'Maar omega-3 is superbelangrijk!' zei Reggie. 'Het is een soort wondermiddel.'

'Ik heb nooit gezegd dat ik wonderolie zou slikken. Ik heb met een paar dingen ingestemd, om ze uit te proberen. Ik heb je nooit iets horen zeggen over vis.'

'Wat jij wilt.' Reggie pakte een potje en schudde een paar tabletten in een plastic zakje. 'Maar je gaat wél de zinktabletten en vitamine B-pillen slikken. Daar valt niet over te praten.'

Harriet nam hoofdschuddend nog een slok koffie. Toen zag ze mij. 'Ik dacht wel dat je zou langskomen,' zei ze. 'Laat die vitaminen maar zitten. Geld, dat is pas belangrijk.'

'Met zo'n houding,' zei Reggie zuchtend, 'heb je dus écht meer omega-3 nodig.'

Harriet deed net of ze hem niet hoorde toen ze naar de kassa liep en mijn geld pakte. 'Alsjeblieft,' zei ze, toen ze het overhandigde. 'O ja, ik heb er een extraatje bij gedaan.'

Dat kon je wel zeggen, ja. Ik kreeg driehonderd dollar meer dan normaal. 'Jeetje, Harriet,' zei ik. 'Waar is dat voor?'

'Winstdeling,' zei ze, en ze voegde eraan toe: 'En een bedankje voor al het werk dat je de laatste maanden hebt gedaan.'

'Dat hoeft toch helemaal niet,' zei ik.

'Dat weet ik ook wel. Maar ik heb nog eens nagedacht over ons gesprek van laatst. Je had helemaal gelijk. Over de SleutelHangers. Die waren er zonder jou niet geweest. Letterlijk.'

'Daarom zei ik het helemaal niet,' zei ik tegen haar.

'Weet ik. Maar het heeft me aan het denken gezet. Over een heleboel dingen.'

Ze keek naar Reggie, die nog steeds dingen in haar tasje

stopte. Nu ik erover nadacht stond ze inderdaad wel heel erg welwillend tegenover die zinktabletten. En wat bedoelde ze met dat ze dingen wel wilde uitproberen? 'Wacht eens even.' Ik wees van haar kraampje naar dat van Reggie. 'Wat gebeurt hier allemaal?'

'Helemaal niets,' antwoordde ze, en ze schoof de geldlade van de kassa dicht.

Ik keek haar met opgetrokken wenkbrauwen aan.

'Als je het dan per se wilt weten: we zijn gisteren iets gaan drinken, en hij heeft me zover gekregen dat ik een paar monsters ga proberen.'

'Je meent het.'

'Oké, misschien heeft hij me ook wel mee uit eten gevraagd,' voegde ze eraan toe.

'Harriet!' zei ik. 'Wat goed! Eindelijk.'

Ze zuchtte. Reggie vouwde het papieren tasje zorgvuldig dicht. 'Het was helemaal niet de bedoeling,' zei ze. 'Ik wilde gewoon tegen hem zeggen wat ik ook tegen jou heb gezegd. Dat ik niet wilde dat het iets zou worden tussen ons, omdat ik niet wist wat het voor onze vriendschap zou betekenen.

'En toen?'

'En toen,' zei ze met een zucht, 'zei hij dat hij het helemaal begreep, bestelde nog iets te drinken en haalde me over om een keer mee uit eten te gaan.'

'En hoe zat het met die vitamines?'

'Geen idee.' Ze wuifde afwerend naar me. 'Het gebeurde gewoon.'

'Ja,' zei ik, en ik keek weer naar Reggie. Hij had zoveel geduld gehad, en uiteindelijk toch zijn zin gekregen. Of in elk geval een kans gekregen. 'Ik weet er alles van.'

Toen ik bij de bank was geweest, nog wat boodschappen had gedaan en weer terug naar huis wilde lopen, was de wedstrijd zo goed als afgelopen. Er liepen nog een paar hardlopers rond die Gatorade dronken uit een papieren beker, maar de mensenmassa was aanzienlijk uitgedund, waardoor ik Olivia meteen zag lopen. Ze stond op haar tenen op de stoep naar de enkeling te kijken die nog moesten finishen.

'Is Laney er nog niet?' vroeg ik.

Ze schudde haar hoofd, en draaide zich niet eens naar me om. 'Ze zal wel hebben opgegeven, maar ze heeft haar telefoon bij zich. Waarom belt ze dan niet even?'

'Ik wil graag iedereen bedanken die naar de vijf kilometer van Vista is gekomen!' brulde een man op de tribune. 'Graag tot volgend jaar, als we weer gaan rennen voor ons leven!'

'Ze zit waarschijnlijk gewoon ergens langs de kant,' zei Olivia. 'Ik wíst dat dit zou gebeuren. Ik ga even zoeken, oké?'

Ze was de straat nog niet half overgestoken, toen ik weer naar het winkelcentrum keek en iets zag. Een klein figuurtje, heel ver weg.

'Olivia,' riep ik. 'Kijk.'

Ze draaide zich om, haar ogen volgden de richting waar mijn vinger naartoe wees. Het was moeilijk te zien, dus we stonden een tijdje goed te kijken hoe Laney dichterbij kwam. Ze liep superlangzaam en stond uiteindelijk voorovergebogen met haar handen op haar knieën helemaal stil. 'Hoe is het mogelijk,' zei Olivia. 'Daar zul je d'r hebben.'

Ik draaide me om naar de man op het podium, die zijn microfoon had weggelegd en met een vrouw stond te praten die een klembord vasthield. Vlak bij hen klom een vrouw in een Vista-vijf-kilometer-T-shirt op een ladder om de klok te pakken.

'Wacht!' riep ik. 'Er komt nog iemand aan.'

De vrouw keek eerst naar mij en daarna met samengeknepen ogen in de verte. 'Het spijt me,' zei ze. 'De wedstrijd is afgelopen.'

Olivia, die net deed of ze haar niet hoorde, deed een stap naar voren en zette haar handen als een toeter aan haar mond. 'Laney!' schreeuwde ze. 'Je bent er bijna. Nog even volhouden!'

Haar stem was schor en gespannen. Ik dacht terug aan de eerste keer dat ik haar met die stopwatch zag staan, en aan hoe ze sindsdien alleen maar had lopen zeiken over de wedstrijd. Je kon veel zeggen over Olivia. Maar ik had moeten weten dat ze absoluut geen sukkel was.

'Hou vol!' riep ze. Ze begon hard in haar handen te klappen. 'Kom op, Laney!' brulde ze, en ze overschreeuwde alles om haar heen. 'Kom op!'

Iedereen stond haar aan te kijken toen ze midden op straat stond te springen. Haar geklap echode tegen het gebouw achter ons. Terwijl ik naar haar stond te kijken, moest ik aan Harriet denken, die bedenkelijk stond toe te kijken hoe Reggie al die vitamines een voor een in het tasje stopte. Vervolgens dacht ik aan de avond dat Nate en ik bij de vijver op het bankje zaten, de laatste keer dat we samen waren. 'En als ik dat niet doe?' had hij gevraagd, en ik dacht toen dat er maar één antwoord mogelijk was. Maar nu begon ik me af te vragen of je misschien niet altijd hoefde te kiezen tussen iemand voorgoed de rug toekeren of er samen vol voor te gaan. Misschien was het, als het erop aankwam, wel genoeg om er gewoon voor iemand te zijn. Dat dacht Laney ongetwijfeld ook. Want op dat moment begon ze weer te lopen.

Toen ze een paar minuten later eindelijk over de finishlijn kwam, wist ik niet of ze in de gaten had dat er bijna geen toeschouwers meer waren, de klok weg was en haar tijd niet meer werd afgeroepen. Maar ik zag wel dat ze als eerste naar Olivia zocht, en dat ze haar armen om haar heen sloeg en haar stevig vastpakte, terwijl de banier boven hun hoofd wapperde. Bij deze aanblik bedacht ik dat je niet kunt verlangen dat iedereen op hetzelfde moment voor je klaarstaat. Daarom is het maar goed dat je aan één persoon genoeg hebt.

**

Toen ik weer thuis was, ging ik weer met statistiek aan de slag, vastbesloten om te leren, maar binnen de kortste keren dwaalden mijn gedachten van de cijfers en getallen naar de foto van Jamies familie, die nog steeds aan de muur boven mijn bureau hing. Het was een vreemde gewaarwording – ik had die foto al zeker duizend keer bekeken, op dezelfde plaats, op dezelfde manier. Maar opeens viel het kwartje.

'Wat is familie?' Het waren de mensen die aanspraak op je maakten. In goede en slechte tijden, soms of altijd. Het waren de mensen die bij je langskwamen, die onvoorwaardelijk bij je bleven. Het ging niet alleen om bloedverwantschap of dezelfde chromosomen, het was veel meer dan dat. Cora had gelijk – je had verschillende families in de loop van je leven. De familie waarin je werd geboren, de familie die je zelf om je heen bouwde, maar ook de mensen met wie je tijdens je leven omging. Vrienden, geliefden, soms zelfs onbekenden. Niemand van hen was volmaakt, en dat mocht je ook niet verlangen. Het was nooit één persoon uit wie je hele wereld bestond. Iedereen had je iets anders te bieden, en al die dingen samen vormden jouw wereld.

Mijn familie was dus méér dan alleen mijn moeder – waar ze ook uithing – of mijn vader – die er al vanaf het begin niet meer bij was geweest – of Cora – de enige die er eigenlijk altijd was geweest. Hij bestond ook uit Jamie, die me zonder iets te vragen in huis had genomen en me een toekomst gaf waarvan ik een tijd geleden alleen maar had kunnen dromen; Olivia, die veel vragen stelde, maar ook veel antwoorden gaf; Harriet, die net als ik eerst geloofde dat ze niemand nodig had, tot ze ontdekte dat dit niet waar was. En Nate natuurlijk.

Nate, die mijn vriend al was voordat ik wist wat vriendschap betekende. Die me letterlijk uit de goot had gehaald, steeds opnieuw, en daar behalve een belofte en begrip nooit iets voor terugverlangde. Ik had slechts één van de twee gegeven, omdat ik destijds dacht dat dat alles was wat erin zat. Dat onderstreepte ik nog een keer door precies hetzelfde te doen als mijn moeder ook had gedaan: hem pijn doen voordat hij mij pijn kon doen. Ergens behoefte aan hebben was zo eenvoudig; je hoefde er, net als ademhalen, niets voor te doen. Ervoor zorgen dat iemand anders behoefte had aan jou was een heel ander verhaal. Maar om een compleet mens te worden, had je ze allebei nodig. Net zoals hulp verlenen hoorde bij het accepteren ervan – het waren net de schakels van een ketting, of een slot waar maar één sleutel op past.

Ik stond op en liep naar beneden, door de keuken de tuin in. Ik wist dat het stom was, maar ik had opeens erg veel behoefte om Nate te vertellen dat het me speet en hem te zeggen dat ik er voor hem was.

Toen ik bij de poort kwam, trok ik hem open en keek of ik hem zag. De enige die ik zag was meneer Cross, die met zijn telefoon aan zijn oor gehaast door de woonkamer liep. Ik deed onmiddellijk een stap terug en verborg me aan de andere kant van het hek toen hij de schuifpui openschoof en het terras op liep.

'Ik zei toch dat ik de hele dag de stad uit was,' zei hij, toen hij langs het zwembad naar de garage liep. 'Hij had van alles moeten ophalen en controleren. Heeft hij de spullen voor de stomerij opgehaald?' Hij zweeg even om uit te ademen. 'Oké. Ik blijf doorzoeken. Mocht je hem tegenkomen, zeg dan maar dat hij naar huis moet. Meteen. Begrepen?'

Toen hij weer naar binnen liep, hoorde ik, op mijn eigen ademhaling na, niets anders dan het geluid van de pomp, die het water oppompte en uitspuugde, oppompte en uitspuugde. Ik dacht terug aan die avond dat Nate baantjes aan het trekken was, een donkere schaduw onder de bomen, en hoe lang het geleden was sinds ik hem alleen in het zwembad had gezien.

Meneer Cross stond weer binnen, en begon steeds sneller te ijsberen. Terwijl ik naar hem stond te kijken, wist ik opeens waarom de blik van Nate – afwezig, verward – me zo bekend voorkwam, de laatste keer dat ik hem op school had gezien. Mijn moeder had precies zo gekeken, de laatste keer dat ik haar had gezien. Ik was toen een kamer binnengelopen en ze had zich verbaasd omgedraaid.

Daarom wist ik, toen meneer Cross hem nog een keer riep, dat het geen zin had. Het is zo overduidelijk als er een leegte is, ook al wil je dat voor jezelf niet toegeven. Nate was weg.

18

'Hier,' zei Jamie. 'Ik hoop dat het geluk brengt.'

Ik keek toe hoe hij zijn autosleutels over de tafel naar me toe schoof. 'Serieus?' zei ik. 'Weet je het zeker?'

'Absoluut,' zei hij. 'Vandaag is een belangrijke dag. Die moet niet beginnen in een bus.'

'Top,' zei ik, en ik stopte ze in mijn zak. 'Bedankt.'

Hij ging tegenover me zitten, schudde zijn gebruikelijke cornflakes in een kom, en verdronk ze in de melk.

'Vertel eens,' zei hij. 'Hoe voel je je? Zelfverzekerd? Zenuwachtig? Zen?'

Ik trok een gekke bek. 'Ik voel me prima,' zei ik tegen hem. 'Ik wou gewoon dat het achter de rug was.'

Zijn telefoon, die op trillen stond, begon plotseling te zoemen en over de tafel te dansen. Jamie keek wie er belde en gromde. 'Christus,' zei hij, maar hij nam wel op. Toch was hij kortaf en klonk hij helemaal niet als Jamie, toen hij zei: 'Ja?'

Ik schoof mijn stoel naar achter, en zette mijn kom in de gootsteen. Toen ik langs hem liep, hoorde ik iemand aan de andere kant van de lijn, maar ik kon niet verstaan wat er werd gezegd.

'Dat meen je niet,' zei Jamie, die nu opeens bezorgd klonk. 'Wanneer heb je hem voor het laatst gezien? O. Oké, wacht even, dan vraag ik het meteen.' Hij hield de telefoon een stuk van zijn oor. 'Heb jij Nate onlangs nog gesproken? Zijn vader is naar hem op zoek.'

Zie je wel, dacht ik. Hardop zei ik: 'Nee.'

'Heb je hem afgelopen weekend nog gezien?'

Ik schudde mijn hoofd. 'Vrijdag op school voor het laatst.'

'Ze heeft hem sinds vrijdag niet meer gezien,' herhaalde Jamie in zijn telefoon. 'Absoluut. We laten het je meteen weten als we iets horen. Hou ons op de hoogte, oké?'

Ik maakte de vaatwasser open, en concentreerde me op het erin zetten van mijn kom en lepel toen hij ophing. 'Wat is er aan de hand?' vroeg ik.

'Nate is 'm kennelijk gesmeerd,' zei hij. 'Blake heeft hem sinds vrijdagavond niet meer gezien.'

Ik ging rechtop staan en deed de vaatwasser weer dicht. 'Heeft hij de politie al gebeld?'

'Nee,' zei hij, en hij nam een hap van zijn ontbijt. 'Hij denkt dat hij gewoon een weekendje weg is met vrienden, om er nog even uit te zijn voor het eindexamen begint, weet je wel? Hij denkt dat hij ergens in de buurt is.'

Maar ik wist dat dit helemaal niet zo hoefde te zijn. Je kon lopend overal naar toe, zeker als je geld en tijd had. En Nate hoefde niet eens te ontsnappen; hij kon gewoon weg wanneer hij wilde. Hij was zo vrij als een vogel.

En ik was dus te laat. Als ik gewoon naar hem toe was gegaan toen ik hem laatst 's avonds zag zwemmen, of hem die vrijdag op school nog had gesproken, had ik heel misschien nog iets voor hem kunnen doen. Als ik hem nu zou willen bereiken, had ik geen idee waar ik hem moest gaan zoeken. Hij kon overal zijn.

Ik vond zelf naar school rijden vreemder dan ik had gedacht, na maandenlang van iemand anders afhankelijk te zijn geweest. Als de omstandigheden anders waren geweest, had ik er waarschijnlijk wel van genoten, maar nu voelde het vreemd om te rijden in de stille Audi van Jamie, met allemaal andere auto's om me heen. Toen ik bij een stoplicht stond, keek ik opzij naar een vrouw in een busje die naar me zat te kijken. Ik vroeg me af of ik in haar ogen gewoon een verwende tiener was in een dure auto, met een rugzak op de stoel naast zich, het knipperlicht al aan om aan te geven dat ze op weg was naar haar exclusieve school. Ik werd hier behoorlijk door van mijn stuk gebracht, zo erg zelfs dat ik haar strak ging zitten aankijken, tot ze haar blik afwendde.

Eenmaal op school liep ik over het grasveld, haalde een keer diep adem en deed een poging om mijn hoofd leeg te maken. Omdat ik overtuigd was dat Nate ervandoor was gegaan – zelfs nog voor ik het zeker wist – had ik besloten om me aan de zenmethode van Gervais te houden, al was het alleen maar omdat ik de avond ervoor wel iets anders aan mijn hoofd had gehad dan leren. Statistiek was het laatste waar ik op dit moment mee bezig was, zelfs nu ik op weg was naar het lokaal, waar Gervais me stond op te wachten.

'Vertel,' zei hij. 'Heb je mijn instructies opgevolgd? Heb je minstens acht uur geslapen? Een proteïnerijk ontbijt genuttigd?'

'Gervais,' zei ik. 'Nu even niet, oké?'

'Niet vergeten,' negeerde hij me, 'dat je op je gemak moet beginnen. Neem de tijd voor de eerste opgaven, zelfs als ze makkelijk lijken. Ze bereiden je voor op het echte werk.'
Ik knikte alleen maar en nam niet eens de moeite om te antwoorden.

'Als je merkt dat je problemen hebt met de machtregel, gebruik dan het ezelsbruggetje dat ik je heb gegeven. Schrijf het op, zodat je het voor je neus hebt liggen.'

'Ik moet naar binnen,' zei ik.

'En ten slotte,' zei hij, terwijl mevrouw Gooden in het lokaal een stapel papier pakte, klaar om het uit te delen. 'Als je niet verder kunt, moet je gewoon je hoofd leegmaken.

Stel je een lege kamer voor, en laat je geest de ruimte verkennen. Je komt dan vanzelf op het goede antwoord.'

Dat laatste gooide hij er echt uit, niet bepaald zen dus. Maar hij wilde het gezegd hebben voordat de bel ging. Zelfs in mijn verwarde toestand wist ik dat ik wel wat vriendelijker mocht doen. We hadden een overeenkomst gesloten waar ik hem twintig dollar per uur voor had betaald, dat wist ik ook wel (en ik kreeg de rekening eens per twee weken, op zijn eigen briefpapier, ik zweer het je). Maar om nou op het laatste moment nog even langs te komen met een beknopte handleiding? Dat had nou ook weer niet gehoeven. Ook niet bij deze methode, die haar nut al bewezen had.

'Dank je wel, Gervais,' zei ik.

'Je hoeft me niet te bedanken. Zorg maar gewoon dat je een negen haalt. Ik wil niet dat mijn slagingspercentage omlaag gaat.'

Ik knikte, liep het lokaal in en gleed in mijn stoel. Toen ik naar buiten keek, stond hij nog steeds in de deuropening te kijken. Jake Bristol, die naast me zat en er slaperig uitzag, boog zich over het gangpad naar me toe en gaf een por in mijn schouder. 'Wat heb jij met die Miller?' vroeg hij. 'Krijg je een kick van minderjarigen of zo?'

Ik keek hem zonder iets te zeggen aan. Wat een eikel. 'Nee,' zei ik toen. 'We zijn vrienden.'

Op dat moment kwam mevrouw Gooden aanlopen. Ze lachte naar me toen ze het schoolonderzoek met de goede kant naar beneden voor me neerlegde. Ze was lang en knap, met lang blond haar dat ze met een potlood opstak als ze theorema's op het bord stond te schrijven. 'Succes,' zei ze, toen ik het papier omdraaide.

Toen ik er een blik op wierp, zonk de moed me in de schoenen en was ik totaal overdonderd. Maar toen dacht ik aan wat Gervais had gezegd over dat ik er de tijd voor moest nemen en mijn hersenen moest prepareren. Ik pakte mijn potlood en begon.

De eerste opgave was makkelijk. De tweede was iets moeilijker, maar nog steeds te doen. Pas toen ik onder aan de eerste pagina was aanbeland, had ik in de gaten dat het me op de een of andere manier gewoon lukte. Ik ging van de ene naar de andere opgave en volgde het advies op van Gervais, door de machtregel in de kantlijn te schrijven: *De afgeleide van een gegeven variabele (x) en exponent (n) is gelijk aan de som van de exponent en de variabele tot de macht(n-l).* Ik hoorde Olivia hem zo opdreunen, net zoals ik iedere keer dat ik twijfelde, Gervais steeds opnieuw hoorde zeggen wat mijn volgende zet moest zijn, en de volgende.

Ik had nog tien minuten voor de laatste opgave, en nu aarzelde ik wel, meer dan bij de vorige sommen. Ik zat ernaar te kijken en voelde hoe ik in paniek begon te raken, en hoe ik een knoop in mijn maag kreeg. Ik hoorde ook geen stemmen meer die me aanwijzingen gaven. Ik keek om me heen naar de mensen die aan weerszijden nog zaten te pennen, daarna naar mevrouw Gooden, die een tijdschrift zat door te bladeren, en ten slotte naar de klok, die me liet zien dat ik nog vijf minuten had. Ik sloot mijn ogen.

Een lege kamer, had Gervais gezegd. Ik probeerde me eerst witte muren voor de geest te halen, een houten vloer, een algemene ruimte. Maar toen mijn brein de ruimte had geregistreerd, kwam er langzaam iets anders in beeld: er ging een deur open, waarachter een kamer tevoorschijn kwam die ik herkende. Het was echter niet in het gele huis, ook niet bij Cora in huis, maar een kamer met aan weerszijden hoge ramen, helemaal van glas, die dienstdeed als slaapkamer, met een gestoomd dekbedovertrek op bed. Er stonden banken waarop nog nauwelijks gezeten was. Een lege kamer, niet omdat hij niet was ingericht, maar omdat hij zo aanvoelde. En als laatste, terwijl mijn geest overal doorheen wandelde, zag ik een coladop op het aanrecht liggen, die iemand daar expres had laten liggen.

Ik deed mijn ogen weer open en keek naar de open plek op het antwoordenvel, naar de onopgeloste opgave. Ik had nog drie minuten toen ik snel begon te schrijven. Ik dacht er niet bij na, maar werkte zuiver op instinct. Daarna leverde ik alles in en liep naar buiten, naar het grasveld en het parkeerterrein. Ik kon de bel nog net horen, ver weg en regelmatig, toen ik wegreed.

₊

In een perfecte wereld zou ik me niet alleen herinnerd hebben waar het flatgebouw stond, op welke verdieping ik moest zijn, en welke lift ik moest hebben, maar ook nog geweten hebben op welk huisnummer ik moest zijn. Maar omdat het míjn wereld was, liep ik op de zevende etage en zag ik al die deuren voor me en had ik geen idee waar ik moest beginnen. Uiteindelijk liep ik tot halverwege de gang en begon ik overal aan te kloppen.

Als er ergens iemand opendeed verontschuldigde ik me. Deed er niemand open, dan liep ik verder. Bij de zesde deur gebeurde er echter iets anders. Er deed niemand open, maar ik hoorde binnen wel geluid. Instinctief – laten we het maar zen noemen – probeerde ik de klink. Ik had geen sleutel nodig. De deur zwaaide zonder sleutel open.

De kamer was precies zoals ik me hem eerder die dag had voorgesteld. Nieuwe bankstellen, een leeg aanrecht, de coladop op dezelfde plaats. Het enige wat anders was, was de trui met de GA ZWEMMEN!-opdruk die over een barkruk bij het kookeiland hing. Ik pakte hem, begroef mijn gezicht erin en snoof de geur van chloor, van water, op. De geur van Nate. Met de trui nog half voor mijn gezicht keek ik naar buiten en zag hem staan.

Hij stond op het balkon, zijn handen op de balustrade, hoewel het koud was, zo koud dat ik de koude lucht onder de glazen deur naar binnen voelde komen toen ik dichterbij kwam. Ik wilde de klink pakken, maar aarzelde toen ik halverwege was omdat ik opeens de zenuwen kreeg. Hoe deed je dat eigenlijk? Teruggaan naar iemand en hem ervan proberen te overtuigen ook bij jou terug te komen? Ik had geen idee. Ik vertrouwde er maar op dat het antwoord vanzelf wel zou komen. En dus trok ik de deur open.

Toen Nate zich omdraaide, zag ik dat hij schrok. Hij keek verbaasd, maar ontspande enigszins toen hij zag dat ik het was. Toen had ik de plekken op zijn wangen en kin al gezien, die blauw begonnen te worden. Op een gegeven moment bereik je het punt waarop er niets meer te ontkennen en te verbergen valt. Ook niet voor jezelf.

'Ruby,' zei hij. 'Wat doe jij hier?'

Ik deed mijn mond open om hier iets op te zeggen. Maakte niet uit wat, het hoefde geen perfect antwoord te zijn. Maar omdat er niets kwam, keek ik naar het landschap dat zich achter hem uitstrekte, weids en uitgestrekt aan weerszijden van hem. Het was geen lege aanblik, totaal niet zelfs, maar misschien kon je daar ook wel inspiratie uit halen, want ik wist opeens wat ik moest zeggen, of in elk geval waar ik over moest beginnen, al was het alleen maar vanwege iets wat Cora tegen me had gezegd toen het allemaal begon.

'Het is koud,' zei ik, en ik stak mijn hand naar hem uit. 'Je kunt beter naar binnen komen.'

19

Nate kwam ook inderdaad naar binnen. Hem overhalen met me mee naar huis te gaan, was echter een stuk moeilijker.

We hadden meer dan twee uur in de keuken van het appartement zitten praten en het over alles gehad wat er was gebeurd, voor hij er eindelijk mee instemde om er met iemand over te praten. Over wie dat moest zijn had ik niet lang hoeven nadenken. Ik had zijn telefoon gepakt en een nummer ingetoetst, en toen we bij mij thuis aankwamen, zat Cora ons al op te wachten.

Ze gingen samen aan de keukentafel zitten en Nate vertelde Cora het hele verhaal. Ik zat tegen het kookeiland geleund te luisteren. Hij vertelde hoe het, toen hij net terug was verhuisd naar zijn vader, allemaal best oké was geweest – zijn vader had toen slechts sporadisch problemen met geld en schuldeisers, maar hij reageerde dat toen nog bijna niet af op Nate. Sinds afgelopen herfst echter, toen het niet meer zo goed ging met UW ZAKEN, ging het van kwaad tot erger. In de maanden na Kerstmis werd het hoogtepunt bereikt, toen er een aantal leningen afbetaald moest worden. Nate zei dat hij van plan was geweest om het tot het eind van het schooljaar uit te zingen, maar na een uit de hand gelopen ruzie een paar avonden daarvoor – die hem de blauwe plekken in zijn gezicht had opgeleverd – was de maat vol geweest.

Cora was super. Ze deed alles – van gewoon naar hem luisteren, met een serieus gezicht, tot het voorzichtig informeren naar een aantal zaken. Ze belde met bureau jeugdzorg om erachter te komen wat Nates opties waren. Zij was uiteindelijk degene die zijn moeder in Arizona belde. Ze had rustig en beheerst geklonken toen ze de situatie uitlegde, en had bemoedigend naar Nate geknikt toen ze de hoorn aan Nate gaf, zodat hij zelf de rest kon regelen.

Diezelfde avond werd er een ticket geboekt en een tijdelijke woonsituatie gecreëerd. Nate zou de rest van het schooljaar in Arizona gaan wonen en daarna het zwemkamp in Pennsylvania gaan leiden waar hij zich al voor had opgegeven. In de herfst zou hij dan gaan studeren, op dezelfde universiteit als ik, hoewel hij geen beurs meer kreeg omdat hij halverwege het schooljaar met zwemmen was gestopt. Hij hoopte dat zijn coach er misschien nog voor zou openstaan om hem als reserve achter de hand te houden, of hem in elk geval weer zou laten meetrainen. Het was niet zoals hij zich had voorgesteld dat het zou gaan, maar het was beter dan niks.

Meneer Cross was niet blij toen hij hierachter kwam. Hij stond er aanvankelijk op dat Nate gewoon naar huis zou komen, en dreigde de politie te bellen als hij dat niet zou doen. Pas toen Cora hem vertelde dat Nate meer dan genoeg reden had om een aanklacht tegen hem in te dienen, legde hij zich erbij neer. Hoewel hij door middel van diverse telefoontjes zijn ongenoegen uitte en het Nate zo moeilijk mogelijk maakte toen hij thuis zijn spullen wilde gaan halen en hoorde dat Nate bij ons zou intrekken tot hij naar zijn moeder zou gaan.

Ik deed mijn best om Nate een beetje afleiding te bezorgen door hem mee te sleuren naar Vista 10 (waar we gratis popcorn en kaartjes kregen van Olivia), met Roscoe te gaan wandelen en uitgebreid koffie te gaan drinken. Hij ging niet meer terug naar school, Cora had geregeld dat hij het schooljaar schriftelijk en online mocht afmaken. Ik was altijd nerveus als ik 's middags uit school kwam en bij binnenkomst zijn naam riep. Ik snapte eindelijk hoe het voor Cora en Jamie geweest moest zijn in die eerste weken dat ik bij hen was komen wonen. Iedere keer dat hij antwoord gaf, was ik vreselijk opgelucht.

Het spookte wel voortdurend door mijn hoofd dat hij er binnenkort niet meer zou zijn. Maar dat zei ik nooit tegen hem. Hij had al genoeg aan zijn hoofd, en het enige wat telde was dat ik er voor hem was, op wat voor manier dan ook. Maar toch, de ochtend dat hij zou vertrekken en ik hem met zijn spullen in de hal zag staan, kreeg ik weer een knoop in mijn maag.

Ik was niet de enige die overstuur was. Cora snotterde de hele tijd tijdens het afscheid en knuffelde hem herhaaldelijk, haar zakdoek binnen handbereik. 'Ik bel je vanavond om te horen hoe het met je gaat,' zei ze. 'En maak je alsjeblieft nergens druk om. Ik heb alles geregeld.'

'Is goed,' zei Nate. 'En nogmaals bedankt. Voor alles.'

'Laat je wel af en toe wat van je horen?' vroeg Jamie, die hem stevig omhelsde en hem een klap op zijn rug gaf. 'Je bent nu familie.'

Familie, dacht ik, toen we van de oprit reden. De buurt was nog in diepe slaap verzonken, de huizen donker toen we langs die grote stenen pilaren reden, en ik weet nog hoe ik me had gevoeld toen ik al die maanden geleden hiernaartoe was gekomen, hoe nieuw en anders alles toen was geweest.

'Ben je zenuwachtig?' vroeg ik aan Nate toen we de hoofdweg op reden.

'Niet echt,' zei hij en hij leunde achterover. 'Het voelt eigenlijk een beetje onwerkelijk aan.'

'Het dringt binnenkort echt wel tot je door,' zei ik tegen hem. 'Waarschijnlijk precies op het moment dat het te laat is om nog terug te komen.'

Hij lachte. 'Ik kom echt wel terug, hoor,' zei hij. 'Ik moet gewoon zorgen dat ik Arizona en mijn moeder overleef.'

'Wordt het echt zo erg, denk je?'

'Ik heb geen idee. Het is nou niet bepaald haar idee dat ik naar haar toe ga. Ze doet het alleen maar omdat het moet.'

Ik knikte en remde af voor een stoplicht. 'Je weet maar nooit. Misschien valt het wel heel erg mee,' zei ik. Hij leek hier niet erg van overtuigd, dus voegde ik eraan toe: 'Hoe dan ook, je moet niet meteen de eerste avond je spullen pakken en ervandoor gaan. Geef het een kans.'

'Goeie,' zei hij bedachtzaam, en hij keek naar me. 'Nog meer goede adviezen?'

Ik voegde uit en reed de snelweg op. Het was nog zo vroeg, dat we bijna de hele weg voor onszelf hadden. 'Nou,' zei ik, 'als je een irritant aardige buurman hebt, doe dan een beetje vriendelijk tegen hem.'

'Je weet maar nooit of je hem later nog ergens voor nodig hebt,' zei hij. 'Om je ergens uit de goot te halen, of zo.'

'Precies.'

Ik voelde zijn blik, maar zei niets meer toen we bij de afslag naar het vliegveld waren. Ik zag een vliegtuig opstijgen en steeds verder, verder weg vliegen, tot het een streepje wit was.

Toen we op het vliegveld waren aangekomen, was het ondanks het tijdstip al best druk met mensen die vertrokken of juist aankwamen. De zon kwam op, en de lucht kleurde roze toen we zijn spullen uitpakten en op de stoep zetten. 'Oké,' zei ik. 'Heb je alles?'

'Volgens mij wel,' zei hij. 'Bedankt voor de lift.'

'Die had je geloof ik nog wel te goed,' zei ik. Hij moest lachen. 'Maar ik moet nog één ding kwijt.'

'Wat dan?'

'Ook al heb je straks bergen nieuwe vrienden,' zei ik, 'vergeet je mij dan alsjeblieft niet?'

Hij keek naar me. 'Ik weet zeker dat dat écht niet gaat gebeuren.'

'Daar zul je nog raar van staan te kijken,' zei ik tegen hem. 'Bij een nieuw leven horen nieuwe vrienden. Zo gaat het gewoon.'

'Ik denk,' zei hij, 'dat ik nog genoeg heb om aan terug te denken.'

Ik hoopte dat hij gelijk had. En zelfs als het niet zo was, kon ik daar niets aan veranderen. Ik kon hem alleen mijn vriendschap geven en hopen dat hij op zijn beurt mijn vriend wilde zijn. Maar dat was makkelijker gezegd dan gedaan. Sinds Kerstmis was ik op zoek geweest naar het perfecte cadeau voor Nate, iets geweldigs, wat in de buurt kwam van wat hij mij had gegeven. Ik dacht nu weer dat ik met lege handen stond. Maar opeens besefte ik dat dit niet zo was.

De sluiting van mijn ketting werkte niet mee, en toen ik de sleutel van het gele huis eraf haalde, zag ik hoe versleten deze was. Helemaal vergeleken met de glanzende nieuwe sleutel van het huis van Jamie en Cora, die ik ervoor in de plaats deed. Toen pakte ik Nates hand, draaide hem met de handpalm naar boven, en stopte de ketting erin.

'Hier,' zei ik. 'Voor het geval dat.'

Hij knikte, en sloot zijn vingers om de ketting en mijn hand. Nu ontspande ik me en ik voelde zijn lichaamswarmte. Ik ging dichter bij hem staan. Ik legde mijn hand in zijn nek en trok hem naar me toe om hem te kunnen kussen, zodat de afstand tussen ons voorgoed verdween.

De weken daarna hadden Nate en ik dagelijks contact, zowel telefonisch als via ume.com. Mijn profiel, dat ik eerst nooit gebruikte, zat vol extra's die er dankzij Olivia, die het ook bijhield, op zaten. Ik had maar een paar onlinevrienden – zijzelf, Nate, Gervais en Jamie, die me de meeste berichten van iedereen stuurde – maar ik had wel een heleboel foto's, waaronder een paar van Nate op zijn nieuwe werk als badmeester in een zwembad vlak bij zijn moeder. Hij zwom weer iedere dag en ging steeds sneller zwemmen. Hij kreeg zijn oude vorm weer terug. Beetje bij beetje, maar hij vond dat hij vooruitging. Als ik een keer niet kon slapen, stelde ik me voor dat hij baantjes trok, met lange, gelijkmatige slagen.

Op mijn lievelingsfoto lag hij echter niet in het water maar poseerde hij voor zijn hoge stoel. Hij lachte, de zon stond achter hem, en er hing een fluitje om zijn nek. Maar als je goed keek, zag je nog een andere, dunnere ketting, waar iets aan hing. Het was moeilijk te zien, maar ik wist precies wat het was.

20

'Ruby, ben je klaar?'

Ik draaide me om en keek over mijn schouder naar Cora, die in de deuropening naar de keuken stond, haar tas aan haar schouder. 'Gaan we?' vroeg ik.

'Als Jamie zijn camcorder heeft gevonden,' antwoordde ze. 'Hij is vastbesloten om ieder moment van deze mijlpaal vast te leggen.'

'Dat moet je toch met alle familiegebeurtenissen doen,' hoorde ik Jamie ergens achter haar roepen. 'Later zijn jullie me dankbaar.'

Cora sloeg haar ogen ten hemel. 'Hij krijgt nog vijf minuten, oké?'

Ik knikte en ze ging weer naar binnen, de deur viel achter haar in het slot. Ik draaide me weer om naar de vijver. Ik had daar de afgelopen tijd veel gezeten, sinds ik een paar maanden daarvoor uit mijn werk was gekomen en Cora en Jamie tegen elkaar aan gekropen in de hal had aangetroffen.

'Jamie, leg dat ding weg.'

'Ik doe niks. Ik kijk alleen maar.'

'Zou je daar alsjeblieft mee willen stoppen?'

Ik ging achter hen staan. 'Wat zitten jullie te doen?'

Cora sprong geschrokken op. 'Niks,' zei ze. 'We zaten gewoon te...'

'Er is een brief van de universiteit voor je,' zei Jamie, en hij stak iets omhoog waarvan ik nu zag dat het een envelop was. 'Hij is een uur geleden bezorgd. We houden het niet meer van de spanning.'

'Jamie hield het niet meer,' zei Cora. 'Ik trok het echt nog wel.'

Ik liep naar ze toe en pakte de envelop aan. Ik had van alles gehoord over dikke en dunne enveloppen, en deze was het natuurlijk geen van beide. Niet dik en niet dun, maar ergens precies daartussenin.

'Je hebt maar één velletje nodig om "nee" te zeggen. Het is per slot van rekening maar één woord.'

'Jezus Jamie, doe normaal,' zei Cora en ze gaf hem een klap. 'Kappen nou.'

Ik bekeek de envelop nog een keer. 'Ik neem hem mee naar buiten,' zei ik. 'Als jullie dat tenminste goedvinden.'

Jamie wilde protesteren, maar Cora legde haar hand op zijn mond. 'Prima,' zei ze. 'Succes.'

Het was toen april. Het gras was van een vies bruin weer heldergroen geworden en de bomen stonden in de knop, waardoor het pollen regende. Er waaide een lekker briesje toen ik naar de vijver liep, met de envelop bungelend in mijn hand. Ik liep naar de rand van het water, waar ik mijn eigen weerspiegeling kon zien, en scheurde hem open.

Net toen ik de brief wilde openvouwen, zag ik in mijn ooghoek iets vliegensvlug bewegen, zó snel dat ik bijna twijfelde of ik het wel had gezien. Ik deed een stap dichterbij, en tuurde in de duistere diepte, nog voorbij de stenen, de algen en de ontluikende irissen. En ja hoor: ik zag iets wits voorbijschieten. Ik zag er nog meer – goudkleurig, gevlekt en zwart – in de diepte zwemmen. Maar ik zag de witte, mijn vis, het eerst. Ik haalde een keer diep adem en scheurde de brief open.

'Geachte mevrouw Cooper,' was de aanhef. 'Het doet ons genoegen u te kunnen meedelen...'

Ik draaide me om, en keek in de richting van de keuken-deur, waar, *surprise surprise*, Jamie en Cora naar me ston-den te kijken. Jamie maakte de deur open en stak zijn hoofd naar buiten. 'En?' vroeg hij.

'Goed nieuws,' zei ik.

'Echt waar?' Naast hem sloeg Cora met grote ogen haar hand voor haar mond.

Ik knikte. 'En de vissen zijn weer terug. Kom eens kijken.'

Het was nu half juni, en de vissen waren veel duidelijker zichtbaar. Ze zwommen tussen de waterlelies en de andere plantjes. Ik zag mijn weerspiegeling in de oppervlakte: los haar, zwarte toga, de muts in mijn hand. Toen blies er een windje door de tuin, waardoor de bladeren ritselden en een rimpeling over het water liet gaan. Roscoe, die naast me in het gras zat, deed zijn ogen dicht.

Zoals altijd vond ik het een vreemd gezicht om mezelf zonder mijn ketting te zien. Zelfs nu was ik me er nog steeds erg van bewust dat ik hem niet meer om had, en zag nog altijd een leegte op de plek waar altijd iets had gezeten wat erg vertrouwd was. Een paar dagen eerder echter had ik in een lade lopen snuffelen en was het doosje tegengeko-men dat Nate me op Valentijnsdag had gegeven. De eerst-volgende keer dat ik hem sprak, was ik erover begonnen, en hij zei dat ik het moest openmaken. Toen ik dat deed, zag ik dat hij weer perfect had geweten wat ik nodig had, nog vóór ik dat zelf wist. Er zat een paar sleutelvormige oorbel-len in – duidelijk het werk van Harriet – bezaaid met rode steentjes. Ik had ze sinds die dag altijd in gehad.

Ik keek naar de andere kant van de tuin, in de richting van de zwaaiende bomen en Nates huis. Zo noemde ik het nog steeds, een gewoonte die ik niet had afgeleerd, ook al woonden hij en zijn vader er al een tijdje niet meer. Meneer Cross had het in mei te koop gezet, vlak nadat er verschillende aanklachten waren ingediend tegen UW ZORGEN door klanten die het begon op te vallen dat er meerdere discrepanties in hun rekeningen zaten. Het laatste wat ik had gehoord, was dat hij het bedrijf nog steeds runde, maar niet veel klanten meer had, en dat hij aan de andere kant van de stad een appartementje huurde. De nieuwe eigenaren van het huis hadden kleine kinderen die heel vaak van het zwembad gebruikmaakten. Op warme middagen hoorde ik hun gelach en gespetter door het raam naar binnen komen.

En ik? Ik had dankzij de inspanningen van Gervais een 9,2 gehaald voor statistiek – waardoor ik me verzekerde van een plek op de universiteit – en zou binnen afzienbare tijd over het grasveld van Perkins Day lopen om mijn diploma in ontvangst te nemen van meneer Thackray. Ik was geslaagd voor mijn eindexamen. In de aanloop naar de diploma-uitreiking had ik oneindig veel papierwerk en mailtjes ontvangen over plaatsbewijzen voor mijn familie, en de regels betreffende hoeveel mensen ik mocht uitnodigen. Ik had uiteindelijk vier kaarten besteld, voor Cora, Jamie, Harriet en Reggie. Niet allemaal familie, maar als ik iets geleerd had in de afgelopen maanden, dan was het wel dat het een rekbaar begrip was.

Dat was dan ook de conclusie van mijn project voor Engels, dat ik in de laatste schoolweek had ingeleverd. We hadden allemaal een soort spreekbeurt moeten houden over onze bevindingen. Ik had twee foto's meegenomen. De eerste was van de uitgebreide familie van Jamie, die ik ophing toen ik vertelde over de vele definities die ik met betrekking tot het onderwerp had verzameld, en hoe deze allemaal verband hielden met elkaar. De tweede foto was recenter, en was genomen op het feestje dat Cora ter gelegenheid van mijn achttiende verjaardag, eind mei, had gegeven. Ik had gezegd dat ze vooral geen moeite moest doen, maar dat had ze uiteraard genegeerd, en ze had erop gestaan dat ik er iets aan zou doen. Ik mocht iedereen uitnodigen met wie ik het wilde vieren.

Op de foto staan we allemaal bij de vijver, één grote groep. Ik sta in het midden, met Cora aan de ene kant naast me, Olivia aan de andere. Jamie, enigszins bewogen omdat hij terug moest rennen nadat hij de zelfontspanner had ingesteld, stond bij Harriet, die lachend naar me staat te kijken. Naast hen staan Laney, met een grote grijns op haar gezicht, en Gervais, de enige die loopt te eten, met een stuk taart in zijn hand. Net als de eerste foto, die ik al maandenlang bestudeerd had, was ook deze niet perfect, het leek er zelfs niet op. Maar toen hij werd genomen, was hij precies goed.

De samenstelling was al aan het veranderen, net als op de foto van Jamies familie, ook al wisten we dat toen nog niet. Daar kwamen we een paar weken later achter, toen ik op een ochtend naar school wilde gaan en Cora huilend op bed zag zitten.

'Cora?' zei ik, en ik liet mijn rugzak op de grond vallen om naast haar te kunnen gaan zitten. 'Wat is er?'

Ze ademde hortend in, en schudde haar hoofd, niet in staat om iets te zeggen. Dat hoefde ook niet, ik had inmiddels het doosje van de zwangerschapstest op haar nachtkastje zien staan. 'Lieverd toch,' zei ik. 'Het komt wel goed.'

'I-ik,' zei ze snotterend.

'Wat is er aan de hand?' vroeg Jamie, die net kwam binnenlopen. Ik gebaarde naar het doosje, en zijn gezicht betrok. 'O jee,' zei hij, en hij ging naast haar zitten. 'Schatje, het is niet erg. We hebben volgende week die afspraak – dan zien we wel weer verder...'

'Het gaat wel,' zei Cora, terwijl ik een paar zakdoekjes pakte. 'Echt.'

Ik boog me naar haar toe, en pakte haar hand vast, zodat ik de zakdoekjes erin kon stoppen. Ze had de stick van de test nog steeds vast, en pas toen ik die op bed had gelegd, keek ik er eens goed naar.

'Weet je het zeker?' zei Jamie, en hij masseerde haar schouders. 'Weet je het écht zeker?'

Ik keek nog een keer naar de stick. En nog een keer. 'Ze weet het zeker,' zei ik, met het plusteken duidelijk zichtbaar naar voren, terwijl Cora weer in tranen uitbarstte. 'Ze is zwanger.'

En dat niet alleen, ze was ook dag in, dag uit doodziek, en zó moe, dat ze na het eten niet meer kon. Ze klaagde echter nooit.

Dit alles had me aan het denken gezet, en een paar dagen voor mijn verjaardag was ik aan mijn bureau gaan zitten om, veel te laat, een brief te schrijven aan mijn moeder, die nog steeds in een afkickkliniek in Tennessee zat. Ik wist niet zo goed wat ik moest schrijven, en na een uur zonder inspiratie had ik maar een kopietje gemaakt van mijn toelatingsbrief voor de universiteit en deze in een envelop gedaan. Het maakte niet alles goed, helemaal niet, maar het was een begin. We wisten nu tenminste weer waar we elkaar konden bereiken, ook al moest de tijd uitwijzen of we elkaar ooit zouden opzoeken.

'Kom op, dan gaan we!' hoorde ik Jamie roepen. Roscoe spitste zijn oren en sprong op en rende naar het huis, met rinkelende penningen.

Pas toen, toen ik zeker wist dat ik alleen was, graaide ik onder mijn toga in de zak van mijn jurk en haalde de sleutel van het gele huis tevoorschijn, die sinds het vertrek van Nate op mijn bureau had gelegen. Ik ging er nog één keer met mijn vingers overheen voor ik mijn hand er stevig omheen kneep.

Cora riep me nog een keer. Mijn familie stond op me te wachten. Ik keek naar de vijver en ik kon alleen maar denken aan hoe ongelooflijk het was dat er een hele wereld kan ontstaan uit iets wat schijnbaar niets voorstelt. Ik liep naar de rand van de vijver en keek naar mijn eigen weerspiegeling toen ik de sleutel in het water gooide, waar hij met een plons in terechtkwam. Aanvankelijk schoten de vissen weg, maar toen hij begon te zinken kwamen ze terugzwemmen. Ze zwommen erachteraan, tot hij verdwenen was.

Lees ook van Sarah Dessen

Voor de buitenwereld is Annabel het meisje waar iedereen jaloers op kan zijn. Ze is model, een goede student en wordt omringd door vrienden. Maar wat niemand weet is dat Annabels beste vriendin Sophie over haar roddelt, haar familie zich op de rand van de afgrond beweegt en ze vreselijk eenzaam is door alle leugens die haar leven beheersen. Dan ontmoet ze Owen. Zal ze hem ooit durven vertellen wat er écht gebeurd is, die nacht toen de vriendschap tussen Annabel en Sophie in één keer voorbij was?